Les 500 EXERCICES DE GRAMMAIRE

Anne Akyüz
Bernadette Bazelle-Shahmaei
Joëlle Bonenfant
Marie-Françoise Gliemann

http://www.hachettefle.fr

Avant-propos

Cet ouvrage de la collection « Les Exercices » s'adresse à des étudiants adolescents ou adultes, de niveau intermédiaire en Français Langue Étrangère, pour un travail en classe ou en autonomie. Il propose **des exercices d'entraînement** correspondant au niveau **A2 du Cadre européen commun de référence.**

Cet ouvrage comporte **20 chapitres**, regroupés autour des notions suivantes : le groupe du nom et les pronoms, le verbe, les mots invariables, les différents types de phrases et enfin la phrase complexe et l'expression des circonstances.

Chaque chapitre se divise en plusieurs sous-parties. Chacune d'elles s'ouvre sur des corpus très courts qui permettent à l'étudiant d'**observer**, dans un premier temps, le fonctionnement de la langue, puis de répondre à quelques questions pour vérifier sa compréhension et formuler la règle, dans une démarche **inductive**.

Dans un deuxième temps l'étudiant peut alors **s'entraîner** à l'aide d'exercices aux **consignes simples** et qui s'appuient sur des **situations de communication courantes**. La plupart des exercices sont **contextualisés** afin de s'inscrire dans une situation de communication authentique. On trouvera des exercices plus créatifs étiquetés **À vous !** dont certains peuvent être travaillés en mini-groupes.
À l'intérieur de chaque chapitre, les notions sont abordées de façon **progressive** et des renvois internes à l'ouvrage permettent aussi une **progression en spirale**.

L'unité lexicale des exercices aide à mémoriser un vocabulaire peu compliqué, utile au niveau intermédiaire. Il permet surtout à l'étudiant de se focaliser sur le point de langue étudié, sans buter sur des difficultés lexicales.

Un bilan, à la fin de chaque chapitre, reprend les principaux éléments abordés.

Un précis grammatical, un index et **les corrigés** des exercices se trouvent à la fin de l'ouvrage.

Les auteurs

Tous les remerciements de l'éditeur à Évelyne Rosen pour sa précieuse collaboration.

Couverture : Amarante
Maquette intérieure : Médiamax
Réalisation : Médiamax
Suivi éditorial : Audrey Adida
Illustrations : Claude Bour

Pour découvrir nos nouveautés, consulter notre catalogue en ligne, contacter nos diffuseurs ou nous écrire, rendez-vous sur Internet : **www.hachettefle.fr**

ISBN 978-2-01-155435-2

SOMMAIRE

Ire PARTIE

Le groupe du nom et les pronoms

Le nom et l'adjectif qualificatif : masculin et féminin

Observez

- Mon voisin est un chanteur suisse exceptionnel !
- Je connais un banquier très sérieux !
- Cette étudiante est une grande amie.
- Quelle jolie championne !
- Ce vendeur est vraiment agressif !
- Cette trapéziste brésilienne est vraiment très légère !

a. Soulignez les 8 noms et entourez les 8 adjectifs qualificatifs.

b. Notez ces noms et adjectifs dans le tableau et complétez avec les autres formes.

	Nom masculin singulier	Nom féminin singulier
1.	*voisin*	*voisine*
2.	......	......
3.	......	......
4.	......	......
5.	......	......
6.	......	......
7.	......	......
8.	......	......

	Adjectif masculin singulier	Adjectif féminin singulier
9.	......	......
10.	......	......
11.	......	......
12.	......	......
13.	......	......
14.	......	......
15.	......	......
16.	......	......

Entraînez-vous

1 Notez si les mots soulignés sont au féminin (f) ou au masculin (m) et transformez les phrases en changeant le genre comme dans l'exemple.

Exemple : Quelle brillante (f) avocate (f) ! → Quel brillant avocat !

1. J'ai déposé les clés chez la gardienne .... Elle est très serviable ....
2. Le bibliothécaire ...... est absent ...... ce matin.
3. C'est un employé ...... très efficace ....
4. Je vous présente une ancienne ...... collègue ....
5. Notre boucher ...... est vraiment sympathique ....
6. Vous connaissez ce pharmacien ...... ? Il est charmant ....
7. C'est une ouvrière ...... très compétente ....
8. Tu connais une meilleure ...... infirmière ...... ?
9. C'est un détective ...... renommé ....
10. Ce conférencier ...... est vraiment génial ....
11. C'est un grand ...... champion ...... olympique ....
12. Pouvez-vous me conseiller un bon ...... dentiste ...... ?

2 **Écrivez le féminin des noms en *-eur* puis ajoutez un adjectif de la liste proposée pour faire des groupes de mots de votre choix.**

exceptionnel – talentueux – agressif – généreux – nerveux – *particulier* – *autoritaire* – sportif
mystérieux – prétentieux – fier – attentif – ambitieux – cruel – créatif – peureux – professionnel

	Noms féminins en *-euse*	Noms féminins en *-rice*
1. *un coiffeur*	*une coiffeuse particulière*	......
2. *un directeur*	......	*une directrice autoritaire*
3. un inspecteur	......	......
4. un danseur	......	......
5. un acteur	......	......
6. un voyageur	......	......
7. un skieur	......	......
8. un chanteur	......	......
9. un ambassadeur	......	......
10. un spectateur	......	......
11. un nageur	......	......
12. un traducteur	......	......
13. un électeur	......	......
14. un lecteur	......	......
15. un voleur	......	......

3 **À vous !** **Composez des titres de films ou de romans en associant un nom et un adjectif.**

Exemples : Un navigateur solitaire – Une étudiante étrangère...

Observez

Savez-vous si ces mots sont masculins ou féminins ? Répondez intuitivement puis vérifiez dans le dictionnaire et comptez vos points.

ordinateur
souris
clavier
écran

document
impression
erreur
tableau

modification
image
disque
lien

Entraînez-vous

4 **Complétez les noms avec leur terminaison, puis cochez la réponse qui convient.**

-oir -teur -in *-ment* -isme -al -eil -ier -ail -eau

un apparte... / un médica... > *ment*	un tir... / un mouch... >	un jard... / un magas... > ......
un rév... / le somm... >	un cad... / un chât... >	un tribun... / un anim... > ......
un cah... / un pap... >	un trav... / un dét... >	un ordina... / un aspira... > ......
le tour... / un organ... >		

Les noms avec ces terminaisons sont généralement :
☐ masculins. ☐ féminins.

5 **Complétez les noms avec leur terminaison, puis cochez la réponse qui convient.**

-esse -ude -ure -aille -ade *-té* -ance -ence -ette -ie

la pauvre... / la bon... > *té*	une mair... / la chim... >	l'appar... / la sci... > ......
la solit... / une habit... >	une promen... / une pomm... >	une ambul... / la ch... > ......
une bagu... / une allum... >	la rich... / la polit... >	une coiff... / une peint... > ......
la bat... / la t... >		

Les noms avec ces terminaisons sont généralement :
☐ masculins. ☐ féminins.

6 **Les mots qui se terminent par *-e* sont souvent féminins. Entourez les intrus.**

(modèle) réduit	*grosse tête*	*livre vendu*	*enveloppe timbrée*
problème majeur	*système financier*	*arbre fruitier*	*entreprise risquée*
magazine mensuel	*fleuve dangereux*	*carte postale*	*fenêtre ouverte*
ville européenne	*banque nationale*	*grammaire française*	*service public*
salle aérée	*bibliothèque municipale*	*téléphone allumé*	*rue piétonne*
portefeuille noir	*porte fermée*	*sourire éclatant*	*longue phrase*
groupe international	*face cachée*	*acte définitif*	*exercice incomplet*

7 **Les noms qui se terminent par *-age* sont généralement masculins. Entourez les intrus.**

(page) lue	*fromage fort*	*grande rage*	*second mariage*
joli visage	*cage dorée*	*petit message*	*paysage enneigé*
plage ensoleillée	*nage sportive*	*lavage complet*	*passage étroit*
réglage précis	*lourd bagage*	*village isolé*	*image colorée*

8 **Tous les noms suivants se terminent par *-on*. Sont-ils masculins ou féminins ? Cochez.**

	Masculin	Féminin		Masculin	Féminin
1. *ballon rond*	☒	☐	11. maison ancienne	☐	☐
2. définition précise	☐	☐	12. inscription définitive	☐	☐
3. chanson espagnole	☐	☐	13. rayon lumineux	☐	☐
4. don généreux	☐	☐	14. son aigu	☐	☐
5. leçon intéressante	☐	☐	15. wagon plein	☐	☐
6. liaison incorrecte	☐	☐	16. caleçon léger	☐	☐
7. feuilleton mensuel	☐	☐	17. habitation curieuse	☐	☐
8. action particulière	☐	☐	18. balcon fleuri	☐	☐
9. crayon noir	☐	☐	19. saison froide	☐	☐
10. façon élégante	☐	☐	20. savon doux	☐	☐

Les noms qui se terminent par *-tion* sont : ☐ masculins. ☐ féminins.
Les noms qui se terminent par *-son* sont généralement : ☐ masculins. ☐ féminins.
Les autres noms qui se terminent par *-on* sont généralement : ☐ masculins. ☐ féminins.

9 **Les noms qui se terminent par *-eur* sont généralement féminins. Entourez les intrus.**

peur bleue	*valeur sûre*	*grosse chaleur*	*belle longueur*
sainte horreur	*cœur amoureux*	*belle couleur*	*grande largeur*
bonne épaisseur	*bonheur fou*	*grand honneur*	*couleur foncée*
grand (malheur)	*fleur parfumée*	*profonde douleur*	*mauvaise odeur*

10 **Soulignez la forme de l'adjectif qui convient.**

1. Pourquoi as-tu mis ce pantalon (*blanc* – blanche) ?
2. Il m'a donné une réponse (fausse – faux).
3. C'est vraiment un acte (fou – folle) !
4. Je voudrais une boisson (fraîche – frais), s'il vous plaît.
5. Quelle jolie chatte (roux – rousse) !
6. J'adore conduire cette (vieux – vieille) voiture.
7. Ce parfum est vraiment (doux – douce).
8. Pourquoi est-elle si (jaloux – jalouse) ?

Le nom et l'adjectif qualificatif : singulier et pluriel

Observez

- J'ai des amis français et étrangers dans des pays du monde entier.
- Ces billets sont absolument faux !
- Ces jeux sont nouveaux.
- Les bateaux de ce port sont luxueux.
- Regardez vos nez : avec le froid, ils sont tout rouges !

a. Soulignez les 6 noms et entourez les 6 adjectifs qui sont au pluriel.
b. Notez ces noms et adjectifs dans le tableau selon leur formation.

Singulier + *s*	Singulier + *x*	Singulier = pluriel
......	......	......

Entraînez-vous

11 **Soulignez la forme qui convient.**

Accueil parfait
Une (*hôtesse* – hôtesses) sera là pour vous accueillir. Le (bagagistes – bagagiste) montera vos (valise – valises). Un (serveurs – serveur) vous apportera un (rafraîchissements – rafraîchissement). Notre (personnel – personnels) est là pour vous servir : les (cuisinier – cuisiniers), les (garçons – garçon) d'étage, les (femme – femmes) de chambre. Dans notre (centre – centres) de remise en forme, des (esthéticiennes – esthéticienne), des (masseur – masseurs) et un (kinésithérapeutes – kinésithérapeute) vous aideront à retrouver votre (dynamisme – dynamismes).

12 **Tous les mots suivants sont des adjectifs. Barrez l'intrus et justifiez votre choix.**

1. géniale – patiente – intelligente – ~~timides~~ → Timides *est le seul adjectif au pluriel.*
2. aimables – prudent – cultivés – distraits
3. courageux – doux – paresseux – méchants
4. dynamiques – extraordinaires – peureux – naïfs
5. égoïstes – autoritaires – francs – réservé
6. active – têtues – peureuses – renfermées

13 **Ces noms et ces adjectifs sont au singulier. Soulignez ceux qui ne changent pas au pluriel et écrivez le pluriel de ceux qui changent.**

1. pierre → *pierres*
2. dos
3. prix
4. gentil
5. carnet
6. détail
7. roux
8. secours
9. nez
10. tapis
11. numéro
12. vieux
13. immense
14. suédois
15. fois
16. hôtel
17. croix
18. gaz
19. blanc
20. voix
21. folle

14 **Les adjectifs sont-ils au singulier (s), au pluriel (p), ou les deux (s/p) ?**

1. crus → *(p)*
2. cuit
3. parfumée
4. délicieux
5. copieuses
6. excellents
7. fameux
8. lourd
9. savoureux
10. forts
11. léger
12. gastronomique
13. exquis
14. épicés
15. mauvais

15 **Choisissez un mot et mettez-le au pluriel si nécessaire.**

feu – manteaux – cheveu – château – gâteau – jeu – *beau* – jumeau – vœu

Contes de fée

1. La princesse Amalia a de *beaux* ...... blonds comme l'or, elle habite dans un ...... au fond de la forêt.
2. La reine a mis au monde des ....
3. Pour fêter son mariage, le prince a organisé des ...... au village et des ...... de joie ont été allumés.
4. Tout le monde espère que les ...... de bonheur seront exaucés.
5. Les enfants se sont déguisés avec de grands ....
6. Le ...... d'anniversaire du roi est immense.

Observez

un hôpital, des hôpitaux
mais des festivals, des bals
normal, normaux
mais finals, glacials, banals
un détail, des détails
mais des vitraux, des travaux

Entraînez-vous

16 **Mettez au pluriel.**

1. un château féodal → *des châteaux féodaux*
2. un bureau central
3. un point capital
4. un geste amical
5. un détail spécial
6. un test final
7. un travail original
8. un vent glacial
9. un scénario banal
10. un festival international

Place des adjectifs qualificatifs dans le groupe nominal

Observez

un beau tableau
un film argentin
une idée intéressante
un grand vase
un bon gâteau
un gros chat
un ordinateur portable
la meilleure actrice
une longue nuit
une réunion politique
un bel immeuble
un nouvel habitant
une chemise blanche
un vieil homme
le dernier étage
le septième ciel
un couteau pointu
un voyage touristique
le premier homme
une table rectangulaire
une seconde chance
une jolie maison
un mauvais film
une jeune plante
une voiture noire
un lit confortable
un petit garçon
un appareil électrique
une décision médicale
une voiture suédoise
un nouveau pantalon
une vieille valise
un spectacle magnifique

a. Entourez les adjectifs placés devant le nom.
b. Devant une voyelle ou un *h* muet, *beau* devient ......, *nouveau* devient ...... et *vieux* devient ....
c. Les adjectifs ordinaux sont placés devant le nom. ☐ **Vrai** ☐ **Faux**
d. Classez les adjectifs placés derrière le nom en cinq groupes.

Nationalité

......
......

Forme

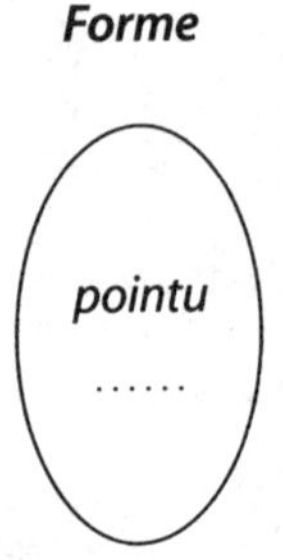

Couleur

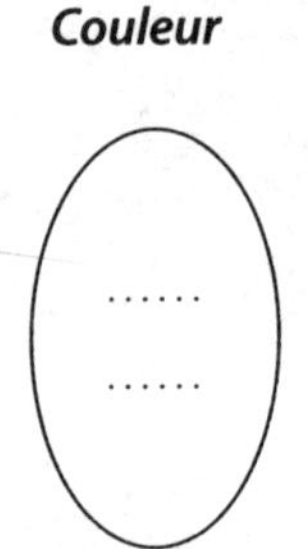

Appréciation

Spécificité

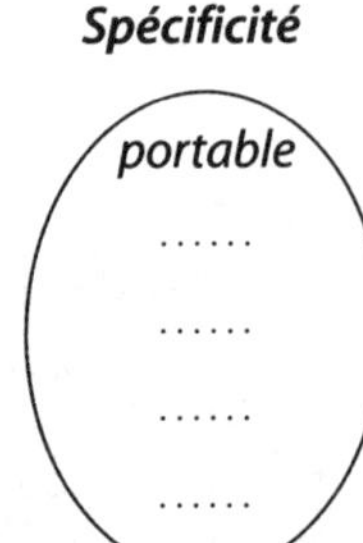

Entraînez-vous

17 Mettez l'adjectif à la place qui convient.

Décoration intérieure

1. Un *grand* salon (grand) avec une ...... table ...... (ovale).
2. Une ...... cheminée ...... (belle) de ...... style ...... (ancien).
3. Un ...... miroir ...... (joli) de ...... forme ...... (carrée).
4. Une ...... moquette ...... (épaisse) de ...... laine ...... (blanche).
5. Des ...... tapis ...... (petits) aux ...... dessins ...... (géométriques).
6. Un ...... canapé ...... (confortable) de ...... cuir ...... (blanc).
7. Des ...... livres ...... (rares) dans une ...... bibliothèque ...... (grande).
8. Une ...... pièce ...... (agréable) avec une ...... atmosphère ...... (chaleureuse).

18 **Ajoutez deux adjectifs à chaque nom proposé. Placez un adjectif devant le nom et un derrière. Diverses combinaisons sont possibles. (Attention aux accords.)**

beau – rouge – petit – commerçant – grand – éclairé – parisien – ensoleillé – rectangulaire – joli
moderne – long – fleuri – nouveau – étroit – bruyant – inhabité – vieux – non polluant

1. un *grand* immeuble *moderne*
2. une ...... maison ......
3. une ...... voiture ......
4. un ...... appartement ......
5. un ...... jardin ......
6. une ...... rue ......
7. un ...... parc ......
8. un ...... musée ......
9. une ...... avenue ......
10. un ...... autobus ......

19 **Mettez dans l'ordre.**

Rémi et Marion
1. Ce / deux / étudiants / français / jeunes / sont
   → *Ce sont deux jeunes étudiants français.*
2. d'une / grosse / Il / rêve / rouge / voiture
3. blanche / Elle / maison / petite / une / voudrait
4. a / belle / Elle / japonaise / moto / une
5. appartement / grand / Il / un / lumineux/ visite
6. achètent / Ils / rénové / studio / un / petit
7. camion / Ils / joli / multicolore / ont / un

Bilan

20 **Transformez si nécessaire pour former le féminin comme dans l'exemple.**

Exemple : utile → utile – important → importante – banal → banale
1. marié – célibataire – divorcé – veuf
2. calme – reposant – mouvementé – sportif
3. contemporain – moderne – ancien – neuf
4. spacieux – étroit – ensoleillé – confortable
5. merveilleux – doué – brillant – fort
6. plein – fragile – épais – creux

21 **Complétez avec *un* ou *une* et soulignez la forme de l'adjectif qui convient.**

1. *un* bâtiment très (haute – <u>haut</u>)
2. ...... casquette (bleue – bleu)
3. ...... cheval (folle – fou)
4. ...... voiture (blanche – blanc)
5. ...... (belle – beau) certitude
6. ...... personnalité (inquiétant – inquiétante)
7. ...... station de ski (connu – connue)
8. ...... escalier (dangereuse – dangereux)
9. ...... sommeil (profonde – profond)
10. ...... (bon – bonne) boulangerie
11. ...... saison (chaude – chaud)
12. ...... savon (doux – douce)
13. ...... pommade (épais – épaisse)
14. ...... (grosse – gros) peur
15. ...... (mauvais – mauvaise) organisme
16. ...... trottoir (glissant – glissante)
17. ...... matin (frais – fraîche)
18. ...... (grande – grand) patience
19. ...... travail (fatigant – fatigante)
20. ...... (belle – beau) silhouette
21. ...... (nouveau – nouvelle) chapeau
22. ...... robe (légère – léger)
23. ...... (grande – grand) nettoyage
24. ...... plage (désert – déserte)

22 Transformez au pluriel.

Jeux Olympiques

1. une course incroyable → *des courses incroyables*
2. un résultat très décevant
3. un relais victorieux
4. une championne olympique
5. un record battu
6. un prix exceptionnel
7. un saut extraordinaire
8. un titre précieux
9. un prix spécial
10. une récompense méritée

23 Mettez l'adjectif à la forme qui convient.

Publicité

Notre ville est *merveilleuse* (merveilleux), vous trouverez de ...... (vieux) maisons ...... (rénové) mais aussi des bâtiments ...... (moderne), de ...... (petit) rues ...... (étroit) mais aussi de ...... (long) avenues ...... (résidentiel), deux ...... (beau) jardins ...... (public) avec de ..... (grand) arbres et une église ..... (ancien). Pour faire vos courses, vous avez deux ...... (gros) centres ...... (commercial) toujours très ...... (vivant) et pas ...... (cher). Enfin, notre ville est également très ...... (actif) avec sa zone ...... (industriel) très ...... (connu) dans toute la région.

24 Complétez les phrases avec des noms et des adjectifs de votre choix. (Attention aux accords et à la place des adjectifs.)

information	*journaliste*	*régional*	*catastrophique*
émission	*reportage*	*trimestriel*	*passionnant*
téléfilm	*actualité*	*incroyable*	*nouveau*
magazine	*quotidien*	*amusant*	*sérieux*
photo	*dessin*	*caricatural*	*bon*
		jeune	*ambitieux*

1. Je n'aime pas les *actualités catastrophiques.*
2. C'est un ...... ? magazine régional dessin caricatural
3. Ce ...... donne seulement des .... bon quotidien
4. Il y a beaucoup de .... information serieus
5. J'adore les .... jeune journaliste actualité ambitieux
6. Ce sont des ...... mais .... photos amusant
7. On ne peut pas croire à cette .... incroyable émission
8. Dans ce ......, on trouve seulement des .... reportage catastrophique
nouveau télé film

2 Les articles

Les articles définis, indéfinis et partitifs

Observez

– Pour **le** pique-nique (m) de samedi, on sera combien ?
– Il y aura nous, ça fait quatre. Et **les** cousins (m) de Lucie qui viennent avec **des** copains (m). Alors, une petite dizaine, je crois.
– Et on s'organise comment ?
– Moi, je veux bien apporter **l'**entrée (f) : **de la** salade (f) verte et **des** tomates (f), ça vous va ?
– Oui, très bien. Moi, j'achèterai **une** baguette (f) et je ferai **un** gâteau (m).
– Bonne idée, de mon côté, je vais prévoir **les** boissons (f) : **du** vin (m) rouge et **de l'**eau (f) minérale, d'accord ?
– Oui, mais **de l'**eau plate, tu sais que je n'aime pas **l'**eau gazeuse. Moi, j'apporterai **du** poulet (m) froid.

Remarque : m = masculin – f = féminin

a. Quelles sont les formes des articles ? Complétez le tableau.

	Articles définis	Articles indéfinis	Articles partitifs
Devant un nom masculin singulier : **• commençant par une consonne** **• commençant par une voyelle ou un *h* muet**	....	......	....
Devant un nom féminin singulier : **• commençant par une consonne** **• commençant par une voyelle ou un *h* muet**	....	......	....
Devant un nom masculin ou féminin pluriel	......	......	

b. Quels articles utilise-t-on ? Cochez.

	Articles définis	Articles indéfinis	Articles partitifs
– Pour désigner des personnes ou des choses indéterminées.	☐	☐	☐
– Pour désigner des personnes ou des choses précises.	☐	☐	☐
– Pour désigner une généralité.	☐	☐	☐
– Pour désigner des quantités non comptables.	☐	☐	☐

Entraînez-vous

I Complétez avec *le*, *la*, *l'* ou *les*.

Critique gastronomique

Le (1) restaurant (m) *Chez Nico* se trouve dans ...... (2) vieille ville (f). ...... (3) cadre (m) est magnifique, ... (4) nourriture (f) est délicieuse. ...... (5) service (m) est rapide et discret. ...... (6) serveurs (m) et ...... (7) serveuses (f) sont très aimables. ...... (8) ambiance (f), surtout ...... (9) soir (m), est très sympathique. ...... (10) seule critique (f) à faire, ce sont ...... (11) prix (m) qui sont très élevés. Ça peut gâcher ...... (12) plaisir (m) !

2 Complétez avec *le, la, l'* ou *les*.

Connaissez-vous *la* France (f) ?

1. De quelle couleur est ...... drapeau (m) français ?
2. Comment s'appelle ...... président (m) de ...... République (f) française ?
3. Qu'est-ce que ...... Élysée (m) ?
4. Quelle est ...... date (f) de ...... Fête (f) nationale ?
5. À quelle fête sont associés ...... œufs (m) en chocolat ?
6. Qu'est-ce que ...... impressionnisme (m) ?
7. Où se trouve ...... embouchure (f) de ...... Seine (f) ?
8. Quelles sont ...... cinq plus grandes villes (f) françaises ?
9. À quel département correspond ...... code postal (m) 75006 ?
10. Quelle est ...... vitesse (f) maximum du TGV ?

3 Associez et complétez les phrases.

Lucas et Thomas font

1. du
2. de la
3. de l'

- **a.** équitation (f)
- **b.** *violon* (m)
- **c.** guitare (f)
- **d.** escrime (m)
- **e.** trompette (f)
- **f.** chant (m)
- **g.** ski (m)
- **h.** boxe (f)
- **i.** judo (m)
- **j.** escalade (f)

1	2	3
b, ...	......	......

Lucas est plutôt musicien. Il fait *du violon*, ...

Thomas est un grand sportif. Il fait ......

4 **À vous !** Êtes-vous sportif, ou artiste, ou les deux ? Quelles sont vos activités de loisirs ?

5 Soulignez la forme qui convient.

1. On va refaire l'appartement. Il nous faut (des – *de la*) peinture (f), (de l' – du) papier (m), (du – de la) colle (f), (de la – des) moquette (f) ou (de la – du) carrelage (m), ou peut-être (de l' – du) parquet (m).
2. Elle va se faire une robe. Elle doit acheter (de la – du) tissu (m), (du – des) fil (m) et (des – de l') aiguilles (f).
3. Vous allez faire un long trajet en voiture ? N'oubliez pas de prendre (de l' – de la) eau (f), (du – des) petits gâteaux (m) et (des – de l') essence (f), bien sûr !

6 Complétez avec *du, de la, de l'* ou *des*.

– À votre avis, pour être un grand champion, il faut *de la* (1) force (f) ou ...... (2) volonté (f) ?

– Les deux, je pense. Et ...... (3) courage (m) aussi.

– Et pour réussir dans le showbiz ?

– Pour ça, on doit avoir ...... (4) relations (f), ... (5) chance (f), ... (6) idées (f), ... (7) enthousiasme (m). Et ...... (8) talent (m) évidemment !

7 Complétez puis associez, comme dans l'exemple.

*Exemple : **Le** violet, c'est **du** rouge et **du** bleu.*

1. ...... vert,
2. ...... beige,
3. ...... rose,
4. ...... marron,
5. ...... orange,

a. c'est ...... rouge et ...... blanc.
b. c'est ...... jaune et ...... rouge.
c. c'est ...... écru et ...... marron.
d. c'est ...... bleu et ...... jaune.
e. c'est ...... noir et ...... orange.

1	......
2	......
3	......
4	......
5	......

8 Complétez avec *le, la, l', les, un, une* ou *des*, comme dans l'exemple.

*Exemple : – Donne-moi **un** verre (m), s'il te plaît.*
– Quel verre ?
*– **Le** verre en plastique qui est devant toi.*

1. – Passe-moi ...... assiette (f).
   – Laquelle ?
   – ...... assiette de Joseph.
2. – Tu peux sortir ...... cuillères (f) ?
   – N'importe lesquelles ?
   – Non, ... petites cuillères à café de tante Germaine.
3. – Oh, vous avez ...... nouvelle voiture (f) ?
   – Non, c'est ...... voiture de notre fils. Il est parti en vacances.
4. – Vous connaissez ...... voisins (m) de l'appartement d'en face ?
   – Non, ce sont ...... gens (m) sympathiques ?
   – Oui, charmants.

9 Complétez avec *la, les, une, des, de la, de l'*.

– Regarde *la* (1) publicité (f) Spiro, c'est ...... (2) publicité originale, non ?
– Oui, moi, je préfère ...... (3) publicité Chouca, mais tu sais, en général, je n'aime pas ...... (4) publicités, il y a ...... (5) slogans (m) un peu vulgaires.
– Parfois c'est vrai, mais ...... (6) photos (f) sont souvent très belles. Et puis il y a ...... (7) créativité (f), ... (8) idées (f) nouvelles. Pour moi, ... (9) publicité, c'est vraiment ...... (10) art (m) !

Observez

– Pardon, madame, pour aller **à l'**hôtel (m) Concorde, s'il vous plaît ?
– C'est très simple : vous allez jusqu'**aux** feux (m), là-bas, au bout **du** boulevard (m) Murat. Vous tournez à droite, vous continuez 300 mètres, et vous verrez l'hôtel en face **de la** caserne (f) **des** pompiers (m).
– C'est facile de se garer ?
– Dans la rue, non. Mais vous aurez certainement accès **au** parking (m) **de l'**hôtel.

Avec les prépositions *à* et *de*, on ne dit pas :

a. ~~à le~~ mais on utilise l'article contracté ......
b. ~~à les~~ mais on utilise l'article contracté ......
c. ~~de le~~ mais on utilise l'article contracté ......
d. ~~de les~~ mais on utilise l'article contracté ......

Entraînez-vous

10 Associez. (Plusieurs réponses sont possibles.)

Docteur !

J'ai mal

1. au
2. à l'
3. à la
4. aux

a. *ventre* (m)
b. gorge (f)
c. oreilles (f)
d. bras (m) gauche
e. jambe (f)
f. tête (f)
g. coude (m)
h. œil (m) droit
i. genou (m)
j. pieds (m)

1	*a*, ……
2	……
3	……
4	……

11 Complétez avec *au, à la, à l'* ou *aux*.

1. Une jeune fille *aux* cheveux (m) bruns.
2. Un homme …… silhouette (f) trapue.
3. Un garçon …… visage (m) carré.
4. Des mains …… doigts (m) fins.
5. Une femme …… allure (f) décontractée.
6. Une fillette ….. yeux (m) bleus.

12 Complétez avec la préposition *à* et l'article défini. (Attention aux formes contractées.)

1. Elle ne s'habitue pas *à la* nourriture (f) de la cantine.
2. Tu peux dire …… professeur (m) que je serai un peu en retard ?
3. Vous devez bien réfléchir …… conséquences (f) de votre décision.
4. On se prépare …… pire (m) dans cette affaire.
5. Faites attention …… marche (f) en descendant du train !
6. Je n'aime pas jouer …… cartes (f).
7. Ce terrain appartient …… commune (f).
8. Demandez …… étudiants (m) ce qu'ils préfèrent.
9. On commence à s'intéresser …… problème (m) de la pollution sonore.
10. Tu as pensé …… anniversaire (m) de Claude ?

13 Associez. (Plusieurs réponses sont possibles.)

Phobies

J'ai peur

1. du
2. de la
3. de l'
4. des

a. araignées (f)
b. orage (m)
c. *noir* (m)
d. violence (f)
e. obscurité (f)
f. espaces (m) fermés
g. foule (f)
h. insectes (m)
i. ascenseur (m)
j. vide (m)

1	*c*, ……
2	……
3	……
4	……

14 **À vous !** **De quoi avez-vous peur ? Et les membres de votre famille ? Et vos amis ? Et vos collègues ?**

15 **Complétez avec *du, de la, de l'* ou *des*.**

Lu dans la presse : les titres

1. ARRIVÉE *DES* SECOURS (M) DANS LA ZONE SINISTRÉE : BONNE COORDINATION ..... AIDE (F) INTERNATIONALE

2. DISCOURS ..... PRÉSIDENT (M) ..... RÉPUBLIQUE (F) : RÉACTIONS ..... OPPOSITION (F)

3. HAUSSE ..... LOYERS (M) EN ÎLE-DE-FRANCE

4. CONFLIT ..... SOCIÉTÉ (F) GÉNÉRALE : REPRISE ..... NÉGOCIATIONS (F)

5. Projet de loi ...... gouvernement (m) : vives protestations ...... syndicats (m)

6. REPRISE ...... TRAFIC (M) ROUTIER DANS LE TUNNEL ...... MONT-BLANC (M)

7. CAMBRIOLAGE ...... CRÉDIT (M) MUNICIPAL : NOUVELLES PISTES

16 **Complétez avec *du, de la, de l'* ou *des*.**

Ma chérie,

Je suis bien arrivé à Plévenec, notre petit port de Bretagne préféré. C'est magnifique ! Imagine le bruit du (1) vent (m), le mouvement ...... (2) vagues (f), la lumière ..... (3) soleil (m), la couleur ..... (4) océan ! Et juste à mes pieds, le sable fin ...... (5) plage (f) et le parfum ...... (6) fleurs (f). Tu sais, aussi, ce qui ne change pas, c'est la douceur ...... (7) climat et surtout, surtout, la bonne odeur ...... (8) pain (m) frais de notre voisin le boulanger, tous les matins... Viens vite me rejoindre ! Je t'embrasse.

Alfred.

17 **Complétez avec *au, à la, à l', aux, du, de la, de l'* ou *des*.**

Dans l'agenda de Claudie Lamy

NOVEMBRE	NOVEMBRE	NOVEMBRE
Lundi 13	**Mardi 14**	**Mercredi 15**
Matin : Réunion à l'Hôtel (m) de ville, en présence .... maire (m) et ..... adjoint (m) responsable .... culture (f) et .... affaires (f) scolaires.	*Après-midi : Visite .... Palais (m) de justice avec les élèves .... classe (f) de terminale .... lycée (m) Henri II.*	*Matin : Cours d'aquarelle .... centre (m) culturel ...... 1er arrondissement (m).*
Soir : Rendez-vous avec Marc .... théâtre (m) .... Champs-Élysées (m).		*Soir : À partir de 18 heures, ... galerie (f) Dauphine, vernissage ...... exposition (f) Photos d'Auvergne.*

18 **Complétez comme dans l'exemple.**

*Exemple : **Le** gris (m), c'est la couleur **de l'**ennui (m).*

Symbolique des couleurs

1. ...... vert (m), c'est la couleur ...... nature (f), ... environnement (m).
2. ...... bleu (m), c'est la couleur ...... océan (m), ... infini (m).
3. ...... noir (m), c'est la couleur ...... deuil (m), mais aussi ...... élégance (f).
4. ...... rouge (m), c'est la couleur ...... amour (m), ... passion (f).
5. ...... blanc (m), c'est la couleur ...... pureté (f).

19 **À vous ! Êtes-vous d'accord avec les phrases de l'exercice 18 ? Que symbolisent pour vous les différentes couleurs ?**

L'omission des articles

Pour la négation, voir chapitre 15.

Observez

Alexandra a changé !

- Avant, elle **ne** faisait **pas de** sport, maintenant elle fait **du** jogging quatre fois par semaine.
- Avant, elle **n'**aimait **pas le** cinéma, maintenant, elle adore **les** films de science-fiction.
- Avant, elle **n'**avait **pas de** voiture, maintenant elle conduit **une** superbe décapotable.
- Avant, elle **n'**avait **jamais d'**argent pour payer un verre à ses amis, maintenant elle invite tout le monde !

a. À la forme négative, les articles définis ne changent pas. ☐ **Vrai** ☐ **Faux**

b. À la forme négative, les articles indéfinis et partitifs deviennent ...... ou ...... (devant une voyelle ou un *h* muet).

Entraînez-vous

20 Complétez.

Pour faire un gâteau au chocolat :
– il faut *du chocolat,* ......
– il ne faut pas *de poivre,* ......

de la farine | du sucre | de l'estragon | des œufs | du chocolat | du fromage | du poivre | de la mayonnaise

Pour faire un poulet aux champignons à la crème :
– il faut ......
– il ne faut pas ......

de la crème | du poisson | de la confiture | des champignons | du sucre | des oranges | un poulet | des œufs

21 Transformez le texte à la forme négative.

Dans mon sac, il y a un téléphone portable, les clés de la maison, un permis de conduire, des mouchoirs, de l'argent, des stylos, des pastilles pour la gorge, du parfum, un carnet d'adresses, le numéro de téléphone du cabinet médical, l'ordonnance du médecin, un agenda, une trousse de maquillage, de la monnaie.

Catastrophe ! J'ai perdu mon sac ! *Je n'ai plus de téléphone portable, je n'ai plus les clés de la maison,* ......

22 Transformez et dites le contraire comme dans l'exemple.

Exemple : Elle a le temps d'aller au cinéma, elle n'a pas d'enfants.
→ *Sa sœur* ***n'a pas*** *le temps d'aller au cinéma,* ***elle a*** *des enfants.*

1. Pierre aime le bricolage, il achète du matériel sophistiqué. → Justin ......
2. On ne fait pas la vaisselle. On a un lave-vaisselle. → Marie ......
3. Tu prends les transports en commun. Tu ne fais pas de vélo. → Je ......
4. Ils ont un abonnement. Ils n'achètent pas le journal au kiosque. → Elles ......
5. Vous avez une réservation. Vous ne faites pas la queue. → Mes amis ......
6. Thomas ne connaît pas la ville. Il a un plan. → Sonia ......

Observez

• Pour réussir à un examen, il faut **du** travail, beaucoup **de** travail, **de** l'énergie, pas mal **d'**énergie… et puis **de la** chance, c'est vrai, un peu **de** chance.

Après un mot qui exprime une quantité, l'article indéfini *des* et les articles partitifs deviennent …… **ou** …… **(devant une voyelle ou un *h* muet).**

Entraînez-vous

23 Transformez comme dans l'exemple.

*Exemple : Cet enfant est très volontaire. (volonté) → Il a **beaucoup de volonté**.*

1. Son institutrice est très patiente. (patience) → Elle a ……
2. Ces ouvriers sont très courageux. (courage) → Ils ont ……
3. Ce directeur est très autoritaire. (autorité) → Il a ……
4. Elle est très ambitieuse. (ambition) → Elle a ……
5. Cette petite fille est très bruyante. (bruit) → Elle fait ……
6. Ce stagiaire est très enthousiaste. (enthousiasme) → Il a ……

24 Complétez comme dans l'exemple.

*Exemple : Je ne suis pas sortie. (trop – vent) → Il y avait **trop de vent**.*

Le week-end dernier

1. On a trouvé le gala merveilleux mais (trop – invités) → *il y avait* ……
2. Nous sommes allés à la plage. (beaucoup – monde)
3. Je n'ai pas aimé le film. (trop – violence)
4. Ils ont fait bonne route mais (beaucoup – embouteillages)
5. Je n'ai pas fini mes devoirs. (trop – exercices)
6. Ils ont rangé leur grenier. (beaucoup – poussière)

25 Complétez comme dans l'exemple.

*Exemple : Certaines personnes ont **de l'**imagination, **beaucoup d'**imagination mais **peu de** rigueur.*

Qualités ou défauts ?

1. Certains ont …… volonté (f), …… volonté mais …… énergie (f).
2. Certains ont …… assurance (f), …… assurance et …… modestie (f).
3. D'autres ont …… génie (m), …… génie mais …… enthousiasme (m).
4. D'autres encore ont …… tact (m), …… tact et …… confiance (f).
5. Et puis, certains ont …… mémoire (f), …… mémoire mais …… réflexion (f).

26 À vous ! Quelles qualités sont nécessaires ou assez utiles pour les professions suivantes ? Utilisez : *il faut… ; il faut beaucoup de / d'… ; il faut un peu de / d'… ; il ne faut pas de / d'…*

Pour être un bon comédien, un champion cycliste, un bon pilote, une bonne secrétaire ……

Observez

- Mon voisin est professeur d'allemand. C'est un bon professeur, tu sais, il est professeur à l'université.
- Julie Duval ? Elle est actrice. C'est l'actrice préférée des Français.

Pour indiquer la profession d'une personne, on utilise le verbe *être*. Associez.

Avec *il est, elle est* • **• il y a un article devant le nom de la profession.**
Avec *c'est* • **• il n'y a pas d'article devant le nom de la profession.**

Entraînez-vous

27 **Associez. (Plusieurs réponses sont possibles.)**

1. C'est
2. Elles sont
3. Il est
4. Ce sont
5. Elle est

a. électricien
b. assistante
c. *une excellente actrice*
d. dentiste
e. un jeune instituteur
f. des employés
g. couturière
h. jardinier
i. infirmières
j. le directeur de l'école
k. un directeur de banque
l. des retraités
m. la secrétaire
n. journalistes

1	2	3	4	5
c, ...	......	......	......	......

28 **Complétez avec un article si nécessaire.**

1. Claude est *Ø* chercheur au CNRS. C'est *un* chercheur très réputé.
2. Paul est ...... employé dans un magasin de sport ; c'est ...... ancien coureur cycliste.
3. Viens, je vais te présenter les parents de Marc. Sa mère est ...... pédiatre et son père est ...... chirurgien à la clinique des Dômes.
4. Mon fils ? Il ne travaille pas encore, il est ...... étudiant.
5. Que pensez-vous de John ? Il me semble que c'est ...... étudiant très sérieux.
6. Sophie a trouvé un job pour les vacances, elle est ...... réceptionniste dans un hôtel.
7. Alain est ...... écrivain ; c'est ...... écrivain très apprécié des adolescents.

Observez

• Alors, votre billet **d'**avion, votre carte **d'**identité, c'est parfait ! Votre bagage **à** main, c'est ce sac **en** cuir bleu ?

Avec les prépositions *à*, *de* et *en*, quand le complément du nom précise le sens de ce nom, il n'y a pas d'article.

☐ **Vrai** ☐ **Faux**

Entraînez-vous

29 **Associez et écrivez.**

1. *un billet*
2. des lunettes
3. un plan
4. un tube
5. des crayons
6. une carte
7. un carnet
8. un flacon
9. un trousseau
10. un magazine
11. un album

a. le soleil
b. le rouge à lèvres
c. le métro
d. l'eau de toilette
e. les photos
f. les clés
g. *le train*
h. la mode
i. les adresses
j. les couleurs
k. le crédit

Dans mon sac à main, il y a : *un billet de train*, ……

Dans le salon, il y a : *un canapé en cuir*, ……

1. *un canapé*
2. un buffet
3. un pull
4. une montre
5. des verres
6. des rideaux
7. une veste
8. une boîte
9. une statue

a. le daim
b. le cristal
c. *le cuir*
d. le marbre
e. le bois
f. le carton
g. l'or
h. la laine
i. le tissu

30 ***À* ou *de* ? Associez, classez et écrivez.**

1. *une brosse*
2. une table
3. une corbeille
4. un four
5. un panier
6. un gant
7. une boîte
8. un torchon
9. une lampe
10. un tube
11. des tasses

a. les micro-ondes
b. les ordures
c. la nuit
d. la toilette
e. le pain
f. le linge sale
g. le dentifrice
h. *les dents*
i. le chevet
j. le café
k. la vaisselle

Dans la salle de bains, il y a : *une brosse à dents*, ……

Dans la chambre, il y a : ……

Dans la cuisine, il y a : ……

31 Complétez avec l'article qui convient.

Dans *le* (1) village (m) de Juliette, il y a ...... (2) grande maison (f). Devant ...... (3) maison, il y a ...... (4) jardin (m) et dans ...... (5) jardin passe ...... (6) petite rivière (f). ...... (7) bord (m) ...... (8) rivière, il y a ...... (9) arbres (m) et dans ...... (10) arbres chante ...... (11) petit oiseau (m). Il chante et il chante et il chante pour ...... (12) joli poisson (m) bleu : comment ...... (13) oiseau et ...... (14) poisson peuvent-ils faire pour se comprendre ?

32 Complétez avec l'article et/ou la préposition qui convient.

Cambriolage au collège
– C'est quoi, ça ?
– C'est *une* (1) clé (f), monsieur !
– Vous pouvez préciser ?
– C'est ...... (2) clé ...... (3) bureau (m) ...... (4) surveillant (m).
– Et ça ?
– Vous voyez bien que c'est ...... (5) porte (f) !
– Oui ?
– C'est ...... (6) porte ...... (7) salle (f) ...... (8) professeurs (m), monsieur.
– Et cette machine ?
– C'est ...... (9) ordinateur (m).
– Je vois bien ! Mais qui l'utilise ?
– C'est ...... (10) ordinateur (m) ...... (11) élèves (m) ...... (12) classe (f) de 3e.
– Bon. Et ce numéro ...... (13) téléphone (m) ?
– C'est ...... (14) numéro (m) ...... (15) téléphone ...... (16) loge (f) ...... (17) concierge (m), monsieur.
– Monsieur Leblanc, vous êtes ...... (18) directeur (m) ...... (19) établissement (m) où il y a eu le vol.
C'est normal que je vous pose toutes ces questions !

33 Complétez, si nécessaire, avec l'article et/ou la préposition qui convient.

Micro-trottoir à la sortie du lycée
Journaliste : – C'est important pour vous *le* (1) bac ?
Stéphanie : – Bien sûr ! Si on veut poursuivre ...... (2) études, c'est indispensable ! Moi, je voudrais être ...... (3) vétérinaire. J'ai absolument besoin ...... (4) bac pour pouvoir m'inscrire dans ...... (5) école.
Journaliste : – Et vous, jeune homme, quel est votre avis ?
Tristan : – Moi, je pense que c'est surtout important pour ...... (6) parents. Ma mère est ...... (7) professeur de maths. Elle ne peut pas imaginer que j'échoue ! Pour elle, je dois penser seulement ...... (8) études et à rien d'autre. Mon père, lui, il n'a pas ...... (9) diplôme mais il adore ...... (10) musique. Il a ouvert ...... (11) magasin ...... (12) disques et son commerce marche très bien. Il est ...... (13) preuve qu'on peut très bien réussir dans ...... (14) vie, même si on n'a pas fait ...... (15) longues études.

3 Les adjectifs et les pronoms démonstratifs et possessifs

Les adjectifs démonstratifs et possessifs

Observez

– Comment expliquez-vous cet accident (m) ?
– Les conditions météorologiques, la vitesse, ces facteurs (m) sont toujours importants mais dans ce cas (m) précis, le conducteur est responsable. Son taux (m) d'alcoolémie était très élevé et on a retrouvé des médicaments dangereux dans ses affaires (f). De plus, il n'avait pas sa ceinture (f) de sécurité, son amie (f) non plus.
– Un de vos collègues (m) m'a dit que le conducteur n'avait pas de permis de conduire ?
– C'est vrai. Heureusement, les occupants de l'autre véhicule avaient leur (f) ceinture.

a. Soulignez les adjectifs possessifs et entourez les adjectifs démonstratifs.
b. Quelles sont les 4 formes de l'adjectif démonstratif ?
c. Quelle est la différence d'utilisation entre *ce* et *cet* ?
d. Notez toutes les formes de l'adjectif possessif.
e. *Mon, ton, son* s'utilisent aussi avec un nom féminin. Dans quel cas ?

Entraînez-vous

I **Associez. (Plusieurs réponses sont possibles.)**

J'adore

1. ce
2. cette
3. ces
4. cet

a. *livre* (m)
b. écrivain (m)
c. mode (f)
d. assiettes (f)
e. film (m)
f. ouvrage (m)
g. sculptures (f)
h. architecture (f)
i. immeuble (m)
j. photos (f)
k. type (m) de meuble
l. tableaux (m)

1	*a*, ...
2	......
3	......
4	......

2 Complétez avec *ce, cet, cette* ou *ces.*

Tourisme

1. Connaissez-vous *cette* rue (f) ?
2. Je ne connais pas très bien ...... quartier (m).
3. ...... ville (f) n'a pas de secret pour moi.
4. Toutes ...... rues (f) sont très commerçantes.
5. ...... hôpital (m) date du XVIIIe siècle.
6. As-tu déjà visité un de ...... pays (m) ?
7. ...... pont (m) est le seul pont piétonnier de la ville.
8. On pourrait visiter ...... ancien temple (m).
9. ...... immeuble (m) vient d'être construit.
10. ...... fleuve (m) est dangereux.

3 Soulignez la forme qui convient.

Voici une photo de toute (nos – <u>*notre*</u>) famille (f) prise à (notre – mes) dixième anniversaire (m) de mariage. Là, c'est Bastien. Eh oui, (ma – mon) mari (m) a beaucoup changé ! À côté de lui, c'est Gaëlle, (mes – notre) fille (f). Vous la reconnaissez facilement, non ? Et puis, la petite dame, de l'autre côté, c'est (mon – ma) arrière-grand-mère (f) Rosalie. Elle a 97 ans. Et là, vous avez (mon – mes) beaux-parents (m), ils ne vieillissent pas, eux. Et là, vous savez qui c'est ? Non, ce n'est pas (mon – nos) frère (m), c'est Roland, (mon – mes) oncle (m), le frère de (ma – mon) mère (f). Tous (nos – notre) amis (m) n'ont pas pu venir mais il y avait (ma – mon) amie (f) Jeanne. Elle est toujours là pour (ma – nos) fêtes (f). Ah, ça me rappelle (mon – ma) enfance (f).

4 Complétez avec *ton, ta, tes* ou *votre, vos.*

1. Puis-je prendre *votre* manteau (m), mademoiselle ?
2. As-tu reçu ...... invitation (f) ?
3. Voici ...... tasse de thé (f), monsieur.
4. Madame, ... table (f) est près de la fenêtre.
5. Je t'ai fait ...... plat (m) préféré. Goûte !
6. Voilà ...... addition (f), messieurs.
7. Donne-moi ...... affaires (f), je vais les mettre dans la chambre.
8. Messieurs dames, je vous apporte ...... cafés (m) tout de suite ?
9. Tu as fait tomber ...... serviette (f).
10. Finis ...... assiette (f) !

5 Complétez avec *son, sa, ses, leur* ou *leurs.*

1. – Tu sais où est Liliane ? Toutes *ses* affaires (f) sont là : ...... vêtements (m), ... sac (m) et même ...... téléphone portable (m) !
2. – La maison de Cyril et Gabrielle a été cambriolée hier.
   – On leur a volé beaucoup de choses ?
   – Principalement ...... appareils hi-fi (m) mais aussi les pierres de collection de Cyril, toute ...... collection (f).
3. – Il est vraiment parti sans rien dire ?!
   – Oui, il a pris ...... brosse (f) à dents, ... chats (m), ... ordinateur (m) et personne ne l'a plus revu !

6 **À vous !** Vous-même, ou des gens de votre entourage, avez été victime(s) d'un cambriolage. Faites une liste des objets qui ont disparu (de chez vous, de chez votre ami(e), de chez vos voisins...).

Les pronoms démonstratifs

Observez

- Les informations d'InfoPlus sont meilleures que **celles** de Votrinfo, vous ne trouvez pas ?
- Vous dites que les romans de Victor Hugo sont plus connus que **ceux** de Gustave Flaubert ? Je ne suis pas d'accord.
- – Écoute ! Tu connais cette chanson ?
  – Oui, c'est **celle** qui a gagné à l'Eurovision, non ? Je ne la trouve pas formidable ! Elle est exactement comme toutes **celles** qu'on entend tout le temps.

a. Complétez le tableau des pronoms démonstratifs.

Masculin singulier	Féminin singulier	Masculin pluriel	Féminin pluriel
......	......	......	......

- – Tu préfères quelle photo ? **Celle-ci** ou **celle-là** ?
  – **Celle-ci** est plus originale.
- La différence entre ces deux vins rouges ? Eh bien, **celui-ci** est un bourgogne et **celui-là** est un bordeaux.

b. Barrez les formes de pronoms démonstratifs qui ne peuvent pas être suivies d'une précision. Justifiez votre choix.

Pronoms démonstratifs	Précisions
celles-ci	
celui-là	
celles	
celui	de gauche
ceux	qui a gagné le prix
celle-là	qu'on entend
celle	d'Infosplus
ceux-ci	
celle-ci	

Entraînez-vous

7 **Complétez avec des pronoms démonstratifs composés comme dans l'exemple.**

Exemple : Vous préférez quelle carte postale ? ***Celle-ci*** *ou* ***celle-là*** *?*

1. Je ne sais pas quel dictionnaire prendre, ... ou ...... ?
2. Je prends quels documents ? ...... ou ...... ?
3. Quelles lettres sont pour moi ? ...... ou ...... ?
4. Vous avez lu quel dossier ? ...... ou ...... ?
5. Quels posters prendrez-vous ? ...... ou ...... ?

8 **Complétez avec des pronoms démonstratifs.**

1. – Quelle voiture nous prenons pour partir ? – *Celle* de mon père, il me la prête.
2. Mon appartement est au premier étage, ... de mes amis au septième.
3. Les idées de cet homme politique sont plus intéressantes que ...... de son adjoint.
4. Tu penses que les films de ce réalisateur sont moins bons que ...... de son assistant ?
5. Adressez-vous à la vendeuse, là-bas, ... qui est en train de ranger les vêtements.
6. Son bulletin de notes est meilleur que ...... de l'an dernier.
7. Les nouvelles de ce matin sont excellentes. Pas comme ...... d'hier.
8. Pour les vacances, je vais chez mes cousins, ... qui habitent à Lacanau.

9 **Complétez avec des adjectifs ou des pronoms démonstratifs.**

Un vrai musée !

– Oh, ton appartement est un vrai musée !

– C'est vrai que je rapporte des objets de chaque voyage. *Ce* (1) plateau (m), par exemple, vient de Grèce. ...... (2) vient du Japon.

– Et ...... (3) ?

– De Chine.

– Et ...... (4) deux tables, elles sont en quoi ?

– ...... (5) est en bois et ...... (6) est en marbre. Et tu vois, la petite là-bas, ... (7) du fond, elle est en rotin !

– Oh, ... (8) arbre (m) miniature est en or ?

– Eh oui ! C'est une merveille ! Et regarde ...... (9) gravure (f) avec les deux princesses (f). ...... (10) de gauche a empoisonné ...... (11) de droite. C'est, paraît-il, un objet unique.

– Et ...... (12) bijoux (m), ce sont ...... (13) que tu as rapportés d'Inde ?

– Oui, ce sont ...... (14) qu'un inconnu m'a offerts à la gare de New Delhi.

– Oui, tu m'as raconté ...... (15) histoire (f) incroyable !

Les pronoms possessifs

Observez

• – Je peux utiliser ton téléphone portable ? **Le mien** n'a plus de batterie.
– Oui, si tu me prêtes ta voiture, **la mienne** est en panne !
– Tu plaisantes !!

• – Nous avons de la chance, nos petits-enfants adorent passer leurs vacances avec nous ! Et **les vôtres** ?
– Oh, **les nôtres** aussi. Ils arrivent la semaine prochaine. Ce n'est pas comme pour monsieur et madame Neveu. **Les leurs** ne viennent jamais. C'est bien triste !

a. Les pronoms possessifs sont formés de : ☐ **un mot.** ☐ **deux mots.**

b. Ils ont le genre et le nombre des noms qu'ils remplacent. ☐ **Vrai** ☐ **Faux**

c. Complétez le tableau des pronoms possessifs.

	Masculin singulier	Féminin singulier	Masculin pluriel	Féminin pluriel
À moi	*le mien*	*la mienne*	......	......
À toi	......	......	......	......
À lui / à elle	......	......	*les siens*	......
À nous	......	......	*les nôtres*	
À vous	......	......	*les vôtres*	
À eux / à elles	......	......	*les leurs*	

Entraînez-vous

10 Associez. (Plusieurs réponses sont possibles.)

1. *les leurs*
2. le nôtre
3. le mien
4. les miennes
5. le vôtre
6. les siens
7. la tienne
8. les tiens
9. la mienne
10. la vôtre
11. le sien
12. les nôtres
13. la leur
14. les vôtres
15. le tien
16. la sienne
17. la nôtre
18. les tiennes
19. le leur
20. les siennes
21. les miens

a. sa nièce
b. votre fils
c. mon fils
d. *leurs belles-sœurs*
e. ma voisine
f. ses copines
g. ton petit ami
h. ton fils
i. notre gendre
j. mon grand-père
k. leurs voisins
l. ses parents
m. mes amis

n. vos neveux
o. ta belle-fille
p. leur voisin
q. son amie
r. tes enfants
s. leur voisine
t. votre mère
u. son frère
v. notre sœur
w. tes petites-filles
x. nos copains
y. vos jumelles
z. mes filles

1	*d*, ...
2	......
3	......
4	......
5	......
6	......
7	......
8	......
9	......
10	......
11	......
12	......
13	......
14	......
15	......
16	......
17	......
18	......
19	......
20	......
21	......

11 Complétez avec un pronom possessif.

1. C'est ta voiture ? → Cette voiture, c'est *la tienne* ?
2. Ce sont leurs papiers ? → Ces papiers, ce sont ...... ?
3. C'est son sac ? → Ce sac, c'est ...... ?
4. Ce sont tes documents ? → Ces documents, ce sont ...... ?
5. C'est votre valise ? → Cette valise, c'est ...... ?
6. Ce sont ses affaires (f) ? → Ces affaires, ce sont ...... ?
7. C'est leur appartement ? → Cet appartement, c'est ...... ?
8. C'est sa montre ? → Cette montre, c'est ...... ?
9. C'est ton parapluie ? → Ce parapluie, c'est ...... ?
10. Ce sont tes photos (f) ? → Ces photos, ce sont ...... ?

12 Complétez avec des adjectifs ou des pronoms possessifs.

1. – Excusez-moi, monsieur, vous pouvez déplacer *votre* voiture ?
   – Je suis désolé, mais cette voiture n'est pas ...... !
2. Clotilde n'a pas ...... carte (f) d'identité et Bertrand n'a pas ...... non plus, alors on fait comment ?
3. J'ai changé de téléphone. Je te donne ...... nouveau numéro. Tu me rappelles ......, s'il te plaît ?
4. Je ne retrouve plus ...... plan (m), comment je vais faire ? Tu ne peux pas me prêter ...... ?
5. Nous, nous avons reçu ...... résultats (m), nous sommes très contents. Et vous, vous connaissez ...... ?
6. Il faut féliciter Robert et Anna : ...... projet est excellent. En ce qui concerne Pascal et Alban, nous attendons encore ....

13 Soulignez la forme qui convient.

Vacances

– Alors, (*tes* – *leur*) vacances (f) se sont bien passées, (cet – cette) été (m) ?
– Super, j'ai fait du camping avec (mon – mes) cousins (m) et (ma – mon) sœur (f) au Pays basque.
– (Cette – Ce) région (f) est magnifique. Vous étiez où exactement ?
– Dans les Pyrénées, les montagnes de (ma – mon) enfance (f).
– Tu passais (mes – tes) vacances (f) là-bas quand tu étais petit ?
– Oui, avec (ma – mes) famille (f). (Notre – Mes) grands-parents (m) ont un chalet. Ils adorent voir tous (leurs – ses) petits-enfants (m) ensemble. Nous allons peut-être y aller encore (cet – ce) hiver (m). On est toujours heureux de retrouver (vos – ses) souvenirs (m), non ?

14 Complétez avec un adjectif démonstratif ou un adjectif possessif.

Cadeau d'anniversaire

Laurent : – Regarde, pour *mes* (1) seize ans (m), j'ai eu ...... (2) ordinateur (m) portable : il est génial ! Et aussi ...... (3) nouvelle imprimante (f), elle est belle, non ?
Boris : – Elle est super ! Moi, pour ...... (4) anniversaire (m), j'espère avoir ...... (5) appareil photo (m) numérique, c'est l'appareil de ...... (6) rêves (m) !
Laurent : – Tiens, je te prête ...... (7) catalogue (m), tu pourras le montrer à ...... (8) parents (m), comme ça vous pourrez choisir ...... (9) cadeau (m) ensemble.
Boris : – Oui, ... (10) idée (f) me plaît !

15 Complétez avec un adjectif démonstratif ou possessif, ou un pronom démonstratif ou possessif.

Le métro

1. Nous vous présentons *ce* soir (m) les résultats de ...... recherche (f) sur les transports en ville. Tout d'abord, le métro. ...... moyen (m) de transport date de 1900. La ligne n° 1 a été inaugurée ...... année-là (f).
2. Tu préfères quel métro, ... de Paris ou ...... de Londres ?
3. ...... ticket ne marche pas, tu peux m'en prêter un ?
4. Mesdames, messieurs, contrôle des titres de transport ! Mademoiselle, ... carte (f) de réduction, s'il vous plaît. Très bien, merci. Vous monsieur ? Ah, ... n'est pas signée, elle n'est pas valable. Tenez, voici un stylo.
5. Excusez-moi, jeune homme. Ne mettez pas ...... pieds sur le siège, c'est interdit.
6. Tu as un plan de métro ? ...... est trop vieux, je ne peux plus rien lire.
7. On prend quelle ligne ? ...... ou ...... ? Ça revient au même. Elles passent toutes les deux à Haussmann.
8. Passe par République. Les couloirs sont moins longs que ...... de Montparnasse.

4 Les pronoms compléments

Les pronoms compléments dans la construction verbale directe

L'emploi des pronoms dépend de la construction verbale du verbe, *voir chapitre 12.*

Observez

- – Bonjour, je voudrais deux places pour le concert de Björk samedi, des places à 45 €.
  – Oui, j'**en** ai **deux** ici, au dernier rang.
  – Oui, très bien, je **les** prends. Et des billets pour le prochain concert de N7, vous **en** avez ?
  – Ah non, je n'**en** ai plus.

- – Bonjour, je suis Amandine, la nouvelle réceptionniste.
  – Bienvenue, je **vous** attendais ! Vous connaissez déjà quelqu'un ici ?
  – Oui, Marie. Je **la** connais bien : on a fait un stage ensemble. Et je connais déjà quelques clients.
  – Des clients, bien sûr, il y **en** a **beaucoup** !

a. Réécrivez les phrases avec le nom que le pronom remplace.
- **« j'en ai deux »** → *j'ai deux places*
- **« je les prends »** → ......
- **« vous en avez »** → ......
- **« je n'en ai plus »** → ......
- **« je la connais »** → ......
- **« il y en a beaucoup »** → ......

b. Les pronoms directs *le (l'), la (l')* et *les* remplacent une personne ou une chose définie.
☐ **Vrai** ☐ **Faux**

c. Le pronom *en* remplace seulement des choses.
☐ **Vrai** ☐ **Faux**

d. Le pronom *en* remplace un nom précédé :
- **d'une expression de quantité.** ☐ **Vrai** ☐ **Faux**
- **d'un article indéfini.** ☐ **Vrai** ☐ **Faux**
- **d'une quantité nulle.** ☐ **Vrai** ☐ **Faux**

Entraînez-vous

1 Remplacez le nom souligné par *le, la, l', les*.

Le matin
1. J'achète le journal. → *Je l'achète.*
2. Je ne regarde pas la télévision.
3. Je n'écoute pas la radio.
4. Je ne prends pas mon petit-déjeuner chez moi.
5. J'appelle mes parents.
6. Je retrouve ma collègue dans le métro.
7. Je bois mon café au bureau.
8. Je relis mes différents dossiers.

2 Associez.

1. *Je l'ai payé 21 euros.*
2. J'en ai choisi un léger.
3. J'en ai testé beaucoup.
4. Je l'ai trouvée jolie.
5. Je n'en mets pas souvent.
6. J'en ai acheté une.
7. Je ne l'ai pas aimé.

a. une crème de jour
b. *le tube de rouge à lèvres*
c. un parfum
d. le nouveau mascara
e. la bouteille
f. du maquillage
g. des eaux de toilette

1	2	3	4	5	6	7
b	......	......	......	......	......	......

3 Transformez comme dans l'exemple.

*Exemple : On a vu beaucoup de films. → On **en** a vu beaucoup.*

À Paris

1. Vous connaissez beaucoup de monuments.
2. J'ai visité plusieurs musées.
3. Tu ne veux pas de guide.
4. J'ai rencontré deux amis.
5. Ils ont pris un bateau-mouche.
6. Nous avons acheté des places d'opéra.
7. On a sélectionné une pièce de théâtre.
8. Vous avez trouvé un cabaret.

4 Transformez.

Dans la presse

1. Le rédacteur rédige l'éditorial. → *Il le rédige.*
2. Le journaliste écrit des articles. → Il ......
3. La reporter fait des reportages. → Elle ......
4. Le correcteur corrige les manuscrits. → Il ......
5. Le caricaturiste dessine des caricatures. → Il ......
6. Les photographes prennent des photos. → Ils ......
7. Le directeur dirige la publication. → Il ......
8. Le maquettiste fabrique une maquette. → Il ......

5 Complétez avec un pronom complément. (Rétablissez l'apostrophe si nécessaire.)

– Bonjour mademoiselle, je cherche une veste bleu marine. *J'en* (1) ai vu une en vitrine. Vous ...... (2) avez d'autres ?
– Oui madame, les vestes, vous ...... (3) avez là, à gauche.
– Merci, je regarde. Celle-là, vous ...... (4) avez en 40 ?
– En 40, je ...... ai ...... (5) seule, mais en rouge.
– Ah, oui, elle est jolie. Je vais ...... (6) essayer. Et je cherche aussi des gants bleu marine, je ...... (7) cherche depuis longtemps, je ne ...... (8) trouve pas.
– Ah, je suis désolée, nous ne ...... (9) avons pas. Vous prenez la veste ?
– Écoutez, je ...... (10) aime bien, mais je vais réfléchir. Je ...... (11) remercie.

Observez

– Vous avez apporté les documents nécessaires pour la réunion ?
– Oui, je **les** ai tous apportés mais j'**en** ai laissé certains à votre collaboratrice.
– Ah bon, vous **l'**avez vue ? Et vous avez la clé de la salle ?
– Oui, je **l'**ai prise.

– Vous venez aussi à la réunion, mesdemoiselles ?
– Oui, on **nous** a convoquées à 14 heures.

Dans les temps composés conjugués avec l'auxiliaire *avoir* :
– le participe passé s'accorde avec les pronoms compléments d'objet direct *le, la, les, me, te, nous* et *vous* ; ☐ **Vrai** ☐ **Faux**
– le participe passé s'accorde avec le pronom complément *en*. ☐ **Vrai** ☐ **Faux**

Entraînez-vous

6 Associez.

1. *Je l'ai faite.*
2. Je l'ai composté.
3. Je l'ai pris à 10 h 05.
4. Je les ai vus.
5. Je l'ai entendu.
6. Je les ai posées dans le porte-bagages.
7. Je l'ai ouverte.
8. Je l'ai saluée.

a. mes affaires (f)
b. le signal du départ
c. le train
d. *la réservation*
e. la dame à côté de moi
f. les contrôleurs
g. mon billet
h. la fenêtre

1	2	3	4	5	6	7	8
d	......	......	......	......	......	......	......

7 Soulignez la forme qui convient.

1. – Quelle jolie photo !
   – Oui, je l'ai (pris – <u>*prise*</u>) à Belle-Île. Je l'ai (faite – fait) au soleil couchant. J'en ai (fait – faites) d'autres, mais elles sont moins bien.
2. – Tu as encore de nouvelles chaussures !
   – Oui, je les ai (mises – mis) pour aller avec ma nouvelle veste, regarde !
   – Tu en as encore (acheté – achetée) une ? !
3. – Les enfants, ces textes, vous les avez (écrit – écrits) tout seuls ?
   – Non, on nous a (aidé – aidés).
4. – Cette lettre, je ne l'ai pas (eu – eue), je ne l'ai pas (reçu – reçue).
   – Pourtant, je l'ai (postée – posté) la semaine dernière !
5. – Excusez-moi, madame, je vous ai déjà (rencontré – rencontrée), je crois ?
   – C'est vrai, vous m'avez (vue – vu) à la fête de Juliette.

Les pronoms compléments dans la construction verbale indirecte avec *à*

Observez

– Tu peux téléphoner à Pierre pour lui donner le lieu et la date de la réunion ?
– D'accord. Et Catherine, je lui téléphone aussi ?
– Non, ce n'est pas la peine, elle m'a envoyé un mail de confirmation. Mais il faut contacter Jacques et Amélie, parce qu'ils ne nous ont pas répondu.
– Pas de problème, je leur envoie un fax avec le plan.

a. Soulignez les 5 pronoms compléments.

b. Réécrivez les phrases avec le nom que le pronom remplace.

- **« pour *lui* donner la date de la réunion »** → **pour donner *à Pierre* la date de la réunion**
- **« je lui téléphone »** → ......
- **« je leur envoie un fax »** → ......

c. *Lui* remplace seulement un nom masculin. ☐ **Vrai** ☐ **Faux**

d. *Leur* est le pluriel de *lui*. ☐ **Vrai** ☐ **Faux**

e. Les pronoms indirects *me, te, nous, vous, lui* et *leur* ne peuvent remplacer que des personnes.
☐ **Vrai** ☐ **Faux**

Entraînez-vous

8 Complétez avec *lui* ou *leur*.

1. Jonathan s'est fâché avec ses voisins. Il ne veut plus *leur* parler.
2. Anissa a besoin d'une caméra. Je ...... apporterai la mienne demain.
3. Kevin veut aller au cinéma avec Camille. Il va ...... proposer un rendez-vous.
4. Je n'écris pas souvent à mes parents. Je préfère ...... téléphoner.
5. Tu vas dîner chez Christine. Tu vas ...... apporter un bouquet de fleurs.
6. Vous invitez tous vos amis à votre mariage. Vous ...... envoyez une invitation.
7. Sonia est ma meilleure amie. Je ...... dis tout.
8. La voiture de Clément est en panne. Nous ...... prêtons la nôtre.
9. Je ne sais pas si Charlotte sera présente à la réception. Je vais ...... demander.
10. Nathanaël fête ses vingt ans. Nous allons ...... offrir une montre.

9 Complétez avec un pronom complément indirect.

1. – Mes parents *nous* (1) ont envoyé une jolie carte de Suisse.
   – Tu ne ...... (2) as pas parlé, hier soir, au téléphone ?
   – Non, ils ne ...... (3) ont pas téléphoné, mais ils ont appelé ma sœur à Lyon, ils ...... (4) ont dit que tout allait bien. Elle ...... (5) a proposé de venir. Ils ...... (6) ont répondu qu'ils allaient réfléchir.
2. – Tu ne ...... (7) as pas montré tes photos de vacances.
   – Je ...... (8) ai apporté celles-ci, regarde. Je peux ...... (9) envoyer les autres, si tu veux, comme à Jacques et Marion. Ils étaient contents, ils ...... (10) ont demandé des copies pour toute la famille !

Observez

Je m'intéresse à lui.

Il s'adresse à vous.

Je penserai à toi.

Elles tiennent à eux.

Il fait attention à elles.

Elle s'habitue à nous.

a. Avec certains verbes construits avec la préposition *à* suivie d'une personne, on garde la préposition *à*. Quel pronom utilise-t-on ?

☐ **le pronom sujet**

☐ **le pronom complément**

☐ **le pronom tonique**

b. Notez ces verbes à l'infinitif avec leur construction.

S'intéresser à quelqu'un, ……, ……, ……, ……, …… .

– Tu penses à ma cassette ?
– Oh, je l'ai encore oubliée ! Il faut absolument que j'**y** pense !

c. Le pronom *y* s'utilise avec un verbe construit avec la préposition *à* suivie d'une chose.

☐ **Vrai** ☐ **Faux**

Entraînez-vous

10 Faut-il garder la préposition *à* ? Transformez comme dans les exemples.

*Exemples : Vous parlez à la caissière. → Vous **lui** parlez.*
*Vous vous adressez à la caissière. → Vous vous adressez **à elle**.*

1. Ils expliquent aux clients.
2. Ils font attention aux clients.
3. Je tiens à mes amies.
4. Je fais signe à mes amies.
5. Tu penses à ton collègue.
6. Tu n'écris pas à ton collègue.
7. Je dis bonjour à mes nouveaux voisins.
8. Je m'habitue à mes nouveaux voisins.
9. Elle s'intéresse aux jeunes enfants.
10. Elle répond gentiment aux jeunes enfants.
11. Ils s'adressent au chauffeur.
12. Je téléphone à ma voisine.

11 Transformez avec *y* ou la préposition *à* suivie du pronom tonique.

1. Tu t'intéresses à ces vieux journaux ?
   → *Tu t'y intéresses ?*
2. Tu t'intéresses à cette jeune fille ?
3. Vous penserez à cette solution ?
4. Vous penserez à Caroline et Elsa ?
5. Nous ferons attention à ton petit frère.
6. Nous ferons attention à ces verres.
7. Je tiens à ce bijou.
8. Je tiens à mes amis.
9. Il faut s'adresser à l'hôtesse.
10. Il faut s'adresser au bureau d'accueil.
11. Elle ne s'habitue pas à ce nouveau professeur.
12. Elle ne s'habitue pas à cette nouvelle vie.

Les pronoms compléments dans la construction verbale indirecte avec *de*

Observez

– Il parle souvent de ses amis ?
– Oui, il parle souvent d'**eux**, mais de son passé, il n'**en** parle jamais.

a. Le pronom *en* s'utilise avec un verbe construit avec la préposition *de* suivie d'une chose.

☐ Vrai ☐ Faux

b. Quel pronom utilise-t-on avec les verbes construits avec la préposition *de* suivie d'une personne ?

Entraînez-vous

12 Soulignez la forme qui convient.

1. Notre voisin est très âgé. Nous nous occupons (d'eux – *de lui*).
2. Il est médecin, ma vieille voisine a parfois besoin (de lui – de vous).
3. J'adorais ma directrice d'école. Je me souviens (d'elle – de lui).
4. Il pose beaucoup de questions sur Marc, il parle beaucoup (d'eux – de lui).
5. Son professeur de biologie est très sévère. Elle a peur (d'elles – de lui).
6. Il adore sa grand-mère, il s'occupe beaucoup (d'elle – de lui).
7. Ces gens sont bizarres. Nous nous méfions (d'elles – d'eux).
8. Elle est méchante avec son petit frère. Elle se moque toujours (de lui – d'elle).

13 Écrivez l'infinitif du verbe et sa construction, puis imaginez ce que le pronom remplace, comme dans l'exemple.

Exemple : Vous en parlez. (parler de quelque chose)
→ Vous parlez d'un problème, d'un projet, de vos études...

1. Nous parlons souvent d'eux.
2. Ils s'en souviennent.
3. Tu te souviens d'elle.
4. On en a besoin.
5. Je m'en aperçois.
6. On s'en moque.
7. Tu te moques de lui.
8. Il en a envie.
9. Elle en a peur.
10. Vous vous méfiez d'eux.

Les pronoms compléments de lieu : *en* et *y*

Observez

- – Vous venez **de** la cafétéria ?
  – Oui, on **en** vient. On a déjeuné rapidement.

- – Tu vas **à** la réunion demain ?
  – Oui, j'**y** vais, mais je n'**y** serai pas avant dix heures et demie.

a. Le pronom *en* remplace un complément qui indique le lieu d'où l'on vient.

☐ **Vrai** ☐ **Faux**

b. Le pronom *y* remplace un complément qui indique le lieu où l'on va / où l'on est.

☐ **Vrai** ☐ **Faux**

Entraînez-vous

14 **Associez. (Plusieurs réponses sont possibles.)**

1. J'en viens.
2. J'y vais. / J'y suis.

a. chez moi
b. *du restaurant*
c. des grands magasins
d. à l'hôtel
e. au marché
f. de chez mes parents
g. de l'aéroport
h. à la maison
i. en Suède
j. au dernier étage
k. de la gare
l. aux États-Unis

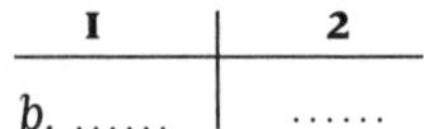
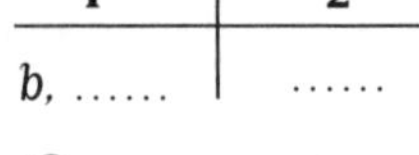

1	2
b, ...	......

15 **Remplacez le groupe souligné par *en* ou *y*.**

1. Ils vont <u>à la piscine</u> tous les samedis. → *Ils y vont tous les samedis.*
2. Ils sortent <u>de l'école</u> à 17 heures.
3. Ils passent le week-end <u>à la campagne</u>.
4. Ils ne dorment pas souvent <u>à la maison</u>.
5. Elles retournent bientôt <u>dans leur pays</u>.
6. Ils arrivent <u>de Téhéran</u>.
7. Nous n'habitons plus <u>à Lyon</u>.
8. Je viens <u>de la poste</u>.

Place des pronoms compléments

Observez

- Mademoiselle, c'est votre valise ? Ne la laissez pas là ! Déplacez-la !
- – Tu sais où sont les clés de la voiture ? Je ne les trouve plus.
  – Mais si, regarde, tu les as posées sur l'étagère, dans l'entrée.
- Cette chaise est libre ? Je peux la prendre ?

a. Soulignez les 5 pronoms compléments.

b. Où se placent-ils ? Complétez avec *devant* ou *derrière*.

– ...... **un verbe conjugué à temps simple.**
– ...... **l'auxiliaire d'un verbe conjugué à un temps composé.**
– ...... **un verbe à l'impératif affirmatif.**
– ...... **un verbe à l'impératif négatif.**
– ...... **l'infinitif quand il y a deux verbes.**

Entraînez-vous

16 Associez.

1. *Achète les billets.*
2. Je n'ai pas de monnaie.
3. Il a eu une carte de crédit.
4. Il va retirer de l'argent.
5. Nous ne pouvons pas aller à la banque.
6. Je cherche un distributeur.
7. On a pu faire un chèque.
8. N'oublie pas ton code !
9. Vous devez voir un conseiller.
10. Il faut garder le reçu.
11. Fais attention à ton porte-monnaie !
12. Tu pouvais parler de ce problème.

a. Ne l'oublie pas !
b. Tu pouvais en parler.
c. Il faut le garder.
d. On a pu en faire un.
e. Je n'en ai pas.
f. *Achète-les.*
g. Il en a eu une.
h. Fais-y attention !
i. Il va en retirer.
j. J'en cherche un.
k. Vous devez en voir un.
l. Nous ne pouvons pas y aller.

1	*f*
2	......
3	......
4	......
5	......
6	......
7	......
8	......
9	......
10	......
11	......
12	......

17 Répondez en mettant dans l'ordre.

Chéri...

1. – Tu peux faire ma valise ?
   – Oui, / je / la / faire / peux
   → *Oui, je peux la faire.*
2. – Et tu fais aussi mon sac ?
   – Ah non, / fais / le / - / toi-même / !
3. – Tu m'emmènes ?
   – Ah non, / t' / emmène / ne / pas / je
4. – Alors tu peux commander un taxi ?
   – Oui, / en / je / commander / un / peux
5. – Tu vas aller à la banque ?
   – Oui, / y / aller / vais / je
6. – Tu retires de l'argent ?
   – Non, / n' / je / retire / pas / en

7. – Tu feras confiance aux enfants ?
   – Bien sûr, / leur / je / ferai confiance
8. – Vous appellerez mes parents ?
   – Mais oui, / on / appellera / les
9. – Tu veux inviter ma sœur Camille ?
   – Ah non, / je / l' / inviterai / ne / pas
10. – Je peux l'appeler ?
    – Oui, mais / ne / pas / de ton voyage / lui / parle

18 Mettez dans l'ordre.

Le 31 décembre

1. L'année / ma sœur / au réveillon / dernière, / a / nous / invités
   → *L'année dernière, ma sœur nous a invités au réveillon.*
2. n' / pas / Mon fils / y / aller / pu / a
3. Mais / téléphoné / a / lui / il / à minuit
4. de vodka / Des amis russes / apporté / des bouteilles / avaient / lui
5. On / bu / plusieurs / en / verres / a
6. Ils / appris / ont / nous / des / danses / russes
7. réveillon / nous / vraiment / Ce / a / plu
8. Nous / sommes / nous / y / amusés / beaucoup
9. avons / en / souvent / Après, / nous / parlé
10. Le prochain, / l' / allons / à la maison / nous / organiser

19 À vous ! Vous racontez une fête, un anniversaire, une cérémonie. Utilisez des pronoms compléments pour éviter les répétitions.

Bilan

20 Associez.

1. *Le médecin les soigne.*
2. Le boulanger en fabrique.
3. Le facteur le distribue.
4. Le chauffeur de taxi les conduit.
5. Le douanier les contrôle.
6. L'hôtesse de l'air y travaille.
7. Le journaliste en écrit.
8. L'infirmière s'occupe d'eux.
9. Le publicitaire en cherche.
10. L'architecte y réfléchit.
11. Le directeur a besoin d'elle.
12. L'athlète y participe.

a. des slogans
b. des malades
c. des articles
d. dans l'avion
e. aux Jeux olympiques
f. du pain
g. *ses patients*
h. de son assistante
i. aux plans de la maison
j. les clients
k. le courrier
l. les bagages

1	g
2	……
3	……
4	……
5	……
6	……
7	……
8	……
9	……
10	……
11	……
12	……

21 À vous ! Proposez des devinettes sur ce modèle !

22 Remplacez le groupe souligné par *en* ou *y*.

Le metteur en scène

1. Il s'occupe du tournage du film. → il s'*en* occupe.
2. Il réfléchit aux décors. → Il …… réfléchit.
3. Il s'intéresse aux costumes. → Il s'…… intéresse.
4. Il fait attention au montage. → Il …… fait attention.
5. Il s'inscrit à la compétition. → Il s'…… inscrit.
6. Il participe au festival de Cannes. → Il …… participe.
7. Il a envie de recevoir des prix. → Il …… a envie.
8. Il rêve de la Palme d'or. → Il …… rêve.

23 Choisissez et complétez avec un pronom complément.

aider quelqu'un – donner des exemples à quelqu'un – obéir à quelqu'un – écouter quelqu'un (2)
expliquer à quelqu'un – respecter quelqu'un (2)

Les élèves...

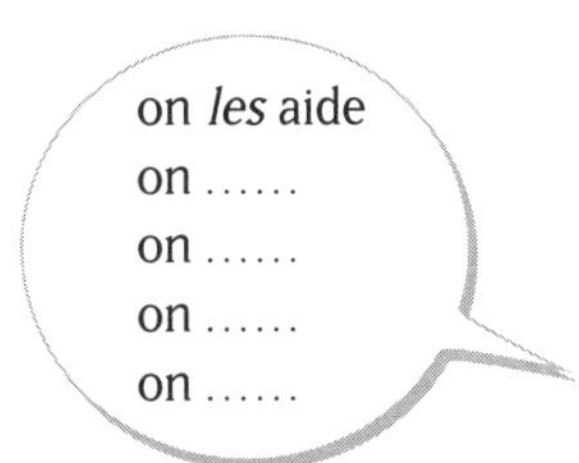

La directrice d'école...

on ......
on ......
on ......

indiquer le prix à quelqu'un – demander conseil à quelqu'un – servir quelqu'un – accueillir quelqu'un
régler les achats à quelqu'un – sourire (2) à quelqu'un – conseiller quelqu'un

La cliente...

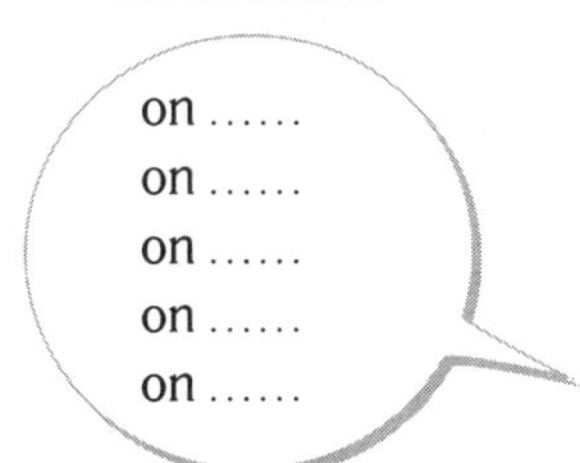

Les vendeurs...

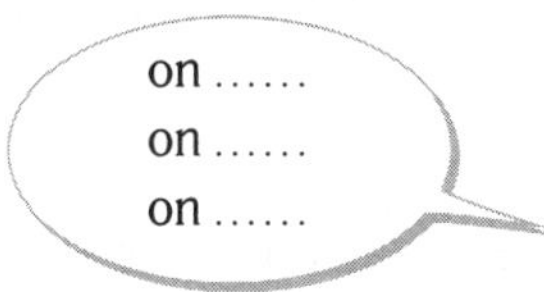

indiquer les horaires à quelqu'un – orienter quelqu'un – poser des questions à quelqu'un
renseigner quelqu'un – suivre quelqu'un – guider quelqu'un – proposer un itinéraire à quelqu'un

Le visiteur...

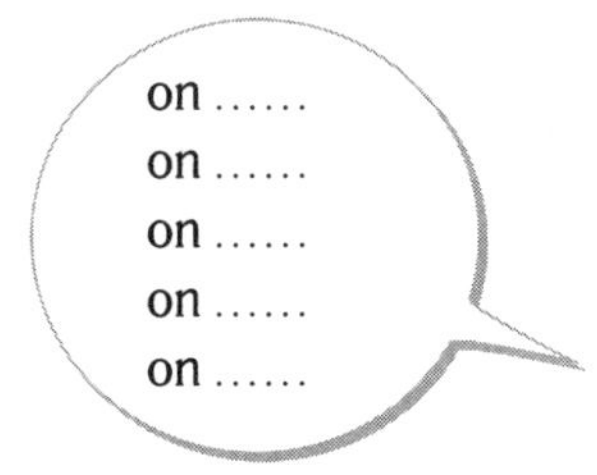

Le guide...

on ......
on ......

24 Complétez avec un pronom complément.

– Vous *me* (1) donnez votre nom ?
– Slama.
– Oui, on ...... (2) a téléphoné, monsieur Slama, parce que votre dossier n'est pas complet. Vous avez votre carte de séjour ?
– Oui, je ...... (3) ai ici, voilà.
– Bon, je vais ...... (4) photocopier. Et vos justificatifs de domicile ? Je ne ...... (5) trouve pas non plus dans votre dossier.
– Ah ? Je ...... (6) ai donnés à la dame, à l'accueil.
– Quand est-ce que vous ...... (7) avez donné ces papiers ?
– Je ...... (8) ai déposés hier.
– Ah ! Asseyez-vous. Vous ...... (9) attendez ? Je reviens.

25 Complétez avec un pronom complément.

Dans la rue
– Alors, qu'est-ce qui s'est passé, jeune homme ? Tu as insulté cette dame ?
– Mais monsieur, je ne *la* (1) connais pas, je ne ...... (2) ai rien fait !
– Ah bon ! Tu ne ...... (3) as pas parlé ? ! Elle dit le contraire ! Elle dit aussi que tu as voulu ...... (4) voler son sac, avec tes copains !
– Mais pas du tout ! C'est la première fois que je ...... (5) vois !
– Viens avec moi, nous allons ...... (6) demander de répéter ce qu'elle a dit.

26 Complétez avec un pronom complément ou un pronom tonique.

J'adore mon quartier. J'*y* (1) habite depuis quatre ans. En face de chez moi, il y a une médiathèque où je vais toutes les semaines : on peut ...... (2) voir des films, on peut aussi ...... (3) louer. Les employés sont très compétents et très aimables, je m'adresse souvent à ...... (4) pour ...... (5) demander leur avis sur les nouveautés. C'est vraiment un endroit super ! Quelquefois, j'...... (6) retrouve ma voisine, elle choisit toutes sortes de CD et elle ...... (7) emprunte pour ...... (8) écouter chez elle. J'ai vraiment de la chance d'habiter ici !

27 À vous ! Parlez de votre quartier, de ce que vous aimez ou détestez près de chez vous ! Utilisez des pronoms compléments pour éviter les répétitions.

28 Complétez avec un pronom complément et le verbe au passé composé. (Attention à la place du pronom et à l'accord du participe passé.)

Gilles et Annie ont quitté Paris, ils *en sont partis* (partir) l'an dernier. Ils ont acheté une maison dans le Sud-Ouest, à Albi. Ils ...... (trouver) grâce à des amis. L'été dernier, nous ...... (aller voir). Ils ...... (montrer) la région. Nous ...... (rester) deux semaines. Nous avons rencontré leurs amis, nous ...... (trouver) très sympathiques. Vivre dans cette région, ils ...... (rêver), et ils ...... (pouvoir s'installer), c'est vraiment bien !

IIe PARTIE

Le verbe

5 Le présent de l'indicatif

Les verbes *être* et *avoir*, les verbes avec l'infinitif en *-er*

Observez

- Nous **sommes** stagiaires dans une entreprise de service qui **a** 50 employés. Nous **commençons** à 9 heures et nous **terminons** à 18 heures. Nous **changeons** souvent de service.
- Les employés **demandent** une augmentation de salaire. Le directeur **cherche** de nouveaux collaborateurs.
- – Où **déjeunez**-vous ?
  – Ça dépend, parfois nous **allons** au restaurant, parfois nous **apportons** un sandwich.
  – Et moi, j'**ai** de la chance, j'**habite** tout près d'ici. Mais quelquefois, comme aujourd'hui, je n'**ai** pas beaucoup de temps alors je **reste**.
  – Aujourd'hui, vous **allez** au restaurant ?
  – Oui.
  – Je **vais** avec vous.
- – Tu **t'habitues** à ton travail ?
  – Oui, mais je **débute** et le rythme **est** difficile. Le soir, je **suis** souvent fatiguée alors je **me couche** tôt !

Retrouvez l'infinitif des verbes en gras.

Entraînez-vous

1 Conjuguez au présent. (Rétablissez l'apostrophe si nécessaire.)

1. Nous *sommes* (être) prudents ; nous ...... (avoir) peur du verglas.
2. Ces gens ...... (être) très sympathiques ; ils ...... (être) accueillants, mais ils ...... (avoir) un gros défaut pour moi : ils ...... (être) vraiment bruyants.
3. Merci de ton aide, tu ...... (être) généreux, tu ...... (avoir) le cœur sur la main et tu ...... (avoir) beaucoup de patience !
4. Je ...... (être) timide, je ...... (être) distrait, mais je ...... (avoir) bon caractère.
5. En France, en général, on ...... (être) poli et on ne ...... (être) pas paresseux, mais on ne ...... (avoir) pas toujours le sens de l'humour.
6. Vous ...... (être) nerveux aujourd'hui ! Vous ...... (avoir) des soucis ?

2 Complétez avec le verbe *être* ou le verbe *avoir* au présent. (Rétablissez l'apostrophe si nécessaire.)

1. Justin *a* 25 ans. Il ne ...... pas très vieux.
2. Nous ...... commerçants, comme mes parents. Nous ...... une librairie mais eux, ils ...... un magasin de sport.
3. Je ...... beaucoup de fièvre. Je ...... vraiment malade. Je ...... peur de ne pas pouvoir aller au match ce soir.
4. Vous ne ...... plus froid, j'espère. Vous ...... bien maintenant ?
5. Les jumeaux, Bruno et Manolo, ... les cheveux bruns et ...... plutôt petits ; leur sœur ...... blonde, elle ...... très grande, elle ...... le visage de Claire, leur mère.
6. Tu ..... de la chance, Grand-Mère, tu ..... 75 ans et tu ..... encore si dynamique ! Quel ..... ton secret ?

3 Choisissez le verbe et conjuguez au présent.

louer – fabriquer – réparer – soigner – garder – contrôler – *enseigner* – travailler – chercher – renseigner

Quelle profession ?

1. Cet homme est professeur, il *enseigne* la cuisine.
2. Mes amis sont employés, ils ...... à la poste.
3. Tu es baby-sitter, tu ...... des enfants, c'est ça ?
4. Ma sœur est au chômage, elle ...... du travail.
5. Ils sont contrôleurs donc ils ...... les billets.
6. Vous êtes menuisier, vous ...... des meubles.
7. Nous sommes réceptionnistes, nous ...... les visiteurs.
8. Tu es agent immobilier, tu ...... des appartements.
9. Vous êtes mécanicien, vous ...... les voitures.
10. Et nous, on est infirmières, on ...... les malades.

4 Conjuguez au présent.

– Tu sais, chez moi, le matin, c'est la course ! On *se réveille* (se réveiller) à sept heures et à sept heures et demie, je ...... (se retrouver) dans la voiture avec les enfants, direction l'école et le bureau !

– Vous ...... (se préparer) vraiment vite !

– Oui, nous ...... (se doucher) le soir. Le matin, je ...... (se raser) et je ...... (se dépêcher) de faire le café. Pendant ce temps-là, les enfants ...... (s'habiller).

– Tu ...... (ne jamais s'énerver) ?

– Non, en général, ça ...... (se passer) bien.

– Et ta femme ?

– Elle, elle ...... (se recoucher) !

– Elle a de la chance !

5 Choisissez le verbe et conjuguez au présent.

se couper – s'amuser – se dépêcher – se marier – se décider – *se reposer* – s'intéresser

1. Je *me repose* parce que je suis fatigué.
2. Il ...... à la politique internationale.
3. Les enfants ...... dans le jardin.
4. Vous ...... tout de suite ou vous voulez réfléchir un peu ?
5. Je ...... souvent avec ces ciseaux.
6. Paula et Mathieu ...... cet été.
7. Nous ...... car nous devons être rentrés à 18 heures.

6 Conjuguez au présent. (Rétablissez l'apostrophe si nécessaire.)

Cartes postales

1. Ce pays magnifique *ressemble* (ressembler) à un paradis, nous .... (respirer) l'air pur. Tu .... (imaginer), pas une voiture !
2. Le soleil ..... (briller), la mer est bleue. Je ...... (passer) mes journées à la plage et je ...... (oublier) tout.
3. Virginie et moi, nous ...... (marcher) beaucoup, mes parents ...... (visiter) tous les monuments. La vie est belle. On vous ...... (embrasser).
4. Les voitures ...... (rouler) trop vite, les usines ...... (fumer) mais nous ...... (apprécier) la cuisine.
5. Les habitants sont formidables : ils ...... (bavarder) avec nous, ils nous ...... (informer), ils ...... (poser) des questions sur notre pays.

7 **Conjuguez au présent.**

Notre entreprise *déménage* (déménager) dans de nouveaux locaux. Ma collègue et moi, nous .... (changer) de poste. Nous ...... (commencer) une nouvelle expérience : nous ...... (diriger) le service export. Ce matin, nous ...... (aménager) le nouveau bureau que nous ...... (partager) : nous l'...... (arranger) à notre goût. D'abord, nous ...... (déplacer) quelques meubles, et puis nous ...... (remplacer) les ordinateurs, nous ...... (ranger) les dossiers, et bien sûr, nous ...... (placer) un joli bouquet de fleurs à l'entrée !

8 **Complétez avec le verbe *aller* au présent, puis avec le pronom sujet qui convient.**

1. – Julien *va* à la poste ? – Non, *il* va chez le coiffeur.
2. – Nous ...... faire des courses. – Ah, ... vais avec vous.
3. – Tes parents ...... en vacances ? – Oui, ... vont à la montagne.
4. – Tu ...... à l'aéroport ? – Non, ... vais à la gare.
5. – Je ...... au cinéma. – Moi, ... vais au théâtre.
6. – Vous ...... au restaurant ? – Non, ... allons au cinéma.
7. – Vous ...... où ? – ...... va au stade.

Les verbes avec l'infinitif en *-oyer*, *-uyer* et *-ayer*

Observez

	Envoyer	Essuyer	Payer
Je / J'	envoie	essuie	paye / paie
Tu	envoies	essuies	payes / paies
Il / Elle / On	envoie	essuie	paye / paie
Nous	envoyons	essuyons	payons
Vous	envoyez	essuyez	payez
Ils / Elles	envoient	essuient	payent / paient

a. Pour les verbes en *-oyer* et *-uyer*, à quelles personnes le *y* de l'infinitif devient-il *i* ?

b. Pour les verbes en *-ayer*, à quelles personnes y a-t-il deux orthographes possibles ?

Entraînez-vous

9 **Associez. (Plusieurs réponses sont possibles.)**

1. Je
2. J'
3. Il / Elle / On
4. Nous
5. Vous
6. Ils / Elles
7. Tu

a. essaies
b. payent
c. envoyons
d. *balaie*
e. appuyez
f. nettoient
g. essuie
h. essayes
i. envoyez
j. balaye
k. paient
l. renvoie

1	*d*, ...
2	......
3	......
4	......
5	......
6	......
7	......

Autres cas particuliers

Observez

1. Acheter / Enlever / Peser / Emmener / Lever
   → j'achète, tu enlèves, il pèse, nous emmenons, vous achetez, ils lèvent
2. Espérer / Préférer / Répéter / Compléter / Exagérer
   → j'espère, tu préfères, il répète, nous complétons, vous espérez, ils exagèrent
3. Jeter / Appeler / Épeler
   → je jette, tu appelles, il épelle, nous appelons, vous épelez, ils appellent

a. Verbes de la série 1 : à quelles personnes le *e* devient *è* ? ......, ..., ..., ...
b. Verbes de la série 2 : à quelles personnes le *é* devient *è* ? ......, ..., ..., ...
c. Verbes de la série 3 : à quelles personnes les consonnes *l* ou *t* sont doublées ? ......, ..., ..., ...

Entraînez-vous

10 Mettez les accents quand c'est nécessaire.

1. Tu espères.
2. Vous achetez.
3. Ils pesent.
4. Tu exageres.
5. Je répete.
6. Nous completons.
7. Ils répetent.
8. J'emmene.
9. Elle leve.
10. Vous emmenez.
11. On préfere.
12. Vous répetez.
13. Nous esperons.
14. Vous exagerez.
15. On achete.
16. Ils achetent.
17. Nous pesons.
18. Elles enlevent.
19. Je complete.
20. Elles préferent.

11 Complétez avec le verbe *préférer* ou le verbe *espérer* au présent.

Préférences et espérances

1. – Quelle couleur tu *préfères* ?
   – Le bleu, et toi ?
   – Je ...... le jaune.
2. – À quelle heure vous arrivez ?
   – Avant midi, j'...... !
3. – Où est Jean ?
   – Je ne sais pas. On ...... qu'il va bien.
4. – Quel jour vous ...... ? le lundi ou le mardi ?
   – Pascal et moi, nous ...... mardi mais je sais que Christophe et Aline ...... lundi.
5. – Nous ...... prendre le bus, et vous ?
   – Non, on ...... le métro.
6. – Nous ...... que ce film est bien.
   – Je l'...... aussi !

12 **Complétez les verbes *(r)appeler, épeler, renouveler, jeter, rejeter, projeter* avec *l, t, ll* ou *tt*.**

1. On appe...e.
2. Nous épe...ons.
3. Elle reje...e.
4. Il renouve...e.
5. Vous je...ez.
6. Ils renouve...ent.
7. Tu épe...es.
8. Nous reje...ons.
9. Je proje...e.
10. Ils appe...ent.
11. Vous rappe...ez.
12. Elles je...ent.

Les verbes avec l'infinitif en *-ir*

Observez

- Nous **atterrissons** à quelle heure ?
- Il n'**obéit** jamais.
- Vous **partez** à quelle heure ?
- Ils **réfléchissent** trop !
- Les Parisiens **courent** toujours !
- Tu **sors** ce soir ?
- Pourquoi tu n'**applaudis** pas ?
- Je **dors** très mal en ce moment.
- Vous **vous sentez** mieux ?

Soulignez les verbes qui se conjuguent comme le verbe *finir (-is, -is, -it, -issons, -issez, -issent)*.

Entraînez-vous

13 **Choisissez un verbe et conjuguez au présent.**

obéir – remplir – ralentir – réagir – atterrir – réunir – salir – *réussir* – réfléchir – applaudir

1. Elle *réussit* tout ce qu'elle fait.
2. Nous ...... nos amis ce soir pour une petite fête.
3. Vous ...... puis vous tournez à droite.
4. Enlevez vos chaussures, vous ...... tout !
5. Il ...... toujours vivement, c'est son tempérament.
6. Pierre, Marion, cette question n'est pas difficile si vous ...... un peu.
7. Les vols internationaux ...... à quel aéroport ?
8. Tu ...... ou je me fâche !
9. Vous ...... le questionnaire avant d'aller dans la salle d'attente.
10. Nous ...... tous Pierre pour son succès.

14 **Choisissez un verbe et conjuguez au présent.**

rajeunir (2) – vieillir – *rougir* – grossir – grandir – maigrir – blanchir

1. – Regarde, elle est toute rouge ! – Oui, elle *rougit* facilement.
2. – Elle a quel âge ? Ses cheveux sont tout blancs. – C'est vrai, ils ...... de jour en jour.
3. – Vous semblez de plus en plus jeune, c'est incroyable comme vous ...... !
4. – Votre fils est de plus en plus grand ? ! – Eh oui, les enfants ...... !
5. – Votre mari a perdu du poids ? – Eh oui, il ...... et moi au contraire, je .... Ce n'est pas juste !
6. – Nous ...... tous avec le temps qui passe. – Ah c'est vrai ! On ne ...... pas !

15 **Choisissez un verbe et conjuguez au présent.**

sortir – partir – dormir – servir – sentir – mentir – courir – se sentir

1. Nous *sortons* sur la terrasse, il fait trop chaud !
2. Ils sont très fatigués, ils ne ...... pas très bien.
3. Ma voiture me ...... surtout pour les longs voyages.
4. Vous ...... très bon, quel est votre parfum ?
5. Pour rester en forme, nous ...... tous les soirs pendant vingt minutes.
6. Les nouveaux films ...... souvent le mercredi.
7. Tu ...... où en vacances ?
8. Ces vieux objets ne ...... à rien, il faut les jeter.
9. Je ...... mal dans ce lit, le matelas est trop dur.
10. Cette vie est fatigante, on ...... toujours !
11. – Où sont les enfants ?
    – Chut ! Ils ....
12. Je vous ...... du potage ?
13. – Tu ne dis pas la vérité ! Pourquoi tu ...... ?
    – Je ne ...... pas. C'est vrai !
14. Mes parents ...... s'installer à la campagne.

Les verbes *tenir* et *venir* et leurs composés

Observez

- Tu **tiens** bien la rampe pour descendre.
- Ton ami **vient** avec toi ?
- Nous te **prévenons** s'il y a un changement.
- Je **reviens** dans cinq minutes.
- Ils **entretiennent** bien leur maison.
- Vous **venez** ?

Les verbes *tenir* et *venir* et leurs composés (*obtenir, appartenir, devenir, prévenir,* etc.) ont la même conjugaison. ☐ **Vrai** ☐ **Faux**

Entraînez-vous

16 **Choisissez un verbe et conjuguez au présent.**

venir – tenir – obtenir – soutenir – devenir – prévenir – appartenir – revenir

1. – Tu *viens* avec moi au cinéma ? – Oui, je ......, bien sûr !
2. – Elles sont parties combien de temps ? – Elles ...... la semaine prochaine.
3. Il ...... un bouquet de roses à la main. C'est romantique !
4. – Vous ...... toujours ce que vous demandez ? – Oui, nous ...... toujours tout.
5. – Ce sac ...... à John ? – Non, toutes ces affaires ...... à Lucie.
6. – Je ...... de plus en plus gros, tu ne trouves pas ? – C'est vrai, tu ...... énorme.
7. – Ils ...... quel candidat ? – Je ne sais pas mais moi, je ...... mon ami Frank.
8. Elle ...... toujours quand elle ne peut pas venir.

Les verbes conjugués sur le modèle d'*ouvrir*

Observez

Je **découvre**. Il **cueille**. Tu **offres**. On **ouvre**. Nous **couvrons**. Vous **souffrez**. Elles **accueillent**.

a. Retrouvez les infinitifs de ces verbes.
- **Elles accueillent.** → ***accueillir***
- **Nous couvrons.** → ......
- **Il cueille.** → ......
- **Tu offres.** → ......
- **On ouvre.** → ......
- **Je découvre.** → ......
- **Vous souffrez.** → ......

b. Ces verbes ont les mêmes terminaisons que les verbes en *-er*. ☐ **Vrai** ☐ **Faux**

Entraînez-vous

17 Choisissez un verbe et conjuguez au présent.

offrir – ouvrir – cueillir – découvrir – souffrir – accueillir – couvrir

1. Qu'est-ce que vous *offrez* à votre collègue ?
2. Je ...... toujours mes livres avec du plastique.
3. Nous ...... maintenant madame Flament, la doyenne du village !
4. Tu as mal, tu ...... beaucoup ?
5. – Qu'est-ce qu'elle fait ? – Elle ...... des fleurs pour faire un bouquet.
6. Quand on voyage, on ...... toujours plein de choses nouvelles.
7. Vous ...... quand j'appuie à cet endroit ? Dites-le-moi !
8. Ce sont des hôtes charmants, ils ...... toujours très bien leurs invités.
9. Qu'est-ce que je mets sur la table ? Je la ...... avec quoi ?
10. Dans ce restaurant, ils ...... des chocolats avec le café.
11. J'...... ou je ferme la fenêtre ?
12. Nous ...... les plaisirs de la montagne.
13. Cette année, on ...... les fruits très tôt.
14. Tu sais à quelle heure ...... les magasins ?

Les verbes avec l'infinitif en *-re*, en *-oir*

Les verbes avec l'infinitif en *-ire* et en *-uire*

Observez

- Qu'est-ce que vous **lisez** ?
- Nous **écrivons** peu.
- Vous **riez** toujours ! Lui, il ne **rit** pas souvent !
- Il lui **interdit** de parler ! Et vous, vous lui **interdisez** quoi ?
- Vous ne **dites** rien ?
- Que **prédisez**-vous pour la fin du XXIe siècle ?
- Vous **conduisez** bien ?
- Nous **produisons** un bon vin.
- Ils **construisent** eux-mêmes leur maison.

a. Associez.

1. *Nous ri*
2. Vous interdi
3. Ils écri
4. Vous souri
5. Nous li
6. Ils condui
7. Nous tradui
8. Vous produi
9. Ils inscri
10. Vous décri
11. Nous éli
12. Nous prescri
13. Ils prédi
14. Nous contredi
15. Vous construi

a. -sez
b. -ez
c. -sent
d. -vez
e. -sons
f. *-ons*
g. -vent
h. -vons

1	*f*
2	......
3	......
4	......
5	......
6	......
7	......
8	......
9	......
10	......
11	......
12	......
13	......
14	......
15	......

b. Regroupez les verbes qui se conjuguent de la même façon. Écrivez les infinitifs.

Lire → je lis, tu lis, il lit, nous lisons, vous lisez, ils lisent	Écrire → j'écris, tu écris, il écrit, nous écrivons, vous écrivez, ils écrivent	Rire → je ris, tu ris, il rit, nous rions, vous riez, ils rient
......	......	......

c. Quelle est la forme particulière du verbe *dire* ?

Entraînez-vous

18 **Conjuguez au présent.**

1. Mon professeur me *prédit* (prédire) un avenir brillant.
2. Ces enfants ...... (sourire) toujours.
3. Nous ...... (traduire) des romans anglais.
4. Qu'est-ce que vous ...... (dire) ?
5. Elle ...... (conduire) très bien.
6. Vous ...... (relire) votre copie ?
7. Ils ...... (s'inscrire) en troisième année.
8. Je ne ...... (contredire) jamais personne.
9. Quel médicament vous me ...... (prescrire) ?
10. Les Français ...... (élire) leur président tous les cinq ans.

Le verbe *faire*

Observez

Nous ne **faisons** rien de spécial le week-end prochain, et vous, vous **faites** quelque chose ?

Entraînez-vous

19 **Complétez avec le verbe *faire* au présent.**

1. – Qu'est-ce que tu *fais* ? – J'écoute la radio.
2. – Qu'est-ce que vous ...... ce week-end ? – Nous allons chez des amis.
3. – Vos enfants ...... du sport ? – Oui, du volley-ball.
4. Nous ...... une petite fête demain soir, vous êtes invités.
5. Je ...... un gâteau. Tu m'aides ?
6. Qu'est-ce qu'il ......, ton père ?

Le verbe *boire*

Observez

Eux, ils **boivent** de l'eau du robinet mais nous, nous **buvons** de l'eau minérale.

Entraînez-vous

20 **Complétez avec le verbe *boire* au présent.**

– Pendant les repas, qu'est-ce que vous *buvez* (1) ?
– Mon mari et moi, nous ...... (2) du vin, les enfant, eux, ... (3) de l'eau.
– Pas de bière ?
– Parfois, mon mari ...... (4) une bière, mais entre les repas. Et chez vous ?
– Chez nous, on ...... (5) un peu de tout. Mais moi, je ...... (6) un peu de vin à chaque repas.

Le verbe *croire*

Observez

– Arrêtez de crier comme ça, je **crois** que vous lui faites peur.
– Oh, vous **croyez** ?

Entraînez-vous

21 **Reconstituez la conjugaison du verbe *croire*. Attention, les lettres sont dans le désordre !**

ciros – yceroz – rocient – cnoryos – rocit

Je	*crois*	Il / Elle / On	......	Vous	......
Tu	......	Nous	......	Ils / Elles	......

22 **Complétez avec le verbe *croire* au présent.**

1. Nous *croyons* que vous avez raison.
2. Tu ...... aux fantômes ?
3. Mes enfants ne ...... pas au Père Noël.
4. Je ne suis pas celle que vous ...... !
5. Il ne me ...... pas.
6. Je ...... seulement ce que je vois.

Les verbes avec l'infinitif en *-dre*

Observez

- Ils **prennent** toujours leur temps.
- Il **perd** souvent ses affaires.
- Vous n'**entendez** rien ?
- Nous vous **répondons** dans un instant.

Entraînez-vous

23 **Choisissez le verbe et conjuguez au présent.**

rendre – *entendre* – perdre – attendre – confondre
dépendre – vendre – descendre – défendre – répondre

Dans une voiture
– Vous *entendez* (1) ce bruit ?
– Non, moi, je n'...... (2) rien.
– Oui, nous aussi, on ...... (3) un bruit bizarre.

Dans un ascenseur
– Vous montez ou vous ...... (4) ?
– Nous ...... (5) au parking.
– C'est parfait, je ...... (6) avec vous alors.

Au café
– Vous ...... (7) quelqu'un ?
– Oui, j'...... (8) un ami.

Au salon du meuble
– Vous ...... (9) aussi à l'étranger ?
– Oui, nous ...... (10) dans le monde entier.

À la sortie de la fac
– Tu viens avec moi au cinéma ?
– Ça ...... (11) du film que tu vas voir.
– C'est le dernier Almodovar en V.O.
– Oh, je ne sais pas...
– Tu me ...... (12) vite ! Dépêchons-nous, nous ...... (13) du temps. Le film commence dans dix minutes.

Dans la rue
– Que se passe-t-il là-bas ? Regarde tout ce monde !
– Oui, on dirait que les gardiens ...... (14) aux gens d'entrer au musée.

À la caisse d'un magasin
– Excusez-moi mais vous me ...... (15) trop d'argent.
– Ah, je ...... (16) toujours ces deux billets.

24 **Conjuguez au présent.**

1. – Vous *prenez* (prendre) un café ? – Oui, volontiers, mais je ...... (reprendre) un peu de dessert avant.
2. On dit souvent que les enfants ne ...... (comprendre) pas tout. Mais ce n'est pas vrai. Quand on ...... (prendre) le temps de leur expliquer, ils ...... (apprendre) très vite !
3. Je ne ...... (comprendre) pas ta réaction. Tu me ...... (surprendre).
4. Dernière minute : « Nous ...... (apprendre) à l'instant même la décision du gouvernement... »
5. Vous .... (apprendre) l'espagnol ? Vous .... (comprendre) facilement ? J'ai une amie qui ..... (apprendre) le portugais et l'espagnol en même temps.

Les verbes avec l'infinitif en *-eindre, -aindre* et *-oindre*

Observez

Peindre / Craindre / Rejoindre
→ je **peins**, tu **rejoins**, il **craint**, nous **rejoignons**, vous **peignez**, ils **craignent**

a. Les verbes en *-eindre, -aindre, -oindre* ont le même type de conjugaison. ☐ **Vrai** ☐ **Faux**

b. Reconstituez la conjugaison des verbes *peindre, craindre* et *joindre*.

	Peindre	Craindre	Joindre
Je	......	......	......
Tu	......	......	......
Il / Elle / On	......	......	......
Nous	......	......	......
Vous	......	......	......
Ils / Elles	......	......	......

Entraînez-vous

25 Conjuguez au présent.

1. Elle *éteint* (éteindre) sa cigarette.
2. Nous ...... (rejoindre) Pierre à 17 heures.
3. Ils ...... (peindre) des portraits originaux.
4. Vous ...... (se plaindre) tout le temps !
5. Vous ...... (ne pas éteindre) l'ordinateur ?
6. Tu ...... (rejoindre) ta fille là-bas ?
7. Comme tu ...... (peindre) bien ! C'est magnifique.
8. Moi, je n'ai pas peur, je ne ...... (craindre) rien.
9. Quelle situation difficile ! Je la ...... (plaindre) vraiment.
10. Elles ...... (ne pas craindre) les responsabilités.

Le verbe *mettre* et ses composés

Observez

• Vous **mettez** combien de temps pour venir ?
• J'**admets** que c'est vrai.

Entraînez-vous

26 Choisissez le verbe et conjuguez au présent.

mettre – permettre – promettre – admettre

1. Combien de temps tu *mets* pour venir ?
2. Vous me ...... de m'asseoir ici ?
3. Je te ...... de t'écrire souvent.
4. Ma santé ne me ...... pas de voyager.
5. Nous ...... de venir vous voir demain.
6. Qu'est-ce que vous ...... pour cette soirée ?
7. Il ...... son erreur.
8. Elles ...... trop de parfum.

Les verbes en *-aître*

Observez

- – Pardon, monsieur, nous ne **connaissons** pas le quartier, vous pouvez nous aider ?
  – Je suis désolé, je ne **connais** pas bien non plus.
- Les quotidiens sont des journaux qui **paraissent** tous les jours.
- La vérité **apparaît** toujours un jour !

a. Reconstituez la conjugaison du verbe *connaître*.

HORIZONTALEMENT
I. Nous
II. Je
III. Ils

VERTICALEMENT
1. Il
2. Tu
3. Vous

b. À quelle personne écrit-on *î* ?

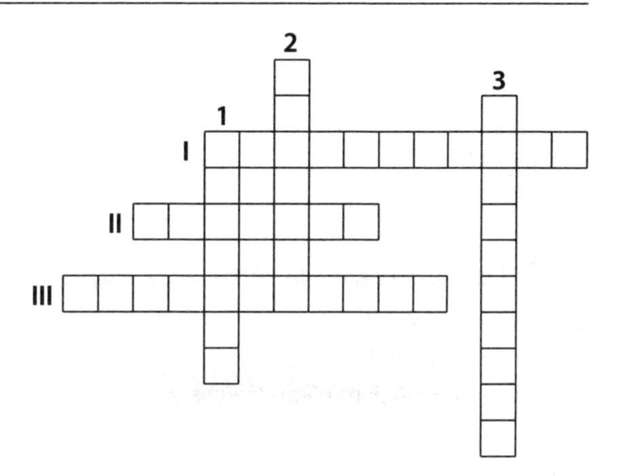

Entraînez-vous

27 **Choisissez le verbe et conjuguez au présent.**

paraître – apparaître – disparaître – connaître – reconnaître

1. Les journaux du soir *paraissent* à 13 heures.
2. Regarde, la lune ...... ! Comme elle est belle !
3. Le soleil ...... derrière les nuages, il va certainement pleuvoir.
4. Benjamin, vous ...... fatigué, non ?
5. Excusez-moi, je ne vous ai jamais vu, je ne vous ...... pas, monsieur !
6. C'est moi, Nathalie, tu ne me ...... pas ? J'ai tellement changé ?
7. Beaucoup de gens ...... et ne sont jamais retrouvés.
8. Il ...... que tu as vu Nicolas et Ève ensemble. C'est vrai ?
9. On ne ...... pas tous les monuments parisiens mais tout le monde ...... la tour Eiffel sur une photo.

Les verbes *vivre* et *suivre*

Observez

- – Vous **vivez** en ville ? – Non, je **vis** en grande banlieue.
- Je **suis** un régime amaigrissant très strict.
- Nous **suivons** des cours de tango.

Entraînez-vous

28 **Reconstituez les conjugaisons des verbes *vivre* et *suivre*. Attention, les lettres sont dans le désordre !**

	Vivre venvit – tiv – svi – nosviv	**Suivre** vezuis – sius – tuis – vuisent
Je	vis	suis
Tu	......	......
Il / Elle / On	......	......
Nous	......	suivons
Vous	vivez	......
Ils / Elles	......	......

29 **Complétez avec le verbe *vivre* au présent.**

1. Vous *vivez* seul ?
2. Elle ...... sa vie !
3. Ils ...... d'amour et d'eau fraîche.
4. Nous ...... pour nos enfants.
5. On ne ...... qu'une fois !
6. Je ...... au jour le jour.

30 **Complétez avec le verbe *suivre* au présent.**

1. Tu connais la route, alors je te *suis*.
2. Nous ...... des cours de cuisine.
3. Vous ...... mes explications ? Je peux continuer ?
4. Ils ...... toujours mes conseils.
5. Tu ...... la rue et tu tournes à gauche.
6. La route ...... une rivière magnifique.

Les verbes avec l'infinitif en *-oir*

Observez

- Voir / Prévoir
  → je **vois**, tu **vois**, il **prévoit**, nous **prévoyons**, vous **voyez**, ils **prévoient**
- Recevoir / Décevoir / Apercevoir
  → je **reçois**, tu **aperçois**, il **déçoit**, nous **apercevons**, vous **décevez**, ils **reçoivent**

a. Tous les verbes qui se terminent par *-voir* se conjuguent de la même façon. ☐ **Vrai** ☐ **Faux**

b. Complétez.

Voir / Prévoir	Recevoir / Décevoir / Apercevoir
Je prév......	**Je dé**......
Tu prév......	**Tu re**......
On v......	**Elle aper**......
Nous v......	**Nous re**......
Vous prév......	**Vous aper**......
Elles v......	**Elles dé**......

Entraînez-vous

31 Conjuguez au présent.

1. – Regarde là-bas, j'*aperçois* (apercevoir) une très vieille horloge.
   – Où ? Je ne ...... (voir) pas.
2. Vous ...... (voir) le bâtiment jaune au bout de la rue ?
3. Cette année, le travail de mes élèves me ...... (décevoir) beaucoup.
4. Nous ...... (recevoir) beaucoup de publicité dans notre boîte à lettres.
5. Les organisateurs du salon ...... (prévoir) de nombreux visiteurs.
6. Vous ...... (s'apercevoir) maintenant que les problèmes sont très graves.
7. Nous ...... (prévoir) un temps magnifique demain sur la capitale.
8. Je ...... (recevoir) des appels téléphoniques dès 7 heures du matin.
9. Vous ...... (prévoir) combien de personnes pour le 14 juillet ?

Observez

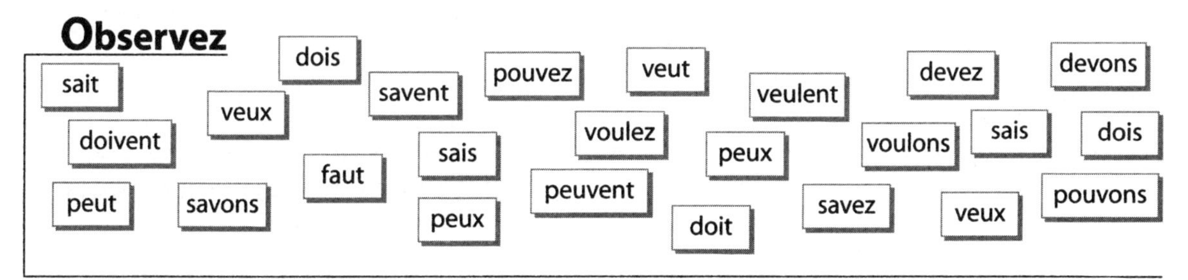

Reconstituez les conjugaisons.

Savoir		Devoir		Pouvoir		Vouloir		Falloir	
Je	......	**Je**	......	**Je**	......	**Je**	......		
Tu	......	**Tu**	......	**Tu**	......	**Tu**	......		
Il / Elle / On	......	**Il / Elle / On**	......	**Il / Elle / On**	......	**Il / Elle / On**	......	**Il**	......
Nous	......	**Nous**	......	**Nous**	......	**Nous**	......		
Vous	......	**Vous**	......	**Vous**	......	**Vous**	......		
Ils / Elles	......	**Ils / Elles**	......	**Ils / Elles**	......	**Ils / Elles**	......		

Entraînez-vous

32 Choisissez et faites des phrases comme dans l'exemple.

Exemple : un examen – nous – préparer – il – doit – doivent → Il doit préparer un examen.

1. vous – emprunter des livres – pouvez – peux – on
2. il – sortir un peu – elles – voulons – veut
3. tout – Clarisse et Steve – savons – elle – savent
4. faut – il – travailler – ils – falloir
5. je – ils – sait – danser le tango – sais
6. faire attention – doit – doivent – tu – elles
7. veux – nous – changer de travail – veulent – je
8. pouvons – elles – se reposer – peuvent – on

33 Conjuguez au présent.

Au lycée

1. – Cet enfant est en difficulté scolaire : il *sait* (savoir) beaucoup de choses, il ...... (pouvoir) réussir mais j'ai l'impression qu'il ne ...... (vouloir) pas.
   – Je ...... (pouvoir) contacter ses parents si vous ...... (vouloir).
   – Oui, si vous ...... (pouvoir), c'est une bonne idée.
2. – Nous ...... (devoir) demander des crédits supplémentaires : il ...... (falloir) venir en aide à ces jeunes.
   – Vous avez raison. Mais nous ...... (savoir) bien que nous ne ...... (pouvoir) pas tout résoudre avec l'argent.
3. – Les parents ...... (devoir) mieux s'impliquer dans la vie de leurs enfants, il ...... (falloir) les encourager à être plus présents.
   – Attention ! Il ...... (falloir) savoir ce que nous ...... (vouloir) vraiment ! Vous ...... (vouloir) voir les parents tout le temps à l'école ?
   – Je ne ...... (savoir) pas mais, souvent, les parents ...... (pouvoir) et ...... (vouloir) aider leurs enfants.
4. – Écoute, Claire, je ...... (savoir) que tu ...... (vouloir) faire tes études à Londres. Tu ...... (pouvoir) le faire mais tu ...... (devoir) travailler ton anglais.
   – Oui, vous avez peut-être raison.

Le présent progressif

Observez

– Qu'est-ce que tu fais ?
– Tu vois bien, je **suis en train de me préparer**.

a. Quel verbe est conjugué dans la forme : « Je suis en train de... » ?

b. À quel temps ce verbe est-il utilisé ?

c. Cette forme indique que :
- ☐ **l'action se répète souvent.**
- ☐ **l'action est en cours de déroulement.**

d. Mettez dans l'ordre :
préparer / suis / train / me / je / en / de

Entraînez-vous

34 Mettez dans l'ordre. (Rétablissez l'apostrophe si nécessaire.)

1. à / bureau / de / Je / train / m'installer / mon / en / suis
   → *Je suis en train de m'installer à mon bureau.*
2. au / Tu / train / répondre / es / en / de / téléphone
3. café / prendre / est / train / de / un / On / en
4. discuter / en / sont / train / Ils / de
5. de / êtes / en / courrier / train / ouvrir / Vous / le
6. dossiers / Nous / en / de / classer / train / les / sommes
7. est / train / accueillir / les / en / clients / Elle / de

35 Conjuguez au présent progressif.

1. – Romain, qu'est-ce que tu fais ?
   – Je *suis en train de faire* (faire) mon lit !
   – Où est ta sœur ?
   – Elle ...... (s'habiller).
2. – Allô, Martial, je vous dérange ? Vous ...... (dîner) ?
   – Non, non, nous avons fini, nous ...... (faire la vaisselle).
3. – Mamie, je peux entrer ? Tu ...... (se reposer) peut-être ?
   – Non, mon chéri, je ...... (écrire) à tante Rose.
4. – Qu'est-ce que c'est, ce bruit ?
   – Il y a eu une fuite d'eau. Les ouvriers ...... (réparer) les canalisations.
5. – Qui peut m'aider à mettre la table ? Marielle ?
   – Attends, tout à l'heure. Je ...... (accrocher) les guirlandes.
   – Roland ? Gabriel ?
   – Non, on ...... (installer) la sono.
   – Alors, personne ne peut me donner un coup de main ?

36 **À vous !** Que sont-ils en train de faire ?

Bilan

37 Conjuguez au présent ou au présent progressif.

1. – Pierre, tu *viens* (venir) ?
   – Non, je ...... (ne pas pouvoir), je ...... (téléphoner).
2. – Les enfants, qu'est-ce que vous ...... (faire) ?
   – Nous ...... (jouer).
3. – Où ...... (être) les autres étudiants ?
   – Ils ...... (s'inscrire) au week-end de ski. Ils en ...... (avoir) pour une demi-heure au maximum.
4. – Vous ...... (faire) des travaux chez vous en ce moment ? Nous ...... (entendre) souvent la perceuse !
   – Oui, nous ...... (changer) toute la décoration du salon.
5. – Il ...... (faire) froid maintenant. Il ...... (falloir) fermer les volets !
   – On ...... (savoir), c'est ce que Céline ...... (faire).

38 **Choisissez le verbe et conjuguez au présent.**

boire – *savoir* – devoir – suivre – dire – vouloir – se rendre compte – accepter – mettre

– Tu *sais* (1) que ma fille ...... (2) un régime ?
– Encore !
– Oui, mais cette fois-ci, elle ...... (3) que c'est sérieux. Depuis une semaine, elle ...... (4) seulement du thé, du café ou de l'eau et elle ne ...... (5) plus de sucre dans son café. Bien sûr, elle n'...... (6) plus ni pain, ni pâtes, ni riz, bref, elle ne ...... (7) plus manger comme nous. Tu ...... (8) ? Avec mon mari qui ...... (9) un régime médical très strict, je suis obligée de préparer des plats différents pour chacun !

39 **Conjuguez au présent.**

La voyante et ses cartes

– Alors, vous *voyez* (voir) quelque chose ?
– Oui, vous ...... (être) dans un lit, vous ...... (dormir), vous ...... (bouger) beaucoup.
– Je ...... (être) seul ?
– Oui... Ah, vous ...... (parler), vous ...... (dire) quelque chose que je ne ...... (comprendre) pas, vous ...... (se réveiller), vous ...... (ouvrir) les yeux, vous ...... (crier).
– Qu'est-ce que je ...... (dire) ? Vous ...... (entendre) ?
– Non, je ne ...... (pouvoir) pas entendre. Ah, vous ...... (se lever), vous ...... (s'arrêter).
– Et alors ?
– Quelqu'un ...... (entrer).
– Qui ?
– Je ne ...... (savoir) pas. Si, je ...... (voir) un homme.
– Je ...... (vouloir) savoir. Qu'est-ce qui ...... (se passer) ? Qu'est-ce qu'il ...... (faire) ? Il ...... (être) tout seul ?
– Écoutez ! Les cartes ne me ...... (dire) plus rien.

40 **Conjuguez au présent.**

Informations pratiques

1. La banque *ouvre* (ouvrir) à 9 heures.
2. Les chiens ne ...... (pouvoir) pas entrer.
3. Le métro ne ...... (rouler) pas toute la nuit.
4. Ici, on ne ...... (vendre) pas de timbres.
5. Vous ...... (devoir) payer à la caisse.
6. Une hôtesse vous ...... (attendre) à l'entrée.
7. Nous ...... (accepter) les chèques.
8. Les bureaux ...... (fermer) à 17 heures.

41 **À vous !** **Donnez des informations pratiques sur votre ville, votre pays, votre lieu de travail...**

42 **Conjuguez au présent.**

Avant le tournage

Le réalisateur : « Tout le monde m'*écoute* (écouter) ? Bien, alors, je ...... (récapituler). Jonathan, vous ...... (sortir) de la gare. Vous ...... (porter) votre valise. Vous ...... (être) épuisé : cela ...... (devoir) se voir sur votre visage. Vous ...... (rester) un moment sans bouger sur le trottoir, vous ...... (regarder) les lumières de la ville : vous ...... (sembler) perdu. Vous ...... (tourner) la tête, vous ...... (apercevoir) une cabine téléphonique au bout de la rue. Vous ...... (s'avancer) lentement dans sa direction. Claire, à ce moment-là, la caméra ...... (se tourner) vers vous. Vous ...... (apparaître) à l'angle de la rue. Vous ...... (avoir) l'air affolée. Vous ...... (se dépêcher) et vous ...... (se diriger) vers Jonathan sans le voir. Quand vous ...... (arriver) tout près de lui, vous ...... (lever) la tête, vos regards ...... (se croiser). On ...... (entendre) alors un coup de feu. Vous ...... (s'effondrer). Voilà, c'...... (être) compris ? Alors, en place ! »

6 Les temps du passé

Formation du passé composé

Observez

Vous avez vu ?

Ils ne se sont pas amusés.

Elle est tombée.

Nous avons beaucoup mangé.

Je ne suis pas parti.

Ils ont attendu.

Elle a marché.

a. Le passé composé de tous les verbes se forme avec l'auxiliaire *avoir*. ☐ **Vrai** ☐ **Faux**

b. Le passé composé des verbes pronominaux se forme avec l'auxiliaire *être*. ☐ **Vrai** ☐ **Faux**

c. Le participe passé s'accorde avec le sujet quand le passé composé se forme avec :

☐ **l'auxiliaire *avoir***

☐ **l'auxiliaire *être***

d. Mettez dans l'ordre :

– amusés / ne / sont / Ils / pas / se

– beaucoup / avons / Nous / mangé

Entraînez-vous

1 Complétez le tableau avec les formes du participe passé.

arriver	croire	être	offrir	pouvoir	savoir
apprendre	devoir	faire	ouvrir	prendre	sortir
attendre	dire	falloir	passer	recevoir	tomber
avoir	dormir	lire	peindre	regarder	venir
choisir	écrire	mettre	perdre	répondre	vivre
comprendre	entendre	mourir	permettre	réussir	voir
courir	éteindre	naître	pleuvoir	rire	vouloir

-é	*-i*	*-it*	*-is*	*-u (-û)*		*-ert*	*-eint*	autre
arrivé	……	……	……	……	……	……	……	……
……	……	……	……	……	……	……	……	
……	……	……	……	……	……			
……	……		……	……	……			
……	……		……	……	……			
……				……	……			
				……	……			
				……	……			
				……	……			

2 Accordez les participes passés si nécessaire. Deux réponses sont parfois possibles.

1. Tu t'es *levé / levée* à quelle heure ?
2. Ils se sont réveillé...... en retard.
3. Nous nous sommes préparé...... très vite.
4. Elle a pris...... son petit-déjeuner seule.
5. J'ai quitté...... la maison la dernière.
6. Elles sont rentré...... à pied.
7. Vous avez dîné...... chez vous ?
8. Elle est resté...... chez elle.
9. Il a attendu...... ses amis.
10. Nous nous sommes endormi...... très tôt.

3 Avec quel auxiliaire se forme le passé composé de ces verbes ? Cochez et complétez les phrases. (Attention à l'accord du participe passé.)

	Être	Avoir	
1. monter	☒	☐	Ils *sont montés* par l'escalier.
2. voyager	☐	☒	Il ...... toute sa vie.
3. aller	☒	☐	Elle n'...... jamais ...... en Inde.
4. mourir	☒	☐	Il ...... en 1996.
5. visiter	☐	☒	Nous ...... tout le pays.
6. naître	☒	☐	Je ...... à Lyon.
7. courir	☐	☒	Elle ...... le 100 mètres en 11 secondes.
8. partir	☒	☐	Nous ...... à 9 heures.
9. marcher	☐	☒	Vous ...... beaucoup ...... aujourd'hui ?
10. sortir	☒	☐	Il n'...... pas ...... avec elles.
11. passer	☒	☐	Tu ...... par où ?
12. entrer	☒	☐	Ils ...... dans ce pays sans visa.
13. rentrer	☒	☐	Je ...... tard.
14. retourner	☒	☐	Ils n'y ...... jamais ....
15. rencontrer	☐	☒	Où est-ce que vous ...... votre amie ?
16. tomber	☒	☐	Comment est-ce que tu ...... ?
17. venir	☒	☐	Elle ...... seule.
18. suivre	☐	☒	Tu ...... quel chemin ?
19. descendre	☒	☐	Ils ...... par l'ascenseur.
20. rester	☒	☐	Elles ...... trois jours.

4 Mettez dans l'ordre.

1. amis / n' / pas / téléphoné / Nos / ont → *Nos amis n'ont pas téléphoné.*
2. pas encore / fax / n' / est / Leur / arrivé
3. courriel / de / pas / avons / eu / Nous / n'
4. Ils / venus / sont / ne / pas / au / rendez-vous
5. l'aéroport / ne / jamais / sont / se / présentés / à / Ils
6. Le / ne / s' / pas / est / inquiété / guide
7. Il / voulu / n' / pas / a / attendre
8. Nous / sommes / ne / pas / partis

5 **Transformez au passé composé. (Attention à l'accord du participe passé. Plusieurs réponses sont parfois possibles.)**

1. On peut venir. → *On a pu venir.*
2. Elle s'approche de lui.
3. Je ne me souviens pas de l'adresse.
4. Ils courent pour arriver à l'heure.
5. Elle ne se perd jamais à Paris.
6. Nous ne venons pas au rendez-vous.
7. Il veut prendre le bus.
8. On n'oublie pas l'heure.
9. Je me trompe d'endroit.
10. Ils se dépêchent.
11. Vous vous amusez ?
12. Elle s'impatiente.
13. Ils ne s'embrassent jamais.
14. Elle ment.

Observez

- Il **est passé** chez moi et nous **avons passé** une bonne journée.
- Le portier **a monté** ses valises dans sa chambre. Il **est monté** par l'ascenseur.
- Elle **est descendue** dans le hall. Elle **a descendu** ses bijoux à la réception.
- Je **suis sortie** de ma voiture. J'**ai sorti** les courses du coffre.
- Aux premières gouttes de pluie, nous **avons rentré** les fauteuils de jardin et les coussins. Nous **sommes** vite **rentrés** dans la maison.
- Elle n'**est** pas **retournée** chez elle.
- Ce paquet n'était pas pour moi, je l'**ai retourné** à l'expéditeur.

Les verbes *descendre, monter, passer, sortir, rentrer et retourner* sont conjugués avec l'auxiliaire *avoir* quand ils sont suivis d'un complément d'objet direct (COD). ☐ **Vrai** ☐ **Faux**

Entraînez-vous

6 **Complétez avec l'auxiliaire *avoir* ou l'auxiliaire *être*.**

1. Nous *sommes* sortis très tard de la réunion.
2. Pour aller en Italie, nous ...... passés par la Suisse.
3. Vous ...... sorti la voiture du garage ?
4. Tu ...... déjà monté à cheval ?
5. Vous ...... descendu à pied ?
6. Elle ...... retournée chez elle avant la fin du cours, elle était malade.
7. Où est-ce que tu ...... passé tes vacances ?
8. Nous ...... monté les meubles au grenier.
9. Les cambrioleurs ...... rentrés par où ?
10. Elle ...... descendu l'escalier trop vite.
11. L'ascenseur était en panne. Henri ...... monté dix étages à pied !
12. Nous ...... passé beaucoup de temps à faire cet exercice.
13. On ...... rentré les plantes du balcon.
14. Vous ...... retourné votre bulletin pour confirmer votre inscription ?

Accord du participe passé avec l'auxiliaire *avoir*

Observez

Complément d'objet direct du verbe *trouver.*

– Anne, où as-tu trouvé ces livres anciens (mp) ?
– Je les **ai achetés** dans une brocante. Il y avait aussi des vieilles cartes postales. J'**en** ai acheté quelques-unes.

Complément d'objet direct du verbe *acheter.*

a. « les » remplace « ces livres anciens ». ☐ **Vrai** ☐ **Faux**

b. Le participe passé d'un verbe conjugué avec *avoir* s'accorde avec le pronom complément d'objet direct.
☐ **Vrai** ☐ **Faux**

c. Que remarquez-vous avec le pronom *en* ?

Entraînez-vous

7 **Soulignez le complément d'objet direct du verbe et écrivez la forme du participe passé qui convient.**

1. Tes lunettes, tu les as *achetées* où ? (acheté – *achetées*)
2. Ils ont ...... de l'argent pendant les soldes. (dépensé – dépensés)
3. La facture de téléphone ? On l'a ...... (reçu – reçue) ce matin.
4. Voilà 1 000 euros. Je les ai ...... pour ce voyage. (économisés – économisé)
5. Elles ont ...... un séjour à la montagne. (gagnées – gagné)
6. Toutes ces économies, pourquoi est-ce que tu les as ...... ? (fait – faites)
7. Il n'a pas ...... ses dettes. (payé – payées)

Formation de l'imparfait

Observez

Vous reconnaiss**iez**.
Il ne compren**ait** pas.
Vous av**iez**.
Ils traduis**aient**.
On peign**ait**.
Nous ét**ions**.
Il fall**ait**.
Elles fais**aient**.
Je m'inscriv**ais**.
Il pleuv**ait**.
Tu n'obéiss**ais** pas.

a. Pour former l'imparfait, on ajoute les terminaisons au radical de la 1re personne du pluriel du présent.
☐ **Vrai** ☐ **Faux**

b. Le verbe *être* est régulier. ☐ **Vrai** ☐ **Faux**

c. Quel est son radical ?

d. Transformez les verbes à l'imparfait.

Infinitif	Présent	Imparfait
Avoir	Nous **avons**	Ils ......
Comprendre	Nous **comprenons**	Nous ......
Être	Nous sommes	Ils ......
Faire	Nous **faisons**	Je ......
Obéir	Nous **obéissons**	Elles ......

Infinitif	Présent	Imparfait
Peindre	Nous **peignons**	Je ......
Reconnaître	Nous **reconnaissons**	On ......
S'inscrire	Nous nous **inscrivons**	Il ......
Traduire	Nous **traduisons**	Vous ......

e. Quel est l'imparfait de : – Il faut ? ...... **– Il pleut ?** ......

Entraînez-vous

8 Transformez à l'imparfait.

1. Je réfléchis. → Je *réfléchissais.*
2. Il va.
3. Elles sont.
4. Vous faites.
5. Il faut.
6. Je me promène.
7. Je prends.
8. Ils finissent.
9. Tu veux.
10. Elle lit.
11. Ils peuvent.
12. Tu écris.
13. Elle achète.
14. Ils comprennent.
15. Il sait.
16. Je dois.
17. Il dort.
18. Tu connais.

Observez

Tu commen**ç**ais.
Nous commen**c**ions.

Elle riait.
Nous ri**i**ons.

Ils envo**y**aient.
Vous envo**yi**ez.

Je voya**ge**ais.
Vous voya**gi**ez.

Reconstituez les conjugaisons des verbes *commencer*, *envoyer*, *rire* et *voyager* à l'imparfait.

	Commencer	Envoyer	Rire	Voyager
Je / J'	......	......	......	......
Tu	......	......	......	......
Il / Elle / On	......	......	......	......
Nous	......	......	......	......
Vous	......	......	......	......
Ils / Elles	......	......	......	......

Entraînez-vous

9 Complétez avec les formes de l'imparfait.

1. rire → Nous *riions.*
2. payer → Vous ....
3. étudier → Nous ....
4. voir → Nous ....
5. oublier → Vous ....
6. croire → Vous ....
7. publier → Nous ....
8. s'ennuyer → Vous vous ....

10 **Complétez avec les formes de l'imparfait.**

1. voyager → Je *voyageais.*
2. placer → Ils ....
3. changer → Nous ....
4. partager → Elle ....
5. avancer → Nous ....
6. bouger → Vous ....
7. lancer → Il ....
8. commencer → Tu ....
9. ranger → Elles ....

11 **Transformez à l'imparfait.**

1. Vous étudiez. → *Vous étudiiez.*
2. Je partage.
3. Vous riez.
4. Nous nous ennuyons.
5. Nous plaçons.
6. Ils voyagent.
7. Nous croyons.
8. Vous changez.
9. Tu publies.
10. Elle avance.
11. Nous oublions.
12. Vous effacez.

Emplois du passé composé et de l'imparfait

Emplois du passé composé

Observez

1. Je me suis levé, j'ai pris ma douche et je suis parti.
2. Ne m'attends pas, je n'ai pas encore fini.
3. Nous avons vécu en Afrique pendant quinze ans.
4. J'ai pris mon petit-déjeuner il y a cinq minutes.
5. Il m'a téléphoné dix fois !
6. Je n'ai pas de nouvelles de lui depuis un mois. Il a peut-être déménagé.
7. Combien de temps a duré le film ?
8. Elle a terminé ses études l'année dernière.
9. – Tu déjeunes avec moi ? – Non, j'ai déjà mangé.
10. Je n'ai pas travaillé de juin à octobre.
11. Il est né à Marseille en 1996.
12. Il a bu son café, a payé et est sorti du bar.
13. Je suis allé cinq fois en Pologne.
14. Je ne peux pas venir avec toi, je n'ai pas terminé mon travail.

Soulignez les verbes au passé composé et notez dans le tableau le numéro des phrases qui correspondent à l'emploi du passé composé.

Le passé composé peut exprimer…	Numéros
Un fait ponctuel du passé. ***Exemple : Hier, je suis allé au cinéma.***	......
Un fait qui a une durée limitée dans le passé. ***Exemple : Ils ont parlé dix minutes.***	......
Une succession de faits dans le passé. ***Exemple : Elle s'est couchée, elle a lu puis elle s'est endormie.***	......
Un fait du passé qui explique une situation présente, un résultat. ***Exemple : Je ne connais pas ce pays, je n'y suis jamais allée.***	......
Un fait répété dans le passé. ***Exemple : Je lui ai écrit plusieurs fois mais il ne répond pas.*** **Le nombre de répétitions est exprimé.**	......

Entraînez-vous

12 **Conjuguez au passé composé (rétablissez l'apostrophe si nécessaire ; attention à l'accord du participe passé) puis répondez à la question.**

1. Ils *se sont mariés* (se marier) la semaine dernière.
2. Elle ...... (préparer) son voyage en une semaine.
3. Il ...... (naître) le 30 janvier 1989.
4. L'autre jour, il ...... (rencontrer) un ancien étudiant dans la rue.
5. Ils ...... (se disputer) toute la soirée.
6. Nous ...... (déménager) il y a un an.
7. Je ...... (lire) ce livre au moins dix fois.
8. Il y ...... (avoir) beaucoup de grèves de janvier à mars.
9. Quand est-ce que vous ...... (arriver) ?
10. Je ...... (être) malade de lundi à mercredi inclus.
11. Ils ...... (quitter) leur pays à l'âge de trois ans.
12. Combien de fois vous ...... (voir) ce film ?
13. Je ...... (jouer) au tennis pendant toutes mes vacances.
14. Nous ...... (se lever) très tard, à midi !
15. Elle ...... (sortir) une minute avant moi.
16. Il ...... (passer) son permis trois fois !

Notez les numéros des phrases qui indiquent :
– un fait ponctuel : *1*, ...
– une action avec une durée limitée : ......
– un fait répété : ......

13 **Conjuguez au passé composé. (Rétablissez l'apostrophe si nécessaire. Attention à l'accord du participe passé.)**

1. Elle *a fait* (faire) la queue, elle ...... (acheter) les billets, elle ...... (rejoindre) ses amis, ils ...... (entrer) dans le cinéma et ...... (s'asseoir) au dernier rang.
2. Nous ...... (aller) au rendez-vous, nous ...... (attendre) une heure mais il ...... (ne pas venir) alors nous ...... (repartir).
3. Elle ...... (boire) un verre d'eau, elle ...... (feuilleter) un magazine, elle ...... (regarder) sa montre, elle ...... (payer), elle ...... (se lever) puis elle ...... (sortir).
4. Je ...... (se promener) dans le parc, je ...... (se reposer) sur un banc, des touristes ...... (s'approcher), ils me ...... (demander) une information, ils me ...... (remercier) et ils ...... (continuer) leur chemin.
5. Elles ...... (s'installer) dans le wagon, le train ...... (commencer) à rouler, elles ...... (discuter), elles ...... (s'endormir), le train ...... (s'arrêter), elles ...... (se réveiller).

14 **À vous !** **Racontez une succession d'événements que vous avez vus ou vécus.**

Exemple : Je suis entrée à la poste, je me suis approchée du guichet, j'ai demandé un timbre, j'ai payé et puis je suis sortie.

15 **Conjuguez au passé composé. (Attention à l'accord du participe passé.)**

– Alors, Béatrice, ces quelques jours à Paris avec ton mari ? Comment ça *s'est passé* (se passer) ? Vous ...... (monter) à la tour Eiffel ?
– Oui, et nous ...... (faire) une promenade en bateau-mouche.
– Vous ...... (voir) la Joconde ? Vous ...... (visiter) le musée du Louvre ?
– Non, nous ...... (préférer) aller au musée d'Orsay et nous y ...... (rester) toute une journée.
– Vous ...... (aller) aux Champs-Élysées ?
– Oui, bien sûr, nous ...... (monter) et ...... (descendre) l'avenue deux ou trois fois et après nous ...... (s'installer) à une terrasse de café !
– Et pour les transports, vous ...... (se déplacer) comment ? En métro ?
– Oui, ce n'est pas cher et nous ...... (comprendre) le système très vite. Après le musée d'Orsay, nous ...... (prendre) le Batobus pour rentrer à l'hôtel.
– Mais vous ...... (marcher) un peu, quand même ?
– Oui, nous ...... (se promener) dans le jardin du Luxembourg.
– Vous ...... (ne pas se reposer), alors ?
– Non, pas du tout. Et en plus, le dernier jour, nous ...... (aller) au parc Astérix ! Nous ...... (s'amuser) comme des enfants !

16 **À vous !** **Racontez ce que vous avez fait ce week-end, hier, ce matin...**

17 **Conjuguez au passé composé. (Rétablissez l'apostrophe si nécessaire. Attention à l'accord du participe passé.)**

1. Je ne veux plus de gâteau, j'en *ai déjà mangé* (déjà manger) trois parts.
2. – Pourquoi tu ne peux pas emménager ? – Je ...... (ne pas encore signer) mon bail.
3. Nous ne la connaissons pas. Nous ...... (ne jamais la voir).
4. Je ne reconnais pas mon ancien voisin, il ...... (vieillir).
5. J'aimerais voyager en Afrique. Je ...... (ne jamais y aller).
6. Elles ne voient plus beaucoup leurs parents car ils ...... (partir) habiter en province.
7. Je sais qu'il y a grève aujourd'hui ; je ...... (lire) l'information dans le journal.
8. Vous avez du mal à vous concentrer. Vous ...... (ne pas assez dormir) ?

Emplois de l'imparfait

Observez

- J'ai trente ans, je suis architecte, je suis mariée et j'ai trois enfants. Mais je me souviens que, quand j'étais adolescente, je ne voulais pas faire de longues études, je n'avais pas envie de me marier et je ne désirais pas d'enfant.
- Quand nous étions enfants, ma sœur Sophie et moi, nous allions en vacances à la montagne une fois par an, soit l'été, soit l'hiver. L'été, nos parents louaient un vieux chalet, mais l'hiver, ils prenaient un grand appartement au pied des pistes.

a. Soulignez les verbes à l'imparfait.

b. Les verbes à l'imparfait : ☐ **décrivent une situation passée.**
☐ **indiquent un événement unique dans le passé.**
☐ **expriment une habitude du passé.**

Entraînez-vous

18 **Conjuguez les verbes à l'imparfait. (Rétablissez l'apostrophe si nécessaire.)**

– Quand *j'avais* (avoir) dix ans, je ...... (vivre) avec ma famille à Londres. Je ...... (aller) à l'école française mais je ...... (parler) anglais avec mes copains.
– Tu ne ...... (venir) pas en France de temps en temps ?
– Si, nous ...... (passer) Noël en famille.
– Vous ...... (être) heureux ?
– Mes parents ...... (adorer) la vie en Angleterre mais mes amis français me ...... (manquer) terriblement. Je ...... (trouver) que je ne les ...... (voir) pas assez souvent ! Et puis, on ne ...... (avoir) pas Internet, on ne ...... (pouvoir) pas communiquer facilement comme maintenant !

19 **Conjuguez les verbes à l'imparfait.**

Ma grand-mère *était* (être) une femme merveilleuse. Elle ...... (adorer) ses petits-enfants : quand nous ...... (aller) chez elle, elle ...... (préparer) de bons petits plats, elle ...... (cuisiner) les desserts que nous ...... (préférer). Tous les soirs, elle ...... (raconter) des histoires et nous ...... (s'endormir) en imaginant que nous ...... (être) des princes courageux ou de belles princesses !

Passé composé et imparfait

Observez

- Le train passait sous un tunnel quand il s'est arrêté brutalement.
- Le contrôleur est passé pendant que je dormais.
- Pendant quelques instants, nous avons regardé les enfants qui jouaient.

a. Le verbe au passé composé indique un fait ponctuel. ☐ **Vrai** ☐ **Faux**

b. Le verbe à l'imparfait exprime une action en train de s'accomplir. ☐ **Vrai** ☐ **Faux**

c. Le fait ponctuel au passé composé peut interrompre l'action en train de s'accomplir. ☐ **Vrai** ☐ **Faux**

Entraînez-vous

20 Mettez dans l'ordre.

1. se reposait / je / Elle / suis arrivé / quand → *Elle se reposait quand je suis arrivé.*
2. quand / a sonné / regardais un film / le téléphone / Je
3. nous / pendant que / a éclaté / L'orage / nous promenions
4. lisait / il y a eu / quand / On / un grand bruit
5. Les enfants / quand / il a commencé à pleuvoir / jouaient au football
6. faisiez / pendant que / vos exercices / vous / est entré / Le professeur

21 Conjuguez les verbes à l'imparfait ou au passé composé. (Rétablissez l'apostrophe si nécessaire.)

1. Quand nous *sommes partis / parties* (partir), il *faisait* (faire) encore nuit.
2. Lorsque je ...... (sortir), il ...... (pleuvoir) déjà.
3. Ils ...... (ne pas parler) bien le français quand ils ...... (s'installer) en France.
4. Quand elle ...... (arriver) au cinéma, il y ...... (avoir) beaucoup de monde.
5. Lorsque le facteur ...... (apporter) le paquet, je ...... (ne pas être) là.
6. Ils ...... (ne pas être) chez eux quand je ...... (téléphoner).

22 Transformez au passé comme dans l'exemple.

Exemple : Je dors profondément. J'entends un grand bruit. (vers 3 heures du matin)
→ Je dormais profondément. Vers 3 heures du matin, j'ai entendu un grand bruit.

1. Vous vous promenez dans le parc. Un cheval au galop passe devant vous. (soudain)
2. La jeune femme monte dans le train. La porte se ferme brutalement. (quand)
3. Tu sors la voiture du garage. Un pneu éclate. (à ce moment-là)
4. On est presque au troisième étage. L'ascenseur s'arrête. (quand)
5. Le bateau s'approche de la côte. Il y a une vague énorme. (à ce moment-là)
6. Je circule dans la rue de Rivoli. Un autobus heurte l'arrière de ma voiture. (quand)

23 Transformez au passé comme dans l'exemple.

Exemple : Ils écoutent le concert. Il y a une panne d'électricité.
→ Pendant qu'ils écoutaient le concert, il y a eu une panne d'électricité.

1. Le conférencier parle. Des manifestants entrent.
2. Je regarde un film. La télévision s'éteint.
3. Nous admirons un tableau. Il se décroche.
4. Elle fait un discours. Son micro tombe en panne.
5. Les invités répondent aux questions des journalistes. Des spectateurs sortent.
6. Nous faisons la queue pour entrer dans la salle. Les agents de sécurité font sortir tout le monde.

24 **Conjuguez les verbes à l'imparfait ou au passé composé. (Rétablissez l'apostrophe si nécessaire.)**

1. Tout à l'heure, *j'ai vu* (voir) Isabelle qui ...... (attendre) l'autobus.
2. Hier, nous ...... (observer) pendant une heure un peintre qui ...... (faire) les portraits des passants.
3. Hier soir, vers minuit, je ...... (avoir) très peur ; je ...... (entendre) des chats qui ...... (hurler) et qui ...... (se battre).
4. L'autre jour, je ...... (assister) à une scène bizarre dans la rue : deux hommes qui ...... (se disputer) et leurs deux femmes qui ...... (s'embrasser).
5. Hier, nous ...... (faire) la connaissance de voisins que nous ...... (ne pas connaître).
6. Vendredi soir, je ...... (croiser) Cyril qui ...... (rentrer) chez lui.
7. Dimanche, on ...... (voir) un film qui ...... (raconter) la vie d'Einstein.

Observez

- J'ai laissé ma voiture au garage parce qu'elle faisait un bruit bizarre.
- J'ai laissé ma voiture au garage parce que j'ai eu un accident.

Associez.

La première explication est à l'imparfait • **• elle exprime un fait ponctuel.**
La seconde explication est au passé composé • **• elle décrit une situation.**

Entraînez-vous

25 **Mettez dans l'ordre. (Rétablissez l'apostrophe si nécessaire.)**

1. à la tête / ai / parce que / j'avais mal / une aspirine / pris / Je
   → *J'ai pris une aspirine parce que j'avais mal à la tête.*
2. nous / posé / ne / parce que / pas / Nous / comprenions / des questions / avons
3. ne / pas / Tu / le téléphone / as / la télévision / parce que / regardais / tu / entendu
4. allé / besoin / avait / Il / parce que / d'argent / il / à la banque / est
5. avez / était / votre appartement / déménagé / parce que / trop petit / Vous
6. Je / la fenêtre / ai / très froid / faisait / parce que / il / fermé

26 **Conjuguez les verbes à l'imparfait ou au passé composé. (Rétablissez l'apostrophe si nécessaire.)**

1. Je *suis entré / entrée* (entrer) m'abriter dans le magasin parce qu'il *pleuvait* (pleuvoir).
2. Il ...... (tomber) parce que le sol ...... (être) glissant.
3. Hier, nous ...... (prendre) le bus parce que le métro ...... (ne pas marcher).
4. Elle ...... (ne pas aller) au travail parce que sa voiture ...... (être) en panne.
5. Elles ...... (ne pas partir) ce week-end parce qu'elles ..... (ne pas avoir) le temps de faire la réservation.
6. Hier, je ...... (ne pas pouvoir) acheter mon billet parce que les guichets ...... (être) fermés.
7. Il ...... (s'absenter) de la réunion quelques instants parce qu'il ...... (devoir) appeler un client.

Observez

Hier, c'était dimanche et je suis allée me promener en ville. Les rues étaient tranquilles, il faisait beau. J'ai rencontré un ami, nous nous sommes assis dans un parc et nous avons discuté.

a. Soulignez les verbes au passé composé et entourez les verbes à l'imparfait.

b. Associez.

Ceux qui racontent les faits sont •	**• au passé composé.**
Ceux qui décrivent le décor ou la situation sont •	**• à l'imparfait.**

Entraînez-vous

27 **Conjuguez à l'imparfait ou au passé composé.**

Quand le professeur *est entré* (entrer) dans la salle de classe, il y ...... (avoir) beaucoup de bruit, les élèves ne ...... (faire) pas leur travail, la fenêtre ...... (être) ouverte, certains ...... (écouter) de la musique, un garçon ...... (manger) un sandwich, tout le monde ...... (parler), deux filles ...... (se maquiller), un groupe ...... (jouer) aux cartes : ça ne ...... (ressembler) vraiment pas à une salle de classe ! C'est alors que la porte ...... (claquer), tout le monde ...... (s'asseoir) à sa place et le cours ...... (pouvoir) commencer.

28 **Conjuguez à l'imparfait ou au passé composé. (Rétablissez l'apostrophe si nécessaire. Attention à l'accord du participe passé.)**

Le cauchemar de Sophie

– La nuit dernière, j'*ai fait* (faire) un rêve terrible. Je ...... (être) seule dans une forêt, il ...... (faire) noir, la lune ...... (ne pas éclairer) beaucoup entre les grands arbres, on ...... (entendre) des chiens au loin, je ...... (vouloir) appeler mais je ne ...... (pouvoir) pas, des gens ...... (passer) mais ils ne me ...... (voir) pas... Quelle horreur !

– Et alors, qu'est-ce qui ...... (se passer) ?

– Rien, je ...... (se réveiller).

Formation et emploi du plus-que-parfait

Observez

- Elle est retournée chez elle parce qu'elle **avait oublié** d'éteindre la lumière.
- Il a vu la neige pour la première fois à trente ans, il **n'était jamais allé** à la montagne avant.
- Je lui ai rendu ses livres. Il me les **avait prêtés** avant les vacances.

a. Le plus-que-parfait est : ☐ un temps simple. ☐ un temps composé.

b. À quel temps sont conjugués les auxiliaires *avoir* et *être* ?

c. L'action exprimée au plus-que-parfait est : ☐ antérieure ☐ postérieure à l'action exprimée au passé composé.

d. Le participe passé d'un verbe conjugué avec *être* s'accorde avec le sujet. ☐ Vrai ☐ Faux

e. Le participe passé d'un verbe conjugué avec *avoir* s'accorde avec le pronom complément d'objet direct. ☐ Vrai ☐ Faux

Entraînez-vous

29 Soulignez les verbes au plus-que-parfait.

1. *J'avais dit*.
2. Tu t'es promené.
3. Nous nous étions embrassés.
4. Elle a gagné.
5. Il avait eu peur.
6. Ils étaient en retard.
7. Ils n'avaient pas parlé.
8. Elle n'était pas prête.
9. Vous n'étiez pas venus.
10. On n'avait pas pu sortir.
11. Ils se sont croisés.
12. Vous aviez mal.
13. Je n'avais pas compris.
14. Nous nous sommes reconnus.
15. Il avait faim.
16. J'avais été très malade.

30 Conjuguez au plus-que-parfait.

1. Je suis retournée au musée d'Orsay car la première fois je *n'avais pas tout vu* (ne pas tout voir).
2. Je lui ai expliqué une deuxième fois parce qu'il ...... (ne pas comprendre).
3. Nous avons dû recopier notre devoir car nous ...... (mal écrire).
4. Elle a été obligée de répéter parce qu'ils ...... (ne pas entendre).
5. Il a dû répéter son poème parce qu'il l'...... (mal apprendre).
6. Ils ont recommencé leur exercice car ils ...... (ne pas bien suivre) la consigne.

31 Conjuguez au plus-que-parfait. (Attention à l'accord du participe passé.)

1. Je suis retournée chercher mes documents. Je les *avais oubliés* (oublier) chez moi.
2. Ils nous ont remboursé les places. On les ...... (acheter) sur Internet.
3. Elles ont oublié leurs affaires. Pourtant, elles les ...... (préparer).
4. J'ai acheté cette encyclopédie. Mon professeur nous l'...... (recommander).
5. Ils m'ont envoyé toutes les photos. Ils me les ...... (promettre).
6. Elle a perdu sa bague. Elles l'...... (rapporter) de Bangkok.

Le passé récent

Observez

- – Allô, bonjour, Julien et Lucie sont là ?
  – Non, **ils viennent de partir** ! Attends, ils sont peut-être encore dans l'escalier, je regarde.

- – Tu viens faire un jogging avec moi ?
  – Non, **je viens** juste **de me réveiller**.

a. Le passé récent exprime une action réalisée dans un passé :

☐ **très proche du présent.**
☐ **très loin du présent.**

b. Le passé récent est composé de :

☐ ***venir* + infinitif.**
☐ ***venir de* + infinitif.**

c. Le verbe *venir* est au présent.

☐ **Vrai** ☐ **Faux**

Entraînez-vous

32 **Les phrases suivantes sont-elles au présent ou au passé récent ? Cochez.**

	Présent	Passé récent
1. Tu viens faire des courses avec moi ?	☒	☐
2. Elle vient de sortir.	☐	☐
3. On vient à quelle heure ?	☐	☐
4. Je viens d'apprendre une bonne nouvelle.	☐	☐
5. Nous venons de monter dans l'avion.	☐	☐
6. On vient de terminer la réunion.	☐	☐
7. Ils viennent en vacances avec nous.	☐	☐
8. Ils viennent d'acheter une voiture.	☐	☐
9. Nous venons en train.	☐	☐
10. Vous venez d'où ?	☐	☐
11. Vous venez d'arriver ?	☐	☐
12. Elle vient de terminer ses études.	☐	☐

33 **Mettez dans l'ordre. (Rétablissez l'apostrophe si nécessaire.)**

Changement de vie

1. de / un appartement / Je / acheter / viens → *Je viens d'acheter un appartement.*
2. venez / Vous / déménager / de ?
3. trouver / viens / un travail / de / Tu
4. Nous / signer / venons / de / un contrat
5. vient / son bac / obtenir / Il / de
6. Ils / de / viennent / divorcer
7. Elle / de / un bébé / avoir / vient

34 **Conjuguez le verbe souligné au passé récent.**

1. – Tu as les yeux rouges ? Tu as pleuré ? – Oui, je *viens de pleurer.*
2. – Pourquoi tu es si pâle ? Tu as appris une mauvaise nouvelle ? – Je ...... que mon chat était mort.
3. – Tu as appelé le théâtre ? – Oui, je ...... et il n'y a plus de place pour le spectacle de ce soir.
4. – Tu bois un thé avec moi ? – C'est gentil mais je ...... un café.
5. – Vous savez à quelle heure passe le bus ? – Il ...... ; le prochain est dans dix minutes.
6. – Tu as l'air heureuse, tu as eu une bonne nouvelle ? – Oui, je ...... mes résultats ! J'ai réussi tous mes examens !

35 **Transformez au passé récent.**

1. On se prépare.
   → *On vient de se préparer.*
2. Je me douche.
3. Tu t'assois.
4. Il se lève.
5. Nous nous téléphonons.
6. Vous vous couchez.
7. Elles s'endorment.

36 **Conjuguez au passé récent le verbe souligné.**

1. – Ils se sont rencontrés il y a longtemps ? – Non, ils *viennent de se rencontrer.*
2. – Elle s'est mariée ? – Oui, elle ...... !
3. – Vous vous êtes quittés ? Ce n'est pas possible ! – Si, nous ....
4. – Vous vous êtes disputés ? – Oui, à l'instant, je ...... avec lui.
5. – Ils ont fait connaissance récemment, non ? – Oui, ils ....
6. – Finalement, on s'est séparés. – Ah bon ? – Oui, on ....

37 **À vous !** **Qu'est-ce que vous venez de faire ?**

Bilan

38 **Soulignez la forme qui convient.**

1. Je suis repartie chez moi parce que (j'oubliais – *j'avais oublié*) quelque chose.
2. Elle a eu un accident parce qu'elle (roulait – a roulé) trop vite.
3. Je ne suis pas très en forme car je (me suis réveillé – viens de me réveiller).
4. Elle s'est perdue parce qu'elle (ne connaissait pas – n'avait pas connu) le chemin.
5. On a ouvert la fenêtre parce qu'on (vient d'avoir – avait) chaud.
6. Nous avons déménagé parce que nos enfants (ont grandi – viennent de grandir).
7. Nous sommes arrivés en retard parce que nous (avons pris – prenions) la mauvaise route.

39 **Conjuguez au passé composé, à l'imparfait ou au passé récent. (Rétablissez l'apostrophe si nécessaire.)**

1. – Regarde, je *viens d'acheter* (acheter) un ordinateur.
– Ah oui, et tu le ...... (acheter) où ?
– À la CNAF, ils ...... (faire) des promotions.

2. – Tu ...... (déjà aller) chez M et H ?
– Non, qu'est-ce que c'est ?
– Un nouveau magasin de vêtements. Il ...... (ouvrir).
– Je ...... (ne pas savoir). Je vais y aller.

3. – Alors, vous êtes contents du matériel informatique que vous ...... (installer) hier ?
– Oui, mais nous ...... (recevoir) la facture et ce n'est pas le prix annoncé. Je ...... (téléphoner) il y a quelques minutes au service client, il y ...... (avoir) une erreur.

40 **Conjuguez au passé composé ou à l'imparfait. (Attention à l'accord du participe passé. Rétablissez l'apostrophe si nécessaire.)**

Changements

1. Avant ma rencontre avec un peintre, je *ne savais pas* (ne pas savoir) dessiner. Maintenant je suis une vraie artiste car je ...... (s'inscrire) aux Beaux-Arts et je ...... (prendre) des cours.
2. Avant son élection, il ...... (ne pas pouvoir) parler en public car il ...... (être) timide mais il ...... (s'entraîner) et il ...... (devenir) un grand orateur.
3. Jusque dernièrement, ma mère ..... (vivre) seule, elle ..... (se débrouiller) très bien. Malheureusement, elle ...... (tomber) gravement malade et elle ...... (être) obligée d'entrer à l'hôpital.

41 **Transformez au passé. Utilisez le passé composé et l'imparfait. (Attention à l'accord du participe passé.)**

Bonne route, Sylvie !
Je me souviens très bien de ma première leçon de conduite. C'est (1) un 12 octobre, il fait (2) froid mais le ciel est (3) clair. Je monte (4) dans la voiture et je m'installe (5) près du moniteur. Je suis (6) un peu angoissée. Je mets (7) le contact, je démarre (8). Il n'y a (9) pas beaucoup de circulation mais je roule (10) très lentement. Le moniteur est (11) très gentil, il me parle (12) doucement. Tout va (13) bien mais il commence (14) à neiger, je ne vois (15) plus rien, je panique (16) et je m'arrête (17) !
→ Je me souviens très bien de ma première leçon de conduite. *C'était* un 12 octobre, ...

42 **Conjuguez au passé composé ou à l'imparfait. (Attention à l'accord du participe passé. Rétablissez l'apostrophe si nécessaire.)**

– Claire, tu *n'as pas assisté* (ne pas assister) à la réunion hier après-midi, je ...... (ne pas te voir) ?
– Non, c'est vrai, je ...... (ne pas venir). Figure-toi qu'il ...... (m'arriver) une histoire incroyable. Je ...... (attendre) sur le quai du métro pour aller à la réunion, je ...... (être) dans mes pensées et tout à coup, je ...... (sentir) une main sur mon épaule alors je ...... (se retourner) et je ...... (voir) un homme qui me ...... (regarder) avec insistance. Je ...... (être) un peu surprise et soudain je ...... (le reconnaître). Ce ...... (être) un ami d'enfance.
– Incroyable !
– Oui, alors nous ...... (tomber) dans les bras l'un de l'autre, nous ...... (commencer) à parler ; d'ailleurs, les gens nous ...... (regarder) bizarrement. Nous ...... (discuter) comme ça pendant au moins un quart d'heure et nous ...... (oublier) le métro, la réunion, etc. Nous ...... (être) tellement contents !
– J'imagine !
– Et après, nous ...... (aller) dans un café et nous ...... (se quitter) vers minuit.
– Eh bien ! Et pendant ce temps-là, moi, je ...... (m'inquiéter).
– Et comment ...... (se passer) cette réunion ?
– Comme d'habitude.

7 Les temps du futur

Formation et emplois du futur proche

Observez

1. Clément et Anissa **vont se marier** dans quelques mois. C'est la mère de Clément qui **va organiser** la fête. Vous, les jeunes, vous **allez préparer** un petit spectacle surprise. Je crois que nous **n'allons pas** beaucoup **nous reposer** !

2. – Paul est encore en retard ?
– Ne vous inquiétez pas ! Il **va arriver** dans cinq minutes.

a. Comment est formé le futur proche ?

b. Mettez dans l'ordre : reposer / n' / beaucoup / Nous / allons / nous / pas

c. Notez le numéro du texte qui correspond.
On utilise le futur proche pour : – parler d'une action immédiate. ...... **– parler d'un projet.** ......

Entraînez-vous

1 Mettez dans l'ordre. (Rétablissez l'apostrophe si nécessaire.)

Projet de spectacle

1. vont / en / Les / tournée / partir / artistes → *Les artistes vont partir en tournée.*
2. subvention / La / mairie / va / donner / une
3. répartir / nous / le / allons / Nous / travail
4. me / des / vais / affiches / occuper / Je
5. des / trouver / Il / falloir / sponsors / va
6. trois / comédiens / Les / semaines / vont / pendant / répéter
7. va / invitations / amis / Alain / des / envoyer / aux

2 À vous ! Vous organisez une fête avec des amis. Dites qui va faire quoi.

3 Transformez à la forme négative.

1. Je vais me détendre. → *Je ne vais pas me détendre.*
2. Nous allons nous retrouver demain.
3. Myriam va se maquiller.
4. Mes parents vont s'installer dans le Sud.
5. Tu vas t'inscrire à un cours d'anglais.
6. Vous allez vous promener.
7. On va s'arrêter de travailler.
8. Je vais m'abonner à un quotidien.

4 Conjuguez les verbes au futur proche.

Après le bac

1. Jean-Robert *va s'inscrire* (s'inscrire) en fac de droit.
2. Je ...... (rentrer) dans une école d'informatique.
3. Nous ...... (ne pas arrêter) nos études.
4. Juliana ...... (préparer) un diplôme de laborantine.
5. Tu ...... (étudier) à la Sorbonne.
6. Nous ... (s'informer) sur les carrières du tourisme.
7. Vous ...... (essayer) de trouver un emploi.
8. Ils ...... (ne pas s'ennuyer).

5 **À vous !** **Qu'allez-vous faire le week-end prochain, dans un mois, dans six mois ? Et vos amis ? Et les membres de votre famille ?**

6 **Conjuguez les verbes au futur proche.**

Ne traînons pas !

1. Dépêchons-nous, nous *allons arriver* (arriver) les derniers.
2. Accélère, on ...... (rater) le train.
3. Vite, le film ...... (commencer).
4. Arrête de traîner, tu ...... (être) en retard à l'école.
5. Dépêche-toi, tu ...... (manquer) le début de la conférence.
6. Il faut partir dès maintenant ou nous ...... (nous retrouver) dans les embouteillages.
7. Nous sommes très en retard. Tu crois que Pierre ...... (nous attendre) ?

7 **Choisissez et conjuguez les verbes au futur proche.**

s'énerver – tomber – salir – prendre – se tromper – avoir – se faire – se fâcher

Attention !

1. Ne le provoque pas, sinon il *va s'énerver*.
2. Laissez vos chaussures dans l'entrée ou vous ...... la moquette.
3. Regarde le plan, sinon nous ...... de direction.
4. Calmez-vous ou je ....
5. Ne dépassez pas les limitations de vitesse ou vous ...... une amende.
6. Pose ce couteau, tu ...... mal.
7. Descendez de cet arbre, vous ....
8. Ferme bien ton manteau ou tu ...... froid.

Formation et emplois du futur simple

Formation du futur simple : les verbes réguliers

Observez

- Le président du Sénégal **se rendra** en visite officielle en France la semaine prochaine. Il **prononcera** un discours à l'Assemblée nationale et **répondra** aux questions des députés.
- Ce soir, les joueurs de l'OM **rencontreront** l'équipe de Rennes en match amical.

a. En général, le radical du futur simple est l'infinitif.

☐ **Vrai** ☐ **Faux**

b. Pour les verbes avec l'infinitif en *-re*, qu'observez-vous ?

c. Quelles sont les terminaisons du futur simple ?

Je	→ -......	**Vous**	→ -......
Tu	→ -......	**Nous**	→ -......
Il / Elle / On	→ -......	**Ils / Elles**	→ -......

Entraînez-vous

8 Soulignez la forme qui convient.

Jeux de hasard

1. Il (misera – miseras).
2. Vous (parierai – parierez).
3. Nous nous (amuserons – amuseront).
4. Ils (gratteront – gratterons).
5. Je (gagnerai – gagnerez).
6. Tu (jouera – joueras).
7. Elles (choisirons – choisiront).
8. Vous (perdrez – perdrai).

9 Associez et écrivez l'infinitif.

1. *Je*	a. protesteront	7. Nous	g. imagineront
2. Vous	b. réclamerons	8. Vous	h. réfléchirons
3. Nous	c. réagiras	9. Il	i. songeras
4. Ils	d. défilerez	10. Tu	j. analyserez
5. Elle	e. *critiquerai*	11. Elles	k. méditerai
6. Tu	f. manifestera	12. Je	l. croira

1. *e → critiquer*
2. ......
3. ......
4. ......
5. ......
6. ......

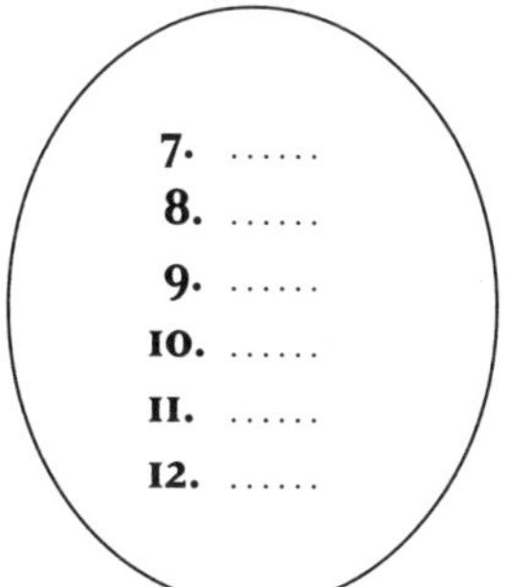

10 Retrouvez l'infinitif et transformez au futur simple.

1. Nous réparons. → *réparer* → *Nous réparerons.*
2. Je me prépare.
3. Elle décore.
4. Nous entourons.
5. Vous comparez.
6. Ils admirent.
7. Vous montrez.
8. Ça dure.
9. Tu respires.
10. Vous tirez.

Formation du futur simple : cas particuliers des verbes en *-er*

Observez

nettoieras nettoierai nettoieront	essuierons essuiera essuierez	paierai / payerai paierez / payerez paiera / payera

a. Pour les verbes en *-oyer* et *-uyer*, le *y* de l'infinitif devient ..i...

b. Pour les verbes en *-ayer*, il y a deux orthographes possibles. ☒ **Vrai** ☐ **Faux**

c. Reconstituez la conjugaison des verbes *nettoyer*, *essuyer* et *payer* au futur simple.

	Nettoyer	Essuyer	Payer
Je / J'	nettoierai	essvierai	paierai / payerai
Tu	nettoieras	essvieras	...... / ......
Il / Elle / On	nettoiera	essviera	...... / ......
Nous	nettoierons	essvierons	...... / ......
Vous	nettoierez	essvierez	...... / ......
Ils / Elles	nettoieront	essvie ront	...... / ......

Entraînez-vous

11 **Complétez avec le verbe *payer* au futur simple.**

1. Elle *paiera / payera* la facture de téléphone.
2. Vous ...... des impôts.
3. Je ...... le loyer.
4. Il ...... les charges.
5. Ils ...... l'addition au restaurant.
6. Nous ...... la note de l'hôtel.
7. Tu ...... une amende.

12 **Complétez avec les verbes *essayer* ou *nettoyer* au futur simple. (Rétablissez l'apostrophe si nécessaire.)**

1. Vous *nettoierez* la cuisine, s'il vous plaît.
2. On ...... ce nouveau produit, si vous voulez.
3. Je ...... le garage avec vous.
4. Je ...... de vous aider.
5. Elles ...... de bien travailler.
6. Tu ...... tes lunettes, elles sont sales.
7. Nous ...... d'être à l'heure.
8. Ils ...... le jardin.

Observez

tu appelleras on jettera	j'achèterai – il gèlera nous pèserons

a. Écrivez les infinitifs des 5 verbes ci-dessus.

b. Que remarquez-vous ?

Entraînez-vous

13 **Complétez avec le verbe *se lever* au futur simple.**

1. On *se lèvera* tôt.
2. Vous ...... à 7 heures.
3. Ils ...... vers 8 heures.
4. Nous ...... tard.
5. Je ...... très tôt.
6. Tu ...... vite.
7. Elles ...... avant nous.

14 **Mettez l'accent comme il convient et écrivez l'infinitif.**

1. J'*emmènerai* les enfants au square. → *emmener*
2. Elle se levera tard.
3. Il se promenera dans le parc.
4. Nous acheverons l'installation électrique.
5. On soulevera les meubles.
6. Vous amenerez des amis.
7. Elles peseront leurs bagages.
8. Vous n'acheterez rien.
9. J'enleverai toutes les taches.
10. Il gelera demain, c'est sûr !

15 **Transformez au futur simple.**

1. Vous amenez. → *Vous amènerez.*
2. Ils achètent.
3. Nous enlevons.
4. Vous vous rappelez.
5. Ils renouvellent.
6. Elle jette.
7. Vous pesez.
8. Nous projetons.
9. Tu soulèves.
10. Vous vous promenez.

Formation du futur simple : verbes irréguliers

Observez

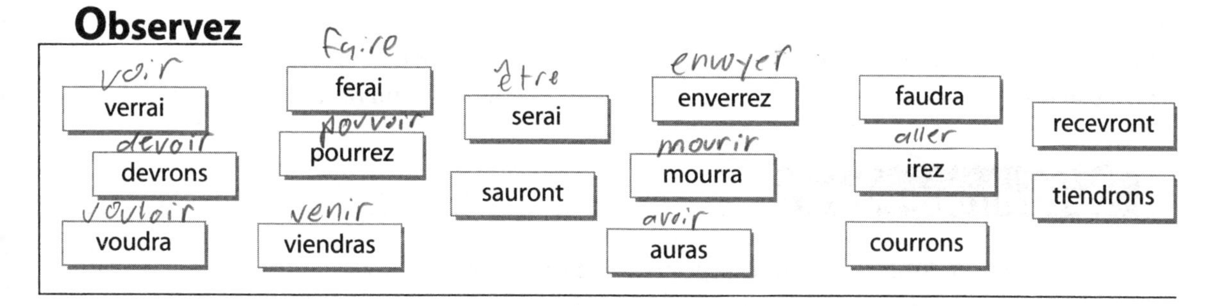

verrai
devrons
voudra
ferai
pourrez
viendras
serai
sauront
enverrez
mourra
auras
faudra
irez
courrons
recevront
tiendrons

a. Ces verbes ont des terminaisons irrégulières au futur. ☐ **Vrai** ☐ **Faux**

b. Ces verbes ont des radicaux irréguliers au futur. ☐ **Vrai** ☐ **Faux**

c. Quel est le radical du futur des verbes suivants ?

- **aller** → ***ir-***
- **avoir** → ......
- **courir** → ......
- **devoir** → ......
- **envoyer** → ......
- **être** → ......
- **faire** → ......
- **falloir** → ......
- **mourir** → ......
- **pouvoir** → ......
- **recevoir** → ......
- **savoir** → ......
- **tenir** → ......
- **venir** → ......
- **voir** → ......
- **vouloir** → ......

Entraînez-vous

16 **Conjuguez au futur simple.**

1. venir → *Je viendrai.*
2. aller → Il ....
3. avoir → Nous ....
4. courir → Tu ....
5. tenir → Elle ....
6. envoyer → Vous ....
7. vouloir → Ils ....
8. pouvoir → Je ....
9. recevoir → On ....
10. pleuvoir → Il ....
11. savoir → Tu ....
12. mourir → Nous ....

17 **Transformez au futur simple.**

Lundi prochain

1. Je vais au cinéma. → *J'irai au cinéma.*
2. Marthe reçoit ses parents.
3. Kevin a un match de foot.
4. Mes amis viennent chez moi.
5. Les enfants font de la poterie.
6. Le médecin reçoit ses patients.
7. Nous sommes en retard.
8. Vous pouvez m'expliquer.
9. Je dois partir plus tôt.
10. Il faut se dépêcher.
11. Tu vois beaucoup mieux.
12. J'envoie un colis.

Emplois du futur simple

Observez

1. C'est promis, je t'enverrai un mail dès mon arrivée.
2. Demain, il fera beau sur l'ensemble de la France.
3. Pour ce circuit au Pérou, vous voyagerez avec la compagnie Delta Air.
4. Tu resteras dans ta chambre ! Je t'interdis de sortir !

Notez le numéro de la phrase qui correspond.

On utilise le futur simple pour :

- **formuler une prévision.** ......
- **formuler une promesse.** ......
- **exprimer un ordre.** ......
- **indiquer un programme.** ......

Entraînez-vous

18 **Conjuguez au futur simple puis répondez à la question.**

La secrétaire : Tout est prêt pour votre mission. Comme prévu, vous *partirez* (partir) lundi prochain. Vous ...... (prendre) le vol AF310 à 16 h 10 au départ de Roissy. Votre vol ...... (durer) huit heures et vous ...... (arriver) à Pointe-à-Pitre à 0 h 05. Un employé du conservatoire de la Martinique vous ...... (attendre) à l'aéroport. Il vous ...... (emmener) à votre hôtel. Vous ...... (résider) à l'hôtel de l'Esplanade. Il y ...... (avoir) trois journées pleines de travail et vendredi, vous ...... (pouvoir) vous détendre : une visite de la ville ...... (être) organisée. Le retour est prévu samedi soir à Roissy. Votre avion ...... (atterrir) à 22 h 15. J'espère que tout ...... (se passer) bien.

Dans cet exercice, on utilise le futur pour ......

19 Que disent-ils ? Associez et conjuguez au futur simple puis répondez à la question.

C'est promis !

1. *le cuisinier*	**a.** faire du bon pain	**1.** *e → Je préparerai de bons plats.*
2. le boulanger	**b.** s'entraîner tous les jours	**2.** ......
3. les écoliers	**c.** étudier régulièrement	**3.** ......
4. le maire	**d.** ne pas oublier les rendez-vous	**4.** ......
5. l'amoureux	**e.** *préparer de bons plats*	**5.** ......
6. l'étourdi	**f.** ne plus tricher	**6.** ......
7. les sportifs	**g.** envoyer le courrier	**7.** ......
8. le journaliste	**h.** dire la vérité à ses lecteurs	**8.** ......
9. les joueurs	**i.** tenir ses promesses électorales	**9.** ......
10. la secrétaire	**j.** offrir des fleurs	**10.** ......

Dans cet exercice, on utilise le futur pour ......

20 Choisissez le verbe et conjuguez au futur simple puis répondez à la question.

se développer – devenir – se réchauffer – devoir – monter – continuer – *vivre* – être

Dans les années futures, je crois malheureusement que...

1. Nous *vivrons* de grandes catastrophes.
2. La pollution ...... à s'étendre.
3. Le climat ...... de plus en plus.
4. Le niveau des océans ...... beaucoup.
5. L'air ...... chargé de trop de CO_2.
6. Les mers et les fleuves...... des poubelles.
7. De nombreuses maladies ....
8. Nous ...... faire face à un véritable défi écologique.

Dans cet exercice, on utilise le futur pour ......

21 À vous ! Comment voyez-vous le monde dans vingt ans ? dans cinquante ans ? dans un siècle ?

22 Conjuguez au futur simple puis répondez à la question.

Avant de partir au théâtre

Magali, nous vous confions les enfants. Donc, pour commencer, vous *surveillerez* leur travail scolaire puis vous ...... (préparer) le dîner. Pendant ce temps, David et Gauthier ...... (pouvoir) regarder la télévision, mais ils ...... (devoir) être au lit au plus tard à huit heures et demie. Nous comptons sur vous ! Quant à vous, les enfants, vous ...... (être) bien sages, vous ...... (écouter) Magali et vous ...... (ne pas se disputer), d'accord ? David, tu ...... (terminer) tes exercices de maths et tu ...... (ne pas oublier) de revoir les conjugaisons. Magali te ...... (faire) réciter. Allez, on file, bonne soirée !

Dans cet exercice, on utilise le futur pour ......

L'hypothèse dans le futur

Observez

Le week-end prochain, **si** le temps le **permet**, nous **travaillerons** dans le jardin. Mais **s'il** ne **fait** pas beau, on **bricolera** dans la maison.

a. Dans la structure de l'hypothèse au futur, à quel temps est conjugué le verbe après *si* ?
b. On ne dit pas ~~si il~~, on dit : ......

Entraînez-vous

23 Écrivez des phrases comme dans l'exemple.

Exemple : venir plus tôt – rencontrer mes amis → Si vous venez plus tôt, vous rencontrerez mes amis.

1. travailler régulièrement – faire des progrès → Si elles ......
2. ne pas boire de café – dormir mieux → Si tu ......
3. prendre le bus – arriver plus vite → Si vous ......
4. voir Thierry – le prévenir → Si je ......
5. avoir le temps – faire les courses → S'il ......

24 Conjuguez au présent ou au futur simple.

Vérités ou mensonges

1. Si les journalistes *divulguent* (divulguer) la nouvelle, le scandale *sera* (être) énorme.
2. Si vous ...... (trahir) mon secret, je ne vous ...... (faire) plus confiance.
3. Si la presse ...... (apprendre) cette histoire, nous ...... (faire) la une des journaux.
4. Si tu le ...... (répéter) aux parents, ils ...... (se mettre) en colère.
5. Si vous ...... (mentir), cela ...... (se savoir).
6. Si elle ...... (ne pas reconnaître) ses torts, on ...... (ne plus la croire).
7. Si tu ...... (ne pas dire) la vérité, c'est moi qui lui ...... (annoncer) la nouvelle.
8. Si on ...... (raconter) tout, les gens ...... (paniquer).

25 Choisissez le verbe et conjuguez au présent ou au futur simple.

Le client est roi !

1. tomber / réparer → Si votre téléviseur *tombe* en panne, nous le *réparerons* gratuitement.
2. rembourser / trouver → Si vous ...... moins cher ailleurs, nous vous ...... la différence.
3. offrir / dépasser → Si votre commande ...... 150 euros, nous vous ...... les frais de livraison.
4. ne pas aller / procéder → Si le vêtement ......, nous ...... à un échange.
5. payer / voyager → Si vous ...... à deux, vous ...... moins cher.
6. prendre / bénéficier → Si vous ...... plusieurs articles, vous ...... d'une réduction.
7. pouvoir / ne pas être → Si vous ...... satisfait, vous ...... rapporter les articles.

26 À vous ! Faites des hypothèses sur votre programme (de demain, du week-end prochain, de vos prochaines vacances...) et indiquez les conséquences de ces hypothèses.

Exemple : S'il fait beau demain, j'irai à la plage. Mais s'il pleut, je resterai chez moi.

27 Conjuguez au futur proche ou au futur simple.

1. Vous pouvez compter sur nous ! Nous *n'oublierons pas* (ne pas oublier) !
2. Attendez, je note ce que vous dites, ou sinon, je ...... (oublier).
3. Ça y est ! Tout est rangé. Nous ...... (pouvoir) nous reposer un peu !
4. Anaïs, tu ...... (pouvoir) t'amuser quand tes devoirs seront terminés.
5. Vous êtes fatigués ? On ...... (faire) une pause, cinq minutes, d'accord ?
6. C'est un ambitieux, il ...... (faire) tout son possible pour avoir une promotion.
7. Ferme les fenêtres, il ...... (pleuvoir).
8. Au feu rouge, vous ...... (prendre) la première rue à droite, notre maison est au numéro 5.
9. Vous ...... (ne rien dire), c'est promis ?
10. Attends-moi, je ...... (dire) à Charles que nous partons.
11. Pour ce soir, c'est non ! Tu ...... (ne pas sortir) !
12. Regarde ce beau soleil, je ...... (sortir) les plantes sur le balcon.

28 Conjuguez au futur proche ou au futur simple.

1. C'est sûr, quand nous *prendrons* (prendre) notre retraite, nous ...... (s'installer) en Provence, malheureusement, ce ...... (ne pas être) avant longtemps.
2. Pose ce couteau ! Tu ...... (se couper) !
3. Théo, donne-moi la main, je ...... (traverser) avec toi.
4. Je vous ...... (faxer) les résultats le plus tôt possible, c'est promis.
5. Quand elle ...... (obtenir) son diplôme, elle ...... (chercher) du travail dans une ONG.
6. Deux en maths ! Oh, là là ! Qu'est-ce que mes parents ...... (dire) !
7. Vous ...... (avoir) la réponse avant samedi, je m'y engage.

29 Conjuguez au présent ou au futur simple.

Notre visite *durera* (durer) tout l'après-midi. On ...... (partir) de l'hôtel après déjeuner. Nous ...... (commencer) par un tour de la ville à pied, puis nous ...... (aller) au château. Vous ...... (louer) un audio-guide, si vous ...... (vouloir), et vous...... (pouvoir) aussi monter dans la tour, vous ...... (voir) les bords du lac et les Alpes, la vue est magnifique. Ensuite nous ...... (descendre) vers la place du marché. On ...... (entrer) dans la cathédrale, mais vous ne ...... (prendre) pas de photos à l'intérieur, c'est interdit, d'accord ? Après, si nous ...... (avoir) le temps, nous ...... (s'arrêter) pour boire quelque chose à une terrasse de café, je pense que vous ...... (être) peut-être un peu fatigués ! Si vous le ...... (souhaiter), vous ...... (acheter) quelques souvenirs dans les boutiques, et puis nous ...... (revenir) à l'hôtel vers 19 heures. Voilà, ce programme vous convient ?

30 **À vous !** Faites un programme pour une visite de votre ville, de votre région ou de votre pays. Utilisez le futur simple.

8 L'impératif

Formation de l'impératif

Observez

Souriez, vous êtes filmés !
Faites la fête avec nous !
Tu veux jouer ? Achète un ticket et va vite sur notre site ludo.fr !
Soyons vigilants ! Ensemble !
Veuillez laisser la porte fermée
NE METS PAS TES DOIGTS SUR LA PORTE !
Ayez le bon réflexe !
Sachons rester zen !

a. Soulignez les verbes à l'impératif.

b. À l'impératif des verbes en *-er*, à la deuxième personne du singulier, la terminaison *-es* du présent de l'indicatif devient ……

c. Complétez.

Acheter	Aller	Mettre	Être	Avoir	Savoir	Vouloir
……	……	……	……	……	*sache*	
……	……	……	……	……	……	
……	……	……	……	……	*sachez*	……

Entraînez-vous

I À qui parle-t-on ? Associez.

1. *Gardez la monnaie !*
2. Laisse un pourboire !
3. Passez à la caisse !
4. Vérifie la facture !
5. Paie en espèces !
6. Reprenez la carte !
7. Aie toujours un peu d'argent sur toi !
8. Ne faites pas de chèque !
9. Reprends ces pièces !
10. N'oublie pas la note !

À une personne que l'on tutoie	À une personne que l'on vouvoie ou à plusieurs personnes
……	*1*, ……

2 **Conjuguez à la deuxième personne du singulier de l'impératif. (Rétablissez l'apostrophe si nécessaire.)**

1. *Fais* (faire) plaisir à tes parents !
2. ...... (avoir) de bonnes notes à l'école !
3. ...... (ne pas répondre) mal !
4. ...... (apprendre) bien tes leçons !
5. ...... (présenter) tes excuses.
6. ...... (jouer) calmement !
7. ...... (ne pas oublier) de dire merci !
8. ...... (ne pas abîmer) tes affaires !
9. ...... (ne pas dire) de bêtises !
10. ...... (être) toujours poli !
11. ...... (ranger) ta chambre !
12. ...... (ne pas parler) trop fort !

3 **Conjuguez à la deuxième personne du pluriel de l'impératif. (Rétablissez l'apostrophe si nécessaire.)**

1. *N'écrivez rien* (ne rien écrire) ci-dessous.
2. ...... (vouloir) signer votre demande.
3. ...... (ne pas oublier) de dater le formulaire.
4. ...... (mettre) vos initiales en bas de page.
5. ...... (ne pas utiliser) d'encre de couleur.
6. ...... (remplir) toutes les cases.
7. ...... (cocher) la réponse de votre choix.
8. ...... (renvoyer) un exemplaire daté et signé.
9. ...... (ne pas joindre) de chèque.
10. ...... (respecter) la date limite d'envoi.

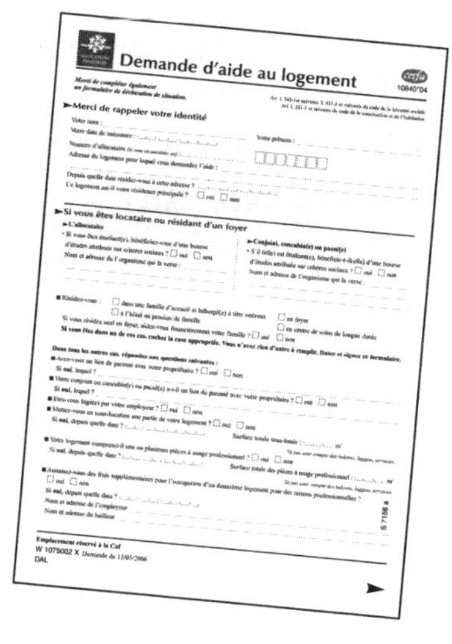
Demande d'aide au logement

cerfa 10840*04

Merci de compléter également un formulaire de déclaration de situation.

►Merci de rappeler votre identité

Votre nom :

Votre date de naissance :

Votre prénom :

Numéro d'allocataire

Adresse du logement pour lequel vous demandez l'aide :

Depuis quelle date résidez-vous à cette adresse ?

Ce logement est-il votre résidence principale ? ☐ oui ☐ non

►Si vous êtes locataire ou résidant d'un foyer

►L'allocataire

• Si vous êtes étudiant(e), bénéficiez-vous d'une bourse d'études attribuée sur critères sociaux ? ☐ oui ☐ non

Nom et adresse de l'organisme qui la verse :

►Conjoint, concubin(e) ou pacsé(e)

• S'il (elle) est étudiant(e), bénéficie-t-il(elle) d'une bourse d'études attribuée sur critères sociaux ? ☐ oui ☐ non

Nom et adresse de l'organisme qui la verse :

■ Résidez-vous : ☐ dans une famille d'accueil et hébergé(e) à titre onéreux ☐ à l'hôtel ou pension de famille ☐ en foyer ☐ en centre de soins de longue durée

Si vous résidez seul en foyer, aidez-vous financièrement votre famille ? ☐ oui ☐ non

Si vous êtes dans un de ces cas, cochez la case appropriée. Vous n'avez rien d'autre à remplir. Datez et signez ce formulaire.

Dans tous les autres cas, répondez aux questions suivantes :

■ Avez-vous un lien de parenté avec votre propriétaire ? ☐ oui ☐ non

Si oui, lequel ?

■ Votre conjoint ou concubin(e) ou pacsé(e) a-t-il un lien de parenté avec votre propriétaire ? ☐ oui ☐ non

Si oui, lequel ?

■ Êtes-vous logé(e) par votre employeur ? ☐ oui ☐ non

■ Mettez-vous en sous-location une partie de votre logement ? ☐ oui ☐ non

Si oui, depuis quelle date ?

Surface totale sous-louée : m²

■ Votre logement comprend-il une ou plusieurs pièces à usage professionnel ? ☐ oui ☐ non

Si oui, depuis quelle date ?

Surface totale des pièces à usage professionnel : m²

■ Assumez-vous des frais supplémentaires pour l'occupation d'un deuxième logement pour des raisons professionnelles ? ☐ oui ☐ non

Si oui, depuis quelle date ?

Nom et adresse de l'employeur

Nom et adresse du bailleur

S 7156 a

Emplacement réservé à la Caf

W 1075002 X Demande du 13/05/2006

DAL

4 **Transformez comme dans l'exemple. (Rétablissez l'apostrophe si nécessaire.)**

*Exemple : Vous devriez prendre le temps de vivre. → **Prenez** le temps de vivre !*

Pour mieux vivre !

1. Tu ne devrais pas courir sans arrêt. → ...... sans arrêt !
2. Tu devrais profiter des moments libres. → ...... des moments libres !
3. Vous devriez faire plus d'activités divertissantes. → ...... plus d'activités divertissantes !
4. Vous ne devriez pas penser à des choses tristes. → ...... à des choses tristes !
5. Nous devrions être gais chaque jour. → ...... gais chaque jour !
6. Tu devrais écouter plus souvent de la musique. → ...... plus souvent de la musique !
7. Nous ne devrions pas oublier de chanter. → ...... de chanter !
8. Vous devriez rire le plus possible. → ...... le plus possible !
9. Tu devrais sortir avec des amis. → ...... avec des amis !
10. Vous devriez partir plus souvent à la campagne. → ...... plus souvent à la campagne !

5 **À vous ! Quels conseils pouvez-vous donner à un ami ou à des amis pour maigrir, pour être en forme, pour réussir un examen ?**

Observez

Ne t'inquiète pas. Prépare-toi !
Je repasse te prendre à 18 heures.

Il y a tout ce qu'il faut dans le réfrigérateur. Servez-vous ! Ne vous gênez pas !

a. Écrivez l'infinitif de : – Prépare-toi. ...... – Servez-vous. ......

b. Associez.

Le pronom réfléchi d'un verbe pronominal est :

devant le verbe • • à l'impératif affirmatif.

derrière le verbe • • à l'impératif négatif.

c. Complétez : – Prépare-...... ! – Ne ...... inquiète pas !

d. Il y a toujours un trait d'union entre le verbe à l'impératif affirmatif et le pronom réfléchi.

☐ Vrai ☐ Faux

e. Mettez dans l'ordre : gênez / vous / Ne / pas

Entraînez-vous

6 **Conjuguez à l'impératif et transformez au singulier.**

Madame, *maquillez-vous* (se maquiller) légèrement, ... (se parfumer) discrètement, ... (se brosser) bien les cheveux, ... (s'habiller) avec élégance, ... (se tenir) bien droite, ... (se déplacer) avec assurance et ...... (se contrôler) en toutes circonstances !

→ Clara, *maquille-toi* légèrement, ...

7 **Transformez comme dans les exemples. (Rétablissez l'apostrophe si nécessaire.)**

Exemples : Promène-toi là-bas ! → ***Ne te promène pas*** *là-bas !*

Ne vous asseyez pas ici ! → ***Asseyez-vous*** *ici !*

1. Installe-toi là ! → ...... là !
2. Mettons-nous au dernier rang ! → ...... au dernier rang !
3. Ne t'arrête pas devant cette boutique ! → ...... devant cette boutique !
4. Relève-toi ! → ...... !
5. Ne vous penchez pas ! → ...... un peu !
6. Ne nous pressons pas ! → ...... !

8 **À vous ! Vous êtes professeur de gymnastique, vous donnez des ordres à un élève et/ou à plusieurs élèves, en utilisant des verbes comme : *se lever, se baisser, se coucher, se retourner, se dépêcher…***

9 **Conjuguez à l'impératif à la personne indiquée.**

1. *Retrouvons-nous* (se retrouver) pendant les vacances ! (1re personne du pluriel)
2. ...... (ne pas se téléphoner), ce n'est pas la peine ! (1re personne du pluriel)
3. ...... (se voir) la semaine prochaine ! (1re personne du pluriel)
4. ...... (ne pas se fâcher), c'est absurde ! (2e personne du pluriel)

5. ...... (s'expliquer) calmement ! (2e personne du pluriel)
6. ...... (se mettre) d'accord rapidement ! (2e personne du pluriel)
7. ...... (s'appeler) ce soir ! (1re personne du pluriel)
8. ...... (ne pas se disputer), ça ne sert à rien ! (2e personne du pluriel)

L'impératif et les pronoms compléments

Observez

- – Je peux prendre cet ouvrage ?
  – **Prenez-le**, oui, mais **ne le prenez pas** trop longtemps.
- – J'apporte des CD pour ta soirée ?
  – **Apportes-en**, si tu veux, mais **n'en apporte pas** trop, j'en ai beaucoup !
- Luc et Léa n'ont pas eu ton invitation. **Téléphone-leur**.
- – Je vais à la poste.
  – Oui, **vas-y**, mais **n'y va pas** trop tard, ça va fermer !
- **Répondez-moi** rapidement, surtout **ne me répondez pas** trop tard !
- Marie adore les fleurs, **offrons-lui** des roses ! Mais **ne lui offrons pas** de lys, je sais qu'elle n'aime pas ça !

a. Associez.
Le pronom complément est :
devant le verbe • **• à l'impératif affirmatif.**
derrière le verbe • **• à l'impératif négatif.**

b. Il y a toujours un trait d'union entre le verbe à l'impératif affirmatif et le pronom complément.
☐ **Vrai** ☐ **Faux**

c. Pour les verbes en *-er*, à la deuxième personne du singulier de l'impératif affirmatif, on ajoute un *-s* devant les pronoms *en* et *y*. ☐ **Vrai** ☐ **Faux**

d. Associez.
À l'impératif affirmatif • **• on emploie le pronom *moi*.**
À l'impératif négatif • **• on emploie le pronom *me*.**

Entraînez-vous

10 **Associez.**

1. *Écoute-les bien !*
2. Achètes-en trois !
3. N'y touche pas !
4. Ne leur dis rien !
5. Ne le répète pas !
6. Récites-en une !
7. Loues-en une !
8. Penses-y !
9. Joues-en pour nous !
10. N'en discutons pas !
11. Remerciez-les pour nous !
12. Ne la dérangez pas !

a. à ma proposition
b. mon secret
c. l'employée
d. une poésie
e. à mes parents
f. des billets
g. une voiture
h. du problème
i. *les cd*
j. vos amis
k. du saxophone
l. à mes affaires

1	*i*
2	......
3	......
4	......
5	......
6	......
7	......
8	......
9	......
10	......
11	......
12	......

11 Transformez comme dans l'exemple.

Exemple : Va au distributeur ! (y) → Vas-y !

À la banque

1. Retire de l'argent ! (en)
2. Vérifie la somme ! (la)
3. Entre dans la banque ! (y)
4. Reste au guichet ! (y)
5. Écoute les conseils ! (les)
6. Parle à la directrice ! (lui)
7. Demande des renseignements ! (en)
8. Dépose ce chèque ! (le)

12 Transformez comme dans l'exemple. (Rétablissez l'apostrophe si nécessaire.)

Exemple : Joue de la clarinette ! (en) → ***Joues-en*** *mais* ***n'en joue pas*** *à côté de moi !*

Les jours sans école

1. Je peux regarder des DVD ? (en) → ...... mais ...... toute la journée !
2. Je peux faire des dessins ? (en) → ...... mais ...... de trop grands !
3. Je peux inviter des copains ? (en) → ...... mais ...... trop !
4. Je peux jouer aux cartes ? (y) → ...... mais ...... par terre !
5. Je peux manger des bonbons ? (en) → ...... mais ...... trop !
6. Je peux aller à la bibliothèque ? (y) → ...... mais ...... trop tard !
7. Je peux écouter de la musique ? (en) → ...... mais ...... trop fort !

Bilan

13 Mettez dans l'ordre. (Ajoutez le trait d'union si nécessaire.)

1. discothèque / la / moi / à / samedi / Accompagnez / soir → *Accompagnez-moi à la discothèque samedi soir.*
2. seul / Ne / pas / laissez / entrer / me
3. y / tous / ensemble / vers / Allons / 23 heures
4. vos / aussi / brésiliens / Amenez / y / amis
5. que / leur / Dites / c'est / spéciale / une / soirée
6. Toi, Catherine, / ton / moi / amie / présente
7. Explique / que / danser / j'adore / lui
8. l' / pas / Ne / au dernier moment / invite

14 Choisissez et conjuguez à la deuxième personne du singulier de l'impératif.

compter – nous chercher – fermer – *se mettre*
ne pas tricher – se retourner

Mets-toi (1) contre l'arbre, ... (2) les yeux, ... (3) surtout, ... (4) jusqu'à 20, ... (5) quand tu as fini et ...... (6).

15 À vous ! Expliquez à un ou des amis comment jouer à des jeux que vous connaissez en utilisant l'impératif.

16 Transformez à la deuxième personne du pluriel de l'impératif.

Recette de biscuits à la crème

1. Préparer 200 grammes de pâte sablée.
   → *Préparez 200 grammes de pâte sablée.*
2. La laisser une heure au réfrigérateur.
3. L'étaler au rouleau sur 1/2 cm d'épaisseur.
4. Placer la pâte sur une plaque beurrée.
5. La mettre dans un four chaud.
6. Laisser cuire 6 minutes.
7. Faire des petits carrés avec le biscuit encore chaud.
8. Les laisser refroidir.
9. Les servir avec une crème.

17 À vous ! Expliquez une recette de cuisine.

18 Conjuguez à la deuxième personne du pluriel de l'impératif. (Rétablissez l'apostrophe si nécessaire.)

1. *Ouvrez* vite cette enveloppe ! (ouvrir)
2. ...... de remplir le bon ci-joint ! (se dépêcher)
3. ...... votre numéro au dos de l'enveloppe réponse ! (inscrire)
4. ...... votre bulletin de participation à notre grand jeu-concours ! (y glisser)
5. ...... votre chèque maintenant ! (ne pas envoyer)
6. ...... le tout avant le 28 février prochain ! (nous adresser)
7. ...... bien votre boîte aux lettres, vous gagnerez peut-être le premier prix ! (surveiller)

BULLETIN-RÉPONSE

Nom : ....

Prénom : ....

Âge : ....

Adresse : ....

Ville : ....

VOTRE RÉPONSE AU JEU-CONCOURS

....

Signature

19 Conjuguez à l'impératif. (Rétablissez l'apostrophe si nécessaire.)

Attendez (attendre), s'il vous plaît, ... (ne pas se bousculer), vous pourrez tous tester notre tout nouveau modèle, la super berline ZAZ. Monsieur, ... (y aller), ... (monter), ... (s'installer), et toi, petit, ... (aller) avec ton papa. ...... (lui dire) d'attacher la ceinture. Les hôtesses sont là pour vous aider, ... (leur poser) toutes vos questions ! ...... (ne pas hésiter), ... (ne pas avoir peur) de faire vos remarques ! Alors, monsieur, ... (nous dire) tout ! C'est une voiture exceptionnelle, non ?

9 Le présent du subjonctif

Formation du présent du subjonctif

Verbes réguliers

Observez

Exemple : boire

Je bois trop de bière.
Tu bois trop de thé.
Elle boit trop de lait.
Ils boivent trop de café.

Nous buvons trop de vin.
Vous buvez trop de boissons sucrées.

Il faudrait…

que j'en **boive** moins !
que tu en **boives** moins !
qu'elle en **boive** moins !
qu'ils en **boivent** moins !

que nous en **buvions** moins !
que vous en **buviez** moins !

a. Quelles sont les terminaisons du présent du subjonctif ?

Je → -……
Tu → -……
Il / Elle / On → -……
Ils / Elles → -……

Nous → -……
Vous → -……

b. Associez.

Pour *je, tu, il / elle / on* et *ils / elles*, on utilise le radical •

Pour *nous* et *vous*, on utilise le radical •

• **de la 1e personne du pluriel (*nous*) du présent de l'indicatif.**

• **de la 3e personne du pluriel (*ils*) du présent de l'indicatif.**

Entraînez-vous

1 Soulignez les verbes au subjonctif.

1. nous partons – <u>nous partions</u>
2. on tient – on tienne
3. tu mets – tu mettes
4. vous passiez – vous passez
5. je comprenne – je comprends
6. il sorte – il sort
7. elle lit – elle lise
8. nous vendions – nous vendons
9. je réussis – je réussisse

2 Complétez avec le présent de l'indicatif, puis le présent du subjonctif.

1. attendre → *ils attendent* → *il attende*
2. finir → ils …… → je ……
3. offrir → ils …… → ils ……
4. partir → ils …… → on ……
5. prendre → ils …… → tu ……
6. promettre → ils …… → je ……
7. venir → ils …… → elle ……
8. décrire → *nous décrivons* → *nous décrivions*
9. recevoir → nous …… → vous ……
10. réfléchir → nous …… → vous ……
11. répondre → nous …… → nous ……
12. comprendre → nous …… → vous ……
13. tenir → nous …… → vous ……
14. mettre → nous …… → nous ……

Verbes irréguliers

Observez

Aller	
J'	aille
Tu	ailles
Il / Elle / On	aille
Nous	allions
Vous	alliez
Ils / Elles	aillent

Avoir	
J'	aie
Tu	aies
Il / Elle / On	ait
Nous	ayons
Vous	ayez
Ils / Elles	aient

Être	
Je	sois
Tu	sois
Il / Elle / On	soit
Nous	soyons
Vous	soyez
Ils / Elles	soient

Faire	
Je	fasse
Tu	fasses
Il / Elle / On	fasse
Nous	fassions
Vous	fassiez
Ils / Elles	fassent

Pouvoir	
Je	puisse
Tu	puisses
Il / Elle / On	puisse
Nous	puissions
Vous	puissiez
Ils / Elles	puissent

Savoir	
Je	sache
Tu	saches
Il / Elle / On	sache
Nous	sachions
Vous	sachiez
Ils / Elles	sachent

Vouloir	
Je	veuille
Tu	veuilles
Il / Elle / On	veuille
Nous	voulions
Vous	vouliez
Ils / Elles	veuillent

Entraînez-vous

3 **Soulignez la forme qui convient du présent du subjonctif et écrivez l'infinitif du verbe.**

1. tu (*aies* – *aie*) → *avoir*
2. ils (fassions – fassent)
3. nous (ayez – ayons)
4. vous (puissent – puissiez)
5. ils (vouliez – veuillent)
6. je (sois – soit)
7. on (sachions – sache)
8. elles (aillent – aille)
9. nous (voulions – veuille)
10. il (soient – soit)
11. je (fasses – fasse)
12. vous (ailles – alliez)

Emplois du présent du subjonctif

Observez

1. **Il faut qu'**elle dorme plus, elle est vraiment fatiguée.
2. **Je voudrais que** vous fassiez vraiment attention, c'est très important.
3. Ils sont inquiets, **ils ont peur que** nous ayons un accident.
4. **Il est scandaleux que** les vrais responsables ne soient pas condamnés, c'est injuste.

a. Soulignez les verbes au présent du subjonctif.

b. Le verbe au subjonctif est précédé de la conjonction *que (qu')*. ☐ **Vrai** ☐ **Faux**

c. Notez le numéro de la phrase qui correspond.
Le verbe ou l'expression qui introduit le subjonctif exprime :
– une nécessité ......
– une volonté, un souhait ......
– un jugement ......
– un sentiment ......

Entraînez-vous

4 Classez les verbes et expressions qui introduisent le subjonctif selon leur sens. Notez dans le tableau le numéro qui correspond.

1. *ça m'énerve*
2. il est absurde
3. il est anormal
4. je suis triste
5. je trouve inutile
6. il est nécessaire
7. il est obligatoire
8. j'ai envie
9. j'exige
10. je déteste
11. je refuse
12. je regrette
13. je souhaiterais
14. il est incroyable
15. il est injuste
16. il est dangereux
17. il est important
18. il est indispensable
19. je suis étonné
20. j'ai peur
21. j'aimerais
22. il est urgent
23. il faut
24. je préfère
25. je veux
26. je voudrais
27. c'est bien
28. c'est normal

Les expressions qui introduisent le subjonctif peuvent exprimer :	Phrases
– un sentiment	*1*, ...
– une volonté, un souhait	....
– une nécessité	....
– un jugement	....

5 Soulignez la forme qui convient.

Jour de fête

1. Je suis heureuse que vous (*êtes* – *soyez*) tous là.
2. Il a peur que nous (arrivions – arrivons) en retard.
3. Ils sont tristes que vous (partiez – partez) si tôt.
4. Vos voisins aiment mieux qu'on les (prévient – prévienne).
5. Ils aimeraient que nous ne (fassions – faisons) pas trop de bruit.
6. Nous regrettons que nos cousins ne (puissent – peuvent) pas venir.
7. Je préfère que tu (sers – serves) le champagne à l'apéritif.
8. Tu es surpris que je (connaisse – connais) tous tes amis ?
9. Elle est désolée que la fête (finisse – finit) à minuit.

6 Mettez dans l'ordre. (Rétablissez la majuscule et l'apostrophe si nécessaire.)

Avant un examen

1. votre temps / que / il faut / vous organisiez → *Il faut que vous organisiez votre temps.*
2. nous lisions / il est important / toutes les questions / que
3. tu fasses / que / je souhaite / un brouillon
4. tous les exercices / elle ne relise pas / que / nous sommes surpris
5. que / ils veulent / tout par cœur / elles sachent
6. à pied / il serait plus raisonnable / elles aillent / que / au lycée
7. tes copains / que / tu es heureux / dans ton groupe / soient
8. les professeurs voudraient / à toutes les questions / leurs élèves répondent / que

7 Transformez en utilisant *il faut que…* comme dans l'exemple.

Exemple : Vous devez vous déplacer autant que possible en autobus.
→ Il faut que vous vous déplaciez autant que possible en autobus.

Découverte de la capitale

1. Ils doivent prendre un passe transport.
2. Je dois monter en haut de l'Arc de triomphe.
3. Vous devez vous promener sur les berges de la Seine.
4. Tu dois voir la tour Eiffel la nuit.
5. On doit aller manger dans une brasserie.
6. Nous devons visiter le marché aux puces.
7. Elle doit faire une balade en bateau-mouche.

8 À vous ! Que doit faire un touriste qui vient dans votre pays ? Utilisez *il faut que…*

9 Conjuguez au présent du subjonctif.

Réunion

1. Je trouve intéressant que tout le monde *ait* (avoir) la possibilité de s'exprimer.
2. Il est inutile que vous ...... (se mettre) en colère.
3. Il est important que tu ...... (traduire) avec précision.
4. Je trouve insupportable qu'il ...... (m'interrompre) tout le temps.
5. Est-il utile que nous ...... (avoir) une réunion tous les jours ?
6. Il est naturel que chacun ...... (dire) ce qu'il pense.
7. Vous trouvez normal que je ...... (ne pas intervenir) ?

10 Terminez les phrases comme dans l'exemple. (Rétablissez l'apostrophe si nécessaire.)

Exemple : Je veux que ...... (Tout le monde est ponctuel.) → Je veux que tout le monde soit ponctuel.

Vie en entreprise

1. Les syndicats aimeraient que ...... (Il y a plus de réunions.)
2. Nous voudrions que ...... (Nos vacances durent longtemps.)
3. Vous souhaiteriez que ...... (Le directeur part à la retraite.)
4. La direction interdit que ...... (Nous prenons nos repas à notre poste de travail.)
5. On ne veut pas que ...... (Les visiteurs peuvent fumer dans le bâtiment.)
6. Il refuse que ...... (Je me sers de la voiture de l'entreprise.)
7. Je désire que ...... (Tu fais un compte-rendu de la réunion.)
8. Tu veux que ...... (Je vais te chercher un café ?)

11 À vous ! Vos voisins et vous écrivez une pétition à la mairie de votre domicile pour exprimer vos revendications. Utilisez : *Nous (ne) voulons (pas) que…, Il faut que…, Nous refusons que…,* etc.

12 Transformez comme dans l'exemple.

Exemple : La nourriture bio est chère. (Je regrette) → Je regrette que la nourriture bio soit chère.

Alimentation et santé

1. Les produits frais ont de moins en moins de goût. (C'est dommage)
2. On sert des frites à presque tous les repas. (Je suis étonné)
3. Très peu de gens font un régime. (C'est surprenant)
4. Les repas ne sont pas vraiment équilibrés. (On a peur)
5. Tout le monde reçoit une éducation alimentaire. (C'est important)
6. Tu mets du sucre dans tous les plats. (Ça m'énerve)
7. Tu bois beaucoup d'eau. (C'est bien)

Subjonctif ou infinitif ?

Observez

- **Je voudrais** tellement **qu'il fasse** beau ce jour-là !
- **Je voudrais faire** le tour du monde en bateau à voile.

Associez.

Le verbe principal et le verbe subordonné ont des sujets différents. • • **On utilise l'infinitif.**

Les deux verbes ont le même sujet. • • **On utilise le subjonctif.**

Entraînez-vous

13 **Associez et écrivez les phrases possibles comme dans l'exemple.**

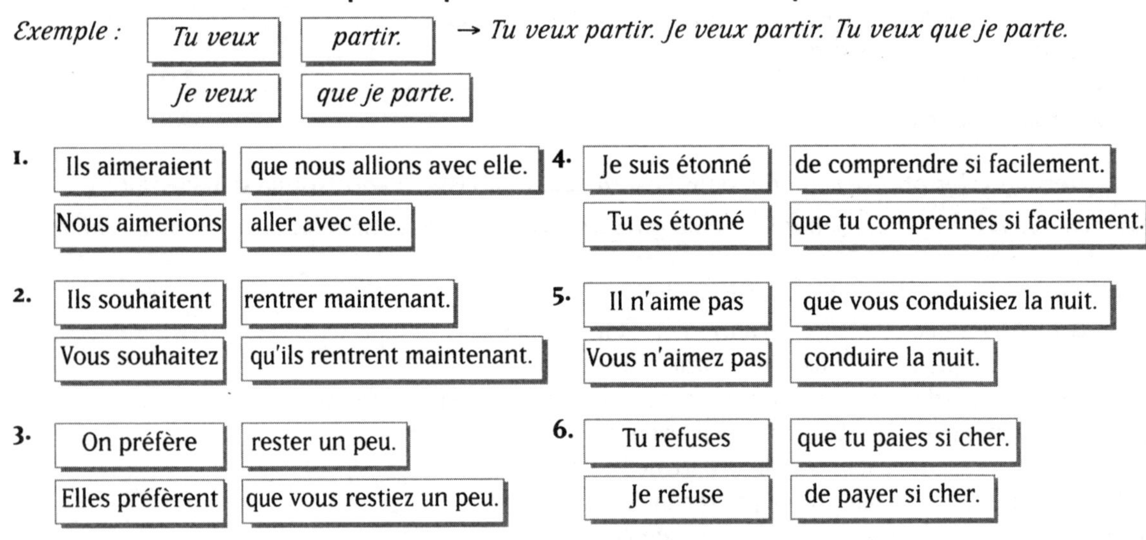

Exemple :
Tu veux
partir.
→ Tu veux partir. Je veux partir. Tu veux que je parte.
Je veux
que je parte.
1.
Ils aimeraient
que nous allions avec elle.
Nous aimerions
aller avec elle.
2.
Ils souhaitent
rentrer maintenant.
Vous souhaitez
qu'ils rentrent maintenant.
3.
On préfère
rester un peu.
Elles préfèrent
que vous restiez un peu.
4.
Je suis étonné
de comprendre si facilement.
Tu es étonné
que tu comprennes si facilement.
5.
Il n'aime pas
que vous conduisiez la nuit.
Vous n'aimez pas
conduire la nuit.
6.
Tu refuses
que tu paies si cher.
Je refuse
de payer si cher.

14 **Faites des phrases comme dans les exemples. Utilisez le présent du subjonctif ou l'infinitif.**

Exemples : Vous habitez près d'un parc. (Vous êtes heureux)
→ Vous êtes heureux d'habiter près d'un parc.
Vos parents habitent près d'un parc. (Vous êtes content)
→ Vous êtes content que vos parents habitent près d'un parc.

Logement

1. Je déménage bientôt. (Je souhaiterais)
2. Notre logement est trop petit. (Nous regrettons)
3. Le loyer augmente sans cesse. (Tu es surpris)
4. Ils changent de quartier. (Ils ont peur)
5. On refait toutes les peintures. (Je veux)
6. Le quartier est bien desservi. (Ils désirent)
7. Il n'y a pas beaucoup de commerces. (Vous êtes déçu)
8. Elle passe trois heures par jour dans les transports. (Elle n'aime pas)

15 **Faites une seule phrase en utilisant le présent du subjonctif ou l'infinitif.**

1. Thérèse est en retard. Elle a peur de ça. → *Thérèse a peur d'être en retard.*
2. Ils font beaucoup de progrès. Nous sommes contents.
3. Je fais de longues randonnées en montagne. J'adore ça.
4. Les gens ne sont pas aimables. On déteste ça.
5. Il n'a pas beaucoup d'amis. C'est triste.
6. Elles savent parler quatre langues. Je suis étonné.
7. Tu sors tous les soirs. Tes parents n'aiment pas ça.
8. Vous trouvez cet exercice très facile. Vous êtes surpris.

Bilan

16 **Dites si les verbes sont à l'indicatif (I), au subjonctif (S) ou s'ils peuvent être aux deux modes (I/S).**

1. nous laissions → *I/S*
2. ils entendent
3. je reviens
4. ils fassent
5. nous ayons
6. je prends
7. tu allais
8. vous regardiez
9. nous soyons
10. elle revienne
11. vous dites
12. on écrive
13. je sache
14. elles perdent
15. tu regardes

17 **Conjuguez au présent du subjonctif.**

1. – Messieurs, j'aimerais que le dossier Eurovif *soit* (être) fini pour vendredi.
   – Vous voulez que nous en ...... (remettre) une copie à madame Dumez ?
   – Oui, il est important qu'elle ...... (lire) attentivement l'ensemble du document. Je regrette qu'elle ...... (ne pas pouvoir) être avec nous aujourd'hui, d'ailleurs.
2. Thomas chéri, ton grand-père et moi sommes tristes d'apprendre ton divorce. Et nous sommes surpris que tu ...... (quitter) ton bel appartement si vite mais très heureux que tu ...... (venir) t'installer pas loin d'ici. Nous sommes ravis que tu ...... (avoir) déjà tant de projets ! C'est formidable !
3. – Je pars faire mes études à Strasbourg. Tu connais, toi. C'est mieux que je ...... (prendre) une chambre à la cité universitaire ou que je ...... (trouver) une colocation ?
   – Moi, j'ai préféré la colocation. Mais, de toute manière, il faut que tu ...... (aller) passer un week-end là-bas avant la rentrée et que tu ...... (visiter) plusieurs appartements. Ce n'est pas nécessaire que tu ...... (choisir) un logement juste à côté de la fac, parce qu'à Strasbourg, il y a plein de pistes cyclables et le vélo, c'est pratique.

18 **À vous !** **Écrivez des phrases.**

1. Vous parlez de l'appartement de vos rêves.
   → *J'aimerais que mon appartement soit grand. Je voudrais habiter au bord de la mer. J'ai envie...*
2. Vous parlez de notre planète Terre.
   → J'ai peur ...... Il est nécessaire ...... Il est dangereux ......
3. Vous préparez le guide du parfait conducteur.
   → Il faut ...... Il est important ...... Il est indispensable ......
4. Vous exprimez vos sentiments sur le commerce équitable.
   → Je regrette ...... Il est utile ...... Il est absurde ......
5. Vous êtes un chef de gouvernement autoritaire.
   → Je refuse ...... J'exige ...... Je veux ......

10 Le présent du conditionnel

Formation du présent du conditionnel

Verbes réguliers

Observez

Je prendrais — Tu partirais — Vous finiriez — Il aimerait — Nous inviterions — Elles diraient

a. Quelles sont les terminaisons du présent du conditionnel ?

Je	→ -......	**Nous**	→ -......
Tu	→ -......	**Vous**	→ -......
Il / Elle / On	→ -......	**Ils / Elles**	→ -......

b. Le radical du présent du conditionnel est l'infinitif du verbe. ☐ **Vrai** ☐ **Faux**

c. Quel temps se forme à partir du même radical ?

d. Pour les verbes avec l'infinitif en *-re*, qu'observez-vous ?

Entraînez-vous

1 Associez et écrivez l'infinitif.

1.		Infinitif
Je •	• liriez	......
Il •	• écouteraient	......
Elles •	• *dessinerais*	*dessiner*
Vous •	• écrirait	......

2.		Infinitif
Nous •	• offrirait	......
Elle •	• choisiriez	......
Tu •	• déciderions	......
Vous •	• hésiterais	......

3.		Infinitif
Tu •	• tomberaient	......
Nous •	• jouerait	......
On •	• plongerions	......
Ils •	• marcherais	......

4.		Infinitif
Ils •	• déchirerais	......
Nous •	• plieraient	......
Je •	• colleriez	......
Vous •	• couperions	......

2 Soulignez le verbe au présent du conditionnel.

1. Il se réveillait. Il *s'endormirait.*
2. Je mangerai. Je boirais.
3. On sortirait. On entrait.
4. Tu déjeuneras. Tu dînerais.
5. Ils passeraient à table. Ils débarrasseront la table.
6. Nous nous habillerons. Nous nous déshabillerions.
7. Vous vous coucheriez. Vous vous leviez.
8. Elles préparaient le repas. Elles commenceraient à cuisiner.

3 **Conjuguez au présent du conditionnel.**

1. traverser → On *traverserait.*
2. ralentir → Je ....
3. longer → Nous ....
4. tourner → Elles ....
5. attendre → Tu ....
6. conduire → Il ....
7. se tromper → Je ....
8. s'arrêter → Ils ....
9. suivre → Vous ....
10. partir → On ....
11. arriver → Nous ....
12. freiner → Elle ....
13. éteindre → Tu ....
14. se garer → Vous ....
15. accélérer → Il ....

Cas particuliers des verbes en *-er*

Observez

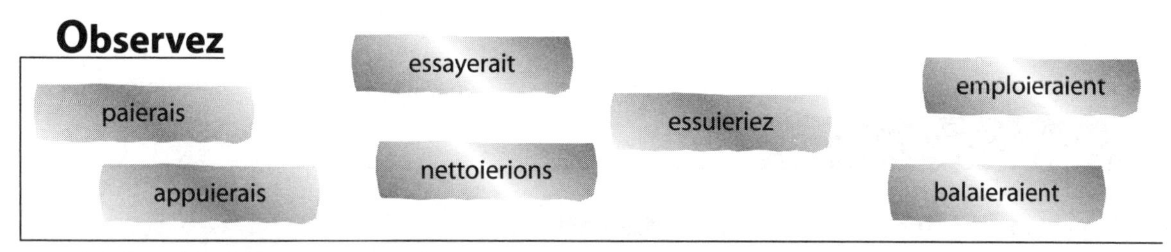

a. Pour les verbes à l'infinitif en *-oyer* et *-uyer*, le *y* de l'infinitif devient ......

b. Pour les verbes à l'infinitif en *-ayer*, il y a deux orthographes possibles. ☐ **Vrai** ☐ **Faux**

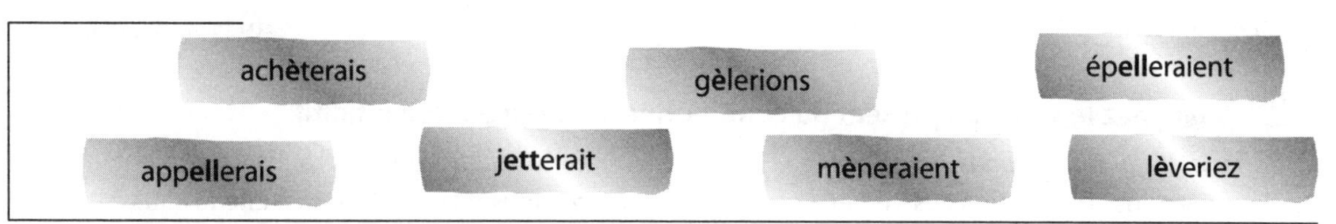

c. Écrivez les infinitifs des 7 verbes ci-dessus.

d. Qu'observez-vous ?

Entraînez-vous

4 **Mettez l'accent comme il convient et écrivez l'infinitif.**

1. Tu achèterais. → *acheter*
2. Il se leverait.
3. Nous nous promenerions.
4. Vous ameneriez.
5. Il gelerait.
6. Elles enleveraient.
7. J'emmenerais.
8. Ils acheveraient.
9. On souleverait.
10. Nous racheterions.
11. Tu te peserais.
12. Elle releverait.

5 **Transformez au présent du conditionnel.**

1. Nous emmenons. → *Nous emmènerions.*
2. Ils achètent.
3. Vous projetez.
4. Tu soulèves.
5. Vous promenez.
6. Nous essuyons.
7. J'appuie.
8. On paie.
9. Je me rappelle.
10. On renouvelle.
11. Elle rejette.
12. Nous pesons.
13. Vous enlevez.
14. Tu tutoies.
15. Elles essaient.

Verbes irréguliers

Observez

feriez · pourrait · viendriez · saurions · enverrait · serions · faudrait · mourrait · courrais · recevrais · devrais · voudrait · auraient · tiendrions · verraient · iriez

a. Ces verbes ont des terminaisons irrégulières au présent du conditionnel. ☐ Vrai ☐ Faux

b. Ces verbes ont des radicaux irréguliers au présent du conditionnel. ☐ Vrai ☐ Faux

c. Quel est le radical du présent du conditionnel des verbes suivants ? aller → *ir-*

envoyer → ......-	**mourir** → ......-	**tenir** → ......-	**avoir** → ......-	**être** → ......-
pouvoir → ......-	**venir** → ......-	**courir** → ......-	**faire** → ......-	**recevoir** → ......-
voir → ......-	**devoir** → ......-	**falloir** → ......-	**savoir** → ......-	**vouloir** → ......-

Entraînez-vous

6 **Cochez les verbes au présent du conditionnel.**

1. *Nous devrions.* ☒
2. Ils couraient. ☐
3. On saurait. ☐
4. Elles venaient. ☐
5. Tu viendrais. ☐
6. Je tenais. ☐
7. Vous viendriez. ☐
8. J'enverrais. ☐
9. Nous recevions. ☐
10. Tu devrais. ☐
11. Ils recevraient. ☐
12. Elle courrait. ☐
13. Vous enverriez. ☐
14. On savait. ☐
15. Tu tiendrais. ☐
16. Je mourrais. ☐

7 **Soulignez le verbe au présent du conditionnel et indiquez son infinitif.**

1. *Tu irais. J'irai. Nous allions. → aller*
2. Nous verrions. Tu voyais. Vous verrez.
3. Tu auras. Vous auriez. J'avais.
4. On sera. Tu serais. Vous étiez.
5. Je pourrais. Nous pourrons. Ils pouvaient.
6. Il voulait. On voudra. Ils voudraient.
7. Nous ferions. Tu feras. Elle faisait.
8. Vous saviez. Elles sauraient. Elle savait.
9. Ils devront. Vous devrez. Vous devriez.
10. Ils tiendraient. Nous tenons. Je tiendrai.

Emplois du présent du conditionnel

Observez

1. Pourriez-vous me dire où se trouve l'arrêt d'autobus, s'il vous plaît ?
2. Je voudrais trois croissants, s'il vous plaît.
3. Tu n'arrives pas à dormir ? Tu devrais boire un peu moins de café !
4. Tu n'aurais pas la monnaie de 20 € ?
5. On est en retard, il faudrait se dépêcher.
6. Vous cherchez un cadeau pour Jeanne ? Vous pourriez lui offrir un bracelet !
7. J'aimerais partir demain à 8 heures. Vous avez encore des places ?
8. On pourrait passer par là, c'est plus court.

a. Soulignez les verbes au présent du conditionnel et notez le numéro de la phrase qui correspond.
Le conditionnel est utilisé pour : – demander poliment ......   – exprimer un souhait ......
– donner un conseil ou faire une suggestion ......

b. Pour donner un conseil ou faire une suggestion, on utilise souvent l'expression *il faudrait* ou les verbes ...... et ...... au présent du conditionnel.

Entraînez-vous

8 Transformez au présent du conditionnel.

1. Tu peux m'aider ? → *Tu pourrais m'aider ?*
2. Connaissez-vous monsieur Dubeaux ?
3. Je veux un renseignement.
4. Tu as l'heure ?
5. Savez-vous où se trouve la mairie ?
6. Vous pouvez faire moins de bruit ?
7. On préfère partir plus tôt.
8. Nous voulons un plan détaillé.

9 Conjuguez au présent du conditionnel.

1. Chez la fleuriste
   – Et pour vous, madame ?
   – J'*aimerais* (aimer) un joli bouquet...
   – Oui, qu'est-ce que vous ...... (aimer) ? J'ai des tulipes magnifiques !
   – Heu... Je ...... (préférer) une composition. Ou alors, ce camélia, il est superbe.
   – Oui, et il est en promotion. C'est pour offrir ?
2. Au téléphone
   – Société Électronik, j'écoute.
   – Bonjour madame, je ...... (vouloir) parler à monsieur Boulard, s'il vous plaît.
   – Je suis désolée, il est en rendez-vous ce matin.
   – Ah, d'accord. Vous ...... (pouvoir) lui transmettre un message ?
3. À la caisse
   – Alors, ça vous fait 8,32 €.
   – Je ...... (pouvoir) payer par carte bancaire ?
   – Je suis désolée mais on n'accepte pas les paiements par carte en dessous de 15 €.
   – Ah ! Alors, voilà 100 €.
   – Ah... Vous ...... (ne pas avoir) la monnaie ?
4. Dans la rue
   – Excusez-moi, monsieur ! Est-ce que vous ...... (savoir) où se trouve la rue de la Réunion ?
   – Alors, c'est la deuxième à droite, après le carrefour.
   – Merci !

10 Transformez avec le verbe *devoir* au présent du conditionnel.

1. Couche-toi plus tôt !
   → *Tu devrais te coucher plus tôt.*
2. Fais un peu de sport !
3. Prenez le métro !
4. Allez marcher !
5. Dépêche-toi !
6. Téléphonez aux renseignements !
7. Parles-en autour de toi !
8. Range tes affaires !

11 Transformez avec le verbe *pouvoir* au présent du conditionnel comme dans l'exemple.

Exemple : Vous n'avez pas vu le jardin Albert-Kahn ? (y passer l'après-midi)
→ Vous pourriez y passer l'après-midi.

1. Ils ne connaissent pas le restaurant du Lion d'Or ? (y dîner ce soir)
2. Tu ne connais pas le musée Marmottan ? (le visiter)
3. On ne connaît pas bien la ville. (en faire le tour)
4. Elle n'est pas encore allée à la tour Eiffel. (y aller)
5. Vous n'êtes pas montés à l'arc de Triomphe ? (y monter)
6. Nous n'avons pas encore pris le nouveau tramway. (le prendre)

12 **À vous !** **Utilisez les verbes *devoir* ou *pouvoir* au présent du conditionnel pour donner des conseils à un(e) ami(e) qui est déprimé(e), à un(e) ami(e) qui voudrait maigrir.**

Observez

- Ah là là, **si je pouvais**, je resterais dans mon lit ce matin, mais malheureusement, j'ai une réunion très importante.
- – Qu'est-ce que tu ferais, toi, **si tu ne travaillais** pas ?
  – Moi, je pense que je m'ennuierais. Mais je sais que mon mari, lui, **s'il pouvait**, il laisserait tout tomber et changerait complètement de vie.

a. Soulignez les verbes au présent du conditionnel.

b. « Si je pouvais » signifie qu'en réalité : ☐ **je ne peux pas.** ☐ **je peux.**
« Si tu ne travaillais pas » veut dire qu'en réalité : ☐ **tu ne travailles pas.** ☐ **tu travailles.**

c. À quel temps est conjugué le verbe qui suit la conjonction *si* ?

d. On ne dit pas ~~si il~~, on dit : ......

Entraînez-vous

13 **Mettez dans l'ordre comme dans l'exemple. (Rétablissez l'apostrophe si nécessaire.)**

Exemple : Si / je / je / déménagerais / pouvais → Si je pouvais, je déménagerais.

1. habitais / mettrais / tu / en ville / Si / moins de temps / tu
2. mieux / auraient / s'organisaient / plus de temps libre / elles / Si / elles
3. Si / plus / avaient / feraient / voyage / d'argent / ils / ce / ils
4. monsieur Leblanc / Si / élu / il / le règlement / changerait / était
5. nous / voterions / dix-huit ans / nous / Si / avions
6. ferait grève / on / Si / ne / on / pas peur / avait

14 **Conjuguez à l'imparfait ou au présent du conditionnel. (Rétablissez l'apostrophe si nécessaire.)**

1. Si je *savais* (savoir) conduire, je t'*accompagnerais* (accompagner).
2. Si Bernard ...... (connaître) la règle du jeu, il ...... (jouer) avec nous.
3. Si elles ...... (parler) bien français, elles ...... (pouvoir) discuter.
4. S'il ne ...... (pleuvoir) pas, je ...... (aller) me promener.
5. Si tu ...... (avoir) le temps, tu ...... (venir) avec nous.
6. Si nous ...... (habiter) au bord de la mer, nous ...... (passer) beaucoup de temps à la plage.

15 **Faites des phrases comme dans l'exemple.**

Exemple : Tu fumes, alors tu tousses beaucoup. → Si tu ne fumais pas, tu ne tousserais pas.

1. Elle ne va pas à la piscine, alors elle n'est pas en forme.
2. Je n'ai pas de voiture, alors je prends le bus.
3. Nos voisins sont bruyants, alors nous ne dormons pas bien.
4. Vous ne suivez pas les conseils du médecin, alors vous n'allez pas mieux.
5. Je mange trop de pain, alors je ne maigris pas.
6. Il a mal aux dents, alors il est de mauvaise humeur.

16 **À vous !** **Que feriez-vous si vous tombiez malade ?**

17 **Soulignez la ou les formes du présent du conditionnel et indiquez l'infinitif du verbe.**

1. *aura – aurai – <u>aurions</u> – aurons → avoir*
2. chantait – chanterait – chanterai – chantais
3. finiras – finissais – finirait – finiriez
4. recevrais – recevra – recevais – recevrait
5. courons – courrons – courrions – courront
6. amènera – amènerait – amènerai – amènerions
7. nettoierons – nettoieront – nettoierions – nettoierait
8. jetteriez – jetiez – jetterai – jetterais
9. viendrons – viendrai – viendrait – viendrais
10. pourrions – pouvions – pourront – pourrons

18 **Conjuguez à l'imparfait ou au présent du conditionnel. (Rétablissez l'apostrophe si nécessaire.)**

Christelle : – Si je *gagnais* (gagner) une telle somme, je ...... (arrêter) de travailler immédiatement ! Je ...... (faire) une fête incroyable à laquelle je ...... (inviter) tous mes amis. Et puis, je ...... (se précipiter) dans les magasins et je ...... (se payer) tout ce qui me fait envie depuis des années !

Bruno : – Moi, si ça ...... (m'arriver), je ...... (quitter) enfin Paris et je ...... (aller) m'installer en Provence. Je ...... (s'acheter) une maison près de Nice. Et puis probablement que je .... (voyager) aussi beaucoup !

Sonia : – Et moi, je pense que vous ...... (devoir) arrêter de rêver ! Christelle, au lieu de bavarder, tu ...... (pouvoir) apporter ce dossier à la comptabilité ?

19 **À vous ! Que feriez-vous si vous gagniez une grosse somme d'argent ?**

20 **Conjuguez à l'imparfait ou au présent du conditionnel. (Rétablissez l'apostrophe si nécessaire.)**

1. Chez le vétérinaire
   – Bonjour docteur, je viens voir Félix, il va mieux ? Je *voudrais* (vouloir) le ramener chez moi...
   – Oui, il va un peu mieux, mais il est encore fragile. Je vous le confie mais il ...... (falloir) éviter qu'il se batte avec d'autres chats. Si je ...... (être) vous, je le ...... (empêcher) de sortir.
2. En classe
   – Vous ...... (pouvoir) m'expliquer comment faire le plan, s'il vous plaît madame ?
   – Ah, tu n'as pas compris ? Tu ...... (devoir) écouter les explications ! Essaie de réfléchir. Si tu ...... (ne pas discuter) toujours avec tes voisins, tu ...... (comprendre) !
3. À l'office du tourisme de Montpellier
   – Bonjour, nous cherchons des idées de visite dans la région. Vous ...... (avoir) quelques suggestions ?
   – Bien sûr. Vous êtes en voiture ? Alors, voilà un plan. Vous ...... (devoir) commencer par un tour de la ville d'Aigues-Mortes tout le long des remparts, puis vous ...... (pouvoir) continuer à l'intérieur de la ville fortifiée avec ses petites rues et l'église qui est magnifique.
   – D'accord. On ...... (aimer) aussi longer la côte.
   – Oui, si je ...... (être) vous, je ...... (aller) jusqu'à Sète, c'est aussi une ville très intéressante.
   – Merci beaucoup !

21 **À vous ! Vous conseillez des amis qui visitent votre ville, votre région ou votre pays ; vous faites des suggestions.**

II Le passif

La forme affirmative

Observez

Tennis : la finale dames **est reportée** de 24 heures.

Football : les matchs **seront annulés** en cas de mauvais temps.

Cinéma : le premier prix **a été attribué** au documentaire Slam-Rap par un jury unanime.

Économie : un important contrat **vient d'être signé** entre les deux géants de l'industrie automobile.

Prise d'otages : le Premier ministre **était informé** d'heure en heure par le médiateur.

Opéra : le dernier spectacle de la saison **va être donné** en présence de son Excellence l'ambassadeur de Grèce.

a. Comment est formé le passif d'un verbe ? ...... + ...

b. Dans la phrase suivante, soulignez le sujet du verbe et entourez le nom qui fait l'action.
« Le Premier ministre était informé d'heure en heure par le médiateur. »

c. Associez.

« est reportée » •	**• futur simple**
« seront annulés » •	**• imparfait**
« a été attribué » •	**• passé récent**
« vient d'être signé » •	**• futur proche**
« était informé » •	**• présent**
« va être donné » •	**• passé composé**

d. Le participe passé s'accorde en genre et en nombre avec le sujet du verbe. ☐ **Vrai** ☐ **Faux**

Entraînez-vous

1 **Les phrases suivantes sont-elles à la forme passive ou à la forme active ? Cochez.**

Cambriolage	Forme passive	Forme active
1. *Les policiers sont appelés sur place.*	☒	☐
2. Les agresseurs sont entrés en criant.	☐	☒
3. Le propriétaire est resté calme.	☐	☒
4. La caissière est partie au fond du magasin.	☐	☒
5. Le coffre-fort est vérifié régulièrement.	☒	☐
6. La police est prévenue par les voisins.	☒	☐
7. Les journalistes sont arrivés très vite.	☐	☒
8. Les voleurs sont pourchassés par quelques témoins.	☒	☐
9. Une cliente est encore choquée par l'agression.	☒	☐

2 Soulignez le verbe à la forme passive et associez.

Rénovation

1. *Le jardin a été dessiné*
2. Les plans sont revus
3. Les travaux seront surveillés
4. Les arbres fruitiers vont être taillés
5. Les murs viennent d'être repeints
6. La salle de bains a été refaite
7. Le toit est réparé

a. par le peintre.
b. par le jardinier.
c. *par le paysagiste.*
d. par le couvreur.
e. par le chef de chantier.
f. par le plombier.
g. par l'architecte.

1	*c*
2	......
3	......
4	......
5	......
6	......
7	......

3 À quel temps sont les formes passives ? Complétez le tableau.

Ça va mal !

1. *Les pompiers sont appelés.*
2. Le centre commercial a été bloqué.
3. Une explosion a été entendue.
4. Les manifestants sont poursuivis.
5. Des mesures vont être prises.
6. Trois personnes viennent d'être arrêtées.
7. La toiture sera refaite.
8. Le bâtiment était évacué.
9. Les bureaux de la mairie sont occupés.
10. La circulation a été arrêtée.
11. Un incendie vient d'être signalé.
12. Le problème va être résolu.
13. La gare a été envahie par les manifestants.
14. Le quartier est inondé.
15. Les rues ont été interdites à la circulation.
16. Des maisons ont été endommagées.
17. Le pont était fermé.
18. Des mesures sont prises rapidement.
19. Plusieurs habitants seront relogés par la mairie.
20. Une somme d'argent va leur être allouée.

Présent	*1*, ...
Passé composé	......
Imparfait	......
Futur simple	......
Futur proche	......
Passé récent	......

4 Transformez selon le temps indiqué.

1. Les arbres sont coupés. → Passé composé : *Les arbres ont été coupés.*
2. L'herbe a été tondue. → Futur proche : ......
3. Le parking sera agrandi. → Passé récent : ......
4. Les trottoirs viennent d'être balayés. → Futur simple : ......
5. Les feuilles ont été ramassées. → Présent : ......
6. La route va être élargie. → Passé récent : ......
7. Les façades vont être rénovées. → Passé composé : ......
8. La circulation est déviée. → Imparfait : ......

5 Conjuguez au passé composé passif.

Le saviez-vous ?

1. La France *a été envahie* (envahir) plusieurs fois dans son histoire.
2. Jeanne d'Arc ...... (brûler) vive à Rouen en 1431.
3. Louis XVI et Marie-Antoinette ...... (guillotiner) au XVIIIe siècle.
4. Une copie de la statue de la Liberté ...... (offrir) en 1885 par la colonie américaine de Paris.
5. La tour Eiffel ...... (construire) par Gustave Eiffel au XIXe siècle.
6. La première ligne du métro parisien ...... (inaugurer) en 1900.
7. Les grottes de Lascaux ...... (découvrir) en 1940.
8. La peine de mort ...... (abolir) en 1981.
9. Les euros ...... (mettre) en circulation en France en 2002.

6 **À vous !** Connaissez-vous d'autres informations sur la France ? Donnez des informations sur l'histoire de votre pays. Utilisez la forme passive.

7 Conjuguez au passé composé à la forme passive.

Résolution de la crise

1. Réunion des deux parties. → Les deux parties *ont été réunies* (réunir).
2. Ouverture des négociations. → Les négociations ...... (ouvrir).
3. Présentation de l'ordre du jour. → L'ordre du jour ...... (présenter).
4. Consultation de tous les syndicats. → Tous les syndicats ...... (consulter).
5. Convocation d'une assemblée générale. → Une assemblée générale ...... (convoquer).
6. Proposition d'un nouveau projet. → Un nouveau projet ...... (proposer).
7. Adoption d'un projet de loi. → Un projet de loi ...... (adopter).
8. Signature d'un accord. → Un accord ...... (signer).

8 Transformez à la forme passive comme dans l'exemple.

Exemple : Le président de la République nomme le Premier ministre.
→ Le Premier ministre est nommé par le président de la République.

1. L'ensemble des citoyens français élit le président de la République.
2. Le président et le Premier ministre choisissent les ministres.
3. Les députés et les sénateurs constituent le Parlement.
4. Le Parlement représente la population.
5. Le président de la République peut dissoudre l'Assemblée nationale.
6. Les députés discutent les propositions de loi.
7. Les sénateurs relisent les textes.

9 **À vous !** Présentez les institutions politiques de votre pays. Utilisez la forme passive.

10 **Transformez à la forme passive. (Attention au temps des verbes.)**

Bon voyage !

1. On demande une carte de réduction. → *Une carte de réduction est demandée.*
2. On prie tous les voyageurs de descendre du train.
3. On a arrêté le train en pleine campagne.
4. On va fouiller les bagages.
5. On exigera une amende forfaitaire de 35 €.
6. On contrôle les titres de transport.
7. On a annulé le premier train.
8. On a donné des consignes strictes aux voyageurs.

La forme négative

Observez

- Les travaux **ne seront pas finis** à temps, la moquette **n'est pas encore posée.**
- Les frais supplémentaires **ne vont pas être payés.**
- Nous **n'avons pas été prévenus** assez tôt par l'entreprise.

Mettez dans l'ordre : – à temps / pas / finis / ne / Les travaux / seront
– vont / frais supplémentaires / payés / ne / Les / pas / être
– pas / Nous / n' / prévenus / été / avons / l'entreprise / par

Entraînez-vous

11 **Transformez à la forme négative. Utilisez la négation *ne... pas*. (Rétablissez l'apostrophe si nécessaire.)**

1. J'ai été accidenté. → *Je n'ai pas été accidenté.*
2. Elle a été renversée sur un passage piéton.
3. Ils ont été vus par les voisins.
4. Vous avez été hospitalisé.
5. Le cycliste a été heurté par un camion.
6. Nous avons été secourus rapidement.
7. La victime a été identifiée.
8. Le chauffard a été poursuivi.

12 **Mettez dans l'ordre. (Rétablissez l'apostrophe si nécessaire.)**

Entreprise en difficulté

1. consultés / ne / jamais / Les employés / sont → *Les employés ne sont jamais consultés.*
2. vont / Les salaires / plus / ne / augmentés / être
3. pas / seront / Certains postes / ne / maintenus
4. ne / formé / plus / Le personnel / est
5. versée / pas encore / ne / été / a / La prime de fin d'année
6. Les heures supplémentaires / plus / ne / payées / vont / être
7. été / pas / La proposition du syndicat / ne / a / retenue
8. être / de / Deux cents licenciements / annoncés / viennent

13 **Transformez les phrases à la forme passive.**

1. On n'a pas repeint ce mur. → *Ce mur n'a pas été repeint.*
2. On a agrandi le séjour.
3. On a complètement transformé la maison.
4. La mairie n'a pas accordé toutes les autorisations.
5. On a changé la disposition des pièces.
6. On n'a pas modifié la véranda.
7. On a construit une cheminée.
8. On n'a pas aménagé le grenier.

14 **À vous ! Vous expliquez les transformations dans votre appartement, dans votre maison ou dans votre ville. Utilisez la forme passive.**

15 **Transformez les phrases à la forme négative ou à la forme affirmative.**

1. Le voyage a été organisé avec soin. → *Le voyage n'a pas été organisé avec soin.*
2. La visite du château n'a pas été programmée.
3. Les horaires ne sont pas indiqués.
4. Les visiteurs ont été avertis.
5. Le musée n'était pas subventionné.
6. Le spectacle a été annoncé.
7. Le festival va être reconduit.
8. Les billets n'ont pas été réservés très tôt.
9. Les représentations seront données dans la cour d'honneur.
10. Les enfants sont admis à ce spectacle.

16 **Transformez les phrases à la forme active ou passive.**

Dégâts

1. Le document a été effacé. → *On a effacé le document.*
2. On a jeté le dossier.
3. La vitre a été cassée.
4. Le papier a été déchiré.
5. Le paquet n'a pas été bien fermé.
6. On a arraché l'emballage.
7. Le bois n'a pas été abîmé.
8. On a forcé la serrure.
9. Le parquet a été rayé.
10. On a endommagé l'appareil.

12 Les constructions verbales

Observez

- Mes amis (ont réservé) leurs places le mois dernier.
- Il (veut) partir.
- Le TGV (roule) très vite. Je le (prends) souvent.
- Je (rêve) de faire le tour du monde.
- Il (s'intéresse) aux voyages.
- – Qu'est-ce que tu (fais) ?
  – Je rêve !

Verbe transitif : il a un complément d'objet.

Complément d'objet du verbe *réserver*.

Verbe intransitif : il n'a pas de complément d'objet.

a. Le complément d'un verbe peut être :
☐ un nom seul ou un groupe nominal. ☐ un pronom. ☐ un infinitif. ☐ un verbe conjugué.

b. Cochez.

	Verbe transitif	Verbe intransitif		Verbe transitif	Verbe intransitif
– faire	☐	☐	– rêver	☐	☐
– partir	☐	☐	– rouler	☐	☐
– prendre	☐	☐	– s'intéresser	☐	☐
– réserver	☐	☐	– vouloir	☐	☐

c. Certains verbes peuvent être transitifs et intransitifs. ☐ Vrai ☐ Faux

d. Quand un complément est relié au verbe par une préposition, il est : ☐ direct ☐ indirect.

Verbes suivis d'un complément direct ou d'un complément indirect

Le complément est un nom

Observez

- Ils s'occupent bien de leur jardin.
- Elle ne parle jamais à sa voisine.
- Tu t'es inscrit à ce cours de musique ?
- Je lis deux journaux économiques par semaine.
- Elle parle toujours de politique et d'économie.
- Nous attendons le métro depuis dix minutes.
- Elle participe à toutes les réunions.
- Nous adorons le cinéma.
- Tu as téléphoné à Cécile ?
- Tu attends tes amis ?

a. Soulignez les verbes et leur préposition et entourez les compléments de ces verbes.

b. Le nom complément peut représenter quelque chose ou quelqu'un. ☐ Vrai ☐ Faux

c. Un verbe peut avoir plusieurs constructions. ☐ Vrai ☐ Faux

d. Mettez dans l'ordre : – de / Ils / bien / s'occupent / leur jardin
– parle / Elle / de / et / politique / d' / toujours / économie

Entraînez-vous

1 Écrivez l'infinitif du verbe et sa préposition dans le tableau. Cochez pour indiquer si le complément représente quelque chose ou quelqu'un.

1. *Nous avons assisté à un spectacle magnifique.*
2. Te souviens-tu de Roland, notre guide ? Il était génial !
3. Ils discutent souvent de sujets de société.
4. Fais attention aux personnes qui t'entourent.
5. J'ai répondu à Antoine que j'étais d'accord.
6. Il ne se rend pas compte de sa méchanceté.
7. Pourquoi vous moquez-vous de mon accent ?
8. Elles ont menti au contrôleur.
9. Nous nous intéressons à cet appartement.
10. Elle ne fait jamais attention aux explications.
11. Le résultat de l'élection dépend du vote des jeunes.
12. Il ne s'habitue pas à sa nouvelle vie.
13. Ils ne se souviennent pas de leur premier voyage.
14. Les habitants se plaignent du bruit des voisins.
15. Il ne s'intéresse pas aux gens.
16. Ne te moque pas de moi !
17. Adresse-toi à cette hôtesse.
18. La décision dépend de toi !
19. Impossible de m'habituer à ce nouveau directeur !
20. Elle se plaint de son travail.
21. Nous devons répondre à cette lettre tout de suite.
22. Les professeurs discutent beaucoup de leurs élèves.

	Quelque chose	Quelqu'un
assister à...	✗	

2 Complétez avec *à* ou *de* si nécessaire comme dans les exemples. (Attention à l'article contracté.)

Exemples : Nous ne pouvons pas refuser Ø leur invitation.
*Ils s'habituent **à** la nouvelle école et **aux** nouveaux professeurs.*

1. Tu t'intéresses ...... ce genre de livre ?
2. Elle ne peut pas accepter ...... cette décision.
3. Elle ne parle plus ...... son meilleur ami. Ils se sont disputés.
4. Je me suis aperçu ...... mon erreur beaucoup trop tard.
5. Il n'a pas voulu participer ...... notre fête.
6. Il ne s'est pas rendu compte ...... sa bêtise.
7. Pourquoi as-tu menti ...... ton père et ...... ta mère ?
8. Ils ont prévu ...... un voyage en Inde.
9. Il ne veut pas me parler ...... sa soirée ni ...... gens qu'il a rencontrés.
10. Vous attendez ...... qui ?
11. Tu t'inscris ...... cette conférence avec moi ?
12. Nous n'avons jamais assisté ...... un concert de ce chanteur.
13. Ils se plaignent ...... l'augmentation des tarifs et ...... la mauvaise qualité du service.
14. Tu te moques ...... mon avis.
15. Je me souviens parfaitement ...... ses paroles.
16. Fais attention ...... ce que tu dis.
17. Elle s'occupe ...... l'association « Aidez-les ! ».
18. Nous regrettons ...... votre décision.
19. Ils n'apprennent jamais ...... leurs leçons.
20. Cette situation ne dépend pas ...... moi.

3 **Mettez dans l'ordre. (Rétablissez l'apostrophe si nécessaire.)**

1. enfants / Il / gentiment / parle / aux → *Il parle gentiment aux enfants.*
2. nouveau / mal / s'habituent / au / Ils / règlement
3. aux / m'intéresse / contemporains / Je / beaucoup / artistes
4. rend pas compte / Elle / ne / se / des / conséquences de ses actes
5. Ils / des / se / autres / toujours / moquent
6. ne / aux / mondaines / Il / réunions / jamais / participe
7. financières / Elle / de / ses / rarement / difficultés / parle
8. rêve / appartement / Je / grand / de / un

Le complément est un verbe à l'infinitif

Observez

- Est-ce que je peux prendre ta voiture ?
- Il commence à pleuvoir, rentrons !
- Ils ont décidé de ne pas déménager.
- Nous devons partir demain.
- Elle sait conduire.
- Elle a refusé de répondre et de s'expliquer.
- Vous voulez bien m'indiquer la route ?

a. Soulignez les verbes conjugués qui ont une construction indirecte.
b. Mettez dans l'ordre : – ne / Ils / de / déménager / ont / décidé / pas
– et / répondre / Elle / a / de / s'expliquer / de / refusé

Entraînez-vous

4 **Écrivez l'infinitif du verbe conjugué et sa construction comme dans les exemples.**

Exemples : Nous hésitons à partir. → hésiter à faire quelque chose
Nous avons oublié de vous prévenir. → oublier de faire quelque chose

1. Elle n'a jamais essayé de conduire.
2. Ils n'accepteront jamais de payer.
3. Je n'arrive pas à traduire ce document.
4. Avez-vous réussi à prévenir votre père ?
5. Elle a prévu de rendre visite à ses amis le mois prochain.
6. Elle n'arrête pas de pleurer.
7. Je me dépêche de rentrer chez moi.
8. Ils risquent de se blesser.
9. Excusez-moi d'avoir oublié notre rendez-vous.
10. Elle regrette de vous décevoir.
11. Nous n'avons jamais appris à conduire sur la neige.
12. Vous commencez à m'énerver !

5 **Complétez avec *à* ou *de* si nécessaire comme dans les exemples. (Rétablissez l'apostrophe si nécessaire.)**

Exemples : Les enfants détestent Ø marcher.
*J'ai hésité **à** poser une question.*

1. Elle a commencé ...... pleurer et ...... raconter son histoire.
2. Tu as oublié ...... fermer la porte à clé et ...... éteindre l'électricité.
3. Je n'arriverai jamais ...... finir ce travail pour demain.
4. Tu risques ...... te faire mal et ...... blesser les autres.

5. Elle a décidé ...... modifier le programme.
6. Nous aimerions ...... partir plus tôt.
7. J'ai essayé ...... te téléphoner.
8. Je crois qu'il préférera ...... venir seul.
9. Vous devez ...... apprendre la politesse !
10. Il a accepté ...... me remplacer demain.
11. Dépêche-toi ...... répondre.
12. Je n'ai pas réussi ...... obtenir cette information.
13. Ils ont prévu ...... faire des travaux.
14. Je voudrais bien ...... arrêter ce travail.
15. Arrête ...... t'énerver et ...... crier !
16. Je refuse ...... vivre ici.
17. Excusez-moi ...... être en retard.
18. Il n'ose pas ...... lui parler.
19. Elle a failli ...... rater le train.
20. Je vais apprendre ...... nager, c'est promis.

6 **Mettez dans l'ordre avec l'infinitif à la forme négative.**

1. venir / Il / ne / a décidé / pas / de → *Il a décidé de ne pas venir.*
2. ne / déteste / comprendre / Elle / pas
3. de / pas / prévoyons / rentrer / très tôt / Nous / ne
4. rester / de / ne / avec toi / Excuse-moi / pas
5. Ils / à l'heure / pas / ont failli / ne / arriver
6. ne / de / rêve / plus / me lever si tôt / Je
7. regrettons / ne / venir / avec vous / pas / de / Nous

Verbes suivis de deux compléments : un complément direct et un complément indirect

Les deux compléments sont des noms

Observez

- Elle a raconté son secret à sa sœur.
- Nous avons parlé de ce problème au président.
- Il a demandé son chemin à l'agent de police.
- J'ai envoyé une très jolie carte à ma grand-mère.
- Il a présenté sa petite amie à ses parents.

a. Dans chaque phrase, soulignez les deux compléments.
b. Le nom complément introduit par *à* est toujours : ☐ **une chose.** ☐ **une personne.**

Entraînez-vous

7 **Mettez dans l'ordre. (Attention à l'article contracté ; rétablissez l'apostrophe si nécessaire.)**

1. ont demandé / le vendeur / à / une réduction / Ils → *Ils ont demandé une réduction au vendeur.*
2. une voiture / à / a offert / Il / son fils
3. à / a donné / ses amis / Elle / son numéro de téléphone
4. un nouveau médicament / Le pharmacien / a proposé / le client / à

5. des faire-part / Les futurs mariés / à / ont envoyé / leurs invités
6. a prêté / à / sa voiture / Aline / sa meilleure amie
7. Le directeur / à / une semaine de vacances / les employés / a promis
8. à / Delphine / ai emprunté / trois livres / Je
9. Le passant / a indiqué / le touriste / à / l'itinéraire
10. Je / à / ma candidature / ai adressé / le directeur

Les deux compléments sont un nom et un infinitif

Observez

- Nous invitons nos amis à dîner.
- Le bruit empêche les habitants de dormir.
- Ils autorisent les piétons à traverser.

a. Dans chaque phrase, soulignez les deux compléments des verbes.

b. La construction de ces verbes est : – inviter quelqu'un ...... faire quelque chose.
– empêcher quelqu'un ...... faire quelque chose.
– autoriser quelqu'un ...... faire quelque chose.

- Ils ont conseillé à leurs amis de partir.
- Il demande à ses amis de venir vers 21 heures.
- Elle a promis à Valérie de sortir avec elle.
- Il a appris à son fils à faire du ski.

c. Dans chaque phrase, soulignez les deux compléments des verbes.

d. La construction de ces verbes est :
– conseiller ...... quelqu'un ...... faire quelque chose.
– demander ...... quelqu'un ...... faire quelque chose.
– promettre ...... quelqu'un ...... faire quelque chose.
– apprendre ...... quelqu'un ...... faire quelque chose.

Entraînez-vous

8 **Mettez dans l'ordre et écrivez la construction des verbes. (Rétablissez l'apostrophe si nécessaire.)**

1. Il / son fils / à / ses études / poursuivre / encourage
   → *Il encourage son fils à poursuivre ses études.* → *encourager quelqu'un à faire quelque chose*
2. de / a empêché / Le directeur / entrer / les élèves
3. n'a pas autorisé / Le policier / à / les automobilistes / passer
4. Il / ses enfants / oblige / se coucher tôt / à
5. sortir / Il / les enfants / à / seuls / n'autorise pas
6. Nous / Michel / avons convaincu / continuer / de
7. Je / Line / vais aider / préparer le repas / à
8. de / La neige / les personnes âgées / sortir / empêche

9 **Mettez dans l'ordre et écrivez la construction des verbes. (Rétablissez l'apostrophe si nécessaire.)**

1. de / a conseillé / son patient / Le médecin / à / faire du sport
   → *Le médecin a conseillé à son patient de faire du sport. → conseiller à quelqu'un de faire quelque chose*
2. aux / défend / habitants / La municipalité / de / sous ce pont dangereux / passer
3. Nous / avons demandé / de / expliquer / au professeur / ce problème
4. ne permettent pas / Les vigiles / aux gens / entrer / de
5. de / Il / à / ses amis / venir / avec lui / a proposé
6. Je / à / mon voisin / arroser / de / ses plantes / ai promis

10 **Complétez avec *à* ou *de* si nécessaire. (Attention à l'article contracté.)**

Le règlement...
1. interdit *aux gens* (les gens) *de* fumer dans les lieux publics.
2. autorise ...... (les employés) ...... prendre une pause.
3. défend ...... (les élèves) ...... courir dans les escaliers.
4. permet ...... (les résidents) ...... garer leur voiture ici.
5. demande ...... (les visiteurs) ...... ne pas toucher les tableaux.
6. oblige ...... (les spectateurs) ...... éteindre leur portable.
7. empêche ...... (les mineurs) ...... consommer de l'alcool
8. recommande ...... (les touristes) ...... ne pas s'approcher des animaux.

11 **À vous !** **Utilisez les verbes des exercices 8, 9 et 10 et commencez des phrases par :** ***La loi..., Les parents..., Le maire..., Le médecin...***

Bilan

12 **Complétez avec *à* ou *de* si nécessaire. (Rétablissez l'apostrophe si nécessaire.)**

1. Nous venons *de* commencer Ø la réunion.
2. Ils n'ont pas encore commencé ...... parler.
3. J'ai oublié ...... mon porte-monnaie !
4. Vous n'avez pas oublié ...... prévenir votre client ?
5. Je peux essayer ...... cette chemise ?
6. Je vais essayer ...... lui parler.
7. Elle a réussi ...... son concours.
8. Nous ne réussirons jamais ...... traverser ce fleuve.
9. La météo a prévu ...... de la pluie.
10. J'ai prévu ...... prendre ma voiture.
11. Elle a refusé ...... mon invitation.
12. Ils ont refusé ...... venir.
13. Il va apprendre ...... l'italien.
14. Nous allons apprendre ...... faire du yoga.
15. J'attends ...... l'arrivée de mes amis.
16. Nous attendons ...... monter dans l'avion.

13 **Complétez avec une préposition si nécessaire.**

1. Il n'arrête pas *de* parler ...... son voisin de table ...... sa soirée d'hier.
2. Vous ne devriez pas ...... hésiter ...... discuter ...... ce problème.
3. Céline s'est inscrite ...... une formation parce qu'elle n'arrive pas ...... trouver un travail.
4. Fabien n'arrête pas ...... téléphoner ...... sa petite amie.
5. Nous regrettons ...... ne pas pouvoir ...... satisfaire votre demande.
6. Tu pourrais ...... aider ...... ta mère ...... faire la vaisselle.
7. Il s'est aperçu ...... son erreur mais n'a pas accepté ...... la corriger.
8. Nous avons assisté ...... la première réunion mais nous n'avons pas participé ...... la deuxième.
9. Le policier a empêché ...... les cyclistes ...... passer et les a obligés ...... attendre.
10. ...... qui avez-vous prêté ...... vos livres ?

IIIe PARTIE

Les mots invariables

13 Les adverbes

Observez

- Ils conduisent **vite** et **très mal.**
- On ne se gare pas **facilement** ici.
- Cette rue est **vraiment très** calme.

a. Un adverbe est un mot invariable. ☐ **Vrai** ☐ **Faux**

b. Un adverbe apporte une précision à : ☐ **un verbe.** ☐ **un adjectif.** ☐ **un adverbe.**

c. Les adverbes se placent généralement :

☐ **derrière le verbe.** ☐ **devant le verbe.**
☐ **derrière l'adjectif.** ☐ **devant l'adjectif.**
☐ **derrière l'adverbe.** ☐ **devant l'adverbe.**

Adverbes de qualité, de quantité et d'intensité

Observez

- Cette salle est **très** agréable mais **trop** petite pour recevoir tous les spectateurs.
- Ne réfléchissez pas **trop** !
- Elle est **assez** jolie mais elle est **mal** coiffée.
- Tu sors **beaucoup** !
- Il est **un peu** timide mais il est **bien** élevé.
- Travaille **un peu** ! Tu trouves que tu travailles **assez** ?
- Il s'exprime **bien** mais se comporte **mal** !
- J'ai **trop** mangé et je n'ai **pas assez** dormi !

a. Ces adverbes s'utilisent-ils avec un adjectif (A), un verbe (V) ou les deux (A/V) ?

assez ...... **beaucoup** ...... **bien** ...... **mal** ...... **très** ...... **trop** ...... **un peu** ......

b. Quel est l'adverbe que l'on ne peut pas utiliser avec un verbe ?

c. Quel est l'adverbe que l'on ne peut pas utiliser avec un adjectif ?

d. Lorsqu'ils modifient un verbe conjugué à un temps composé, ces adverbes se placent généralement après l'auxiliaire. ☐ **Vrai** ☐ **Faux**

Entraînez-vous

1 Complétez avec *très* ou *trop*.

1. Ce texte est *trop* compliqué, je ne peux pas le terminer.
2. Ton devoir est ...... court, il faut absolument le compléter.
3. Cet exposé était ...... intéressant, tout le monde était ...... attentif.
4. Votre dossier est ...... complet, je vous félicite !
5. Ces documents sont ...... longs, il faut les simplifier.
6. Cet exercice risque d'être ...... complexe pour un enfant de cet âge.
7. Voilà un travail ...... agréable à lire, bravo !

2 À vous ! Vous donnez votre avis sur un nouveau film, une nouvelle voiture…

Exemple : il (elle) est très beau (belle), trop long (longue)…

3 **Avec certaines locutions verbales, on utilise *très* et non pas *beaucoup.* Transformez comme dans l'exemple.**

*Exemple : J'ai envie de chocolat → J'ai **très** envie de chocolat.*

1. Il fait chaud ici.
2. Nous avons peur des orages.
3. Il faut faire attention à ce carrefour.
4. J'ai vraiment soif.
5. Partir avec toi, ça me fait envie !
6. Ça vous fait mal ?

4 **Transformez avec *très* ou *beaucoup* comme dans les exemples.**

*Exemples : J'aime ce film. → J'aime **beaucoup** ce film.*
*Cette histoire est triste. → Cette histoire est **très** triste.*

1. Nous nous intéressons à la géographie.
2. Il n'a pas parlé de la nouvelle exposition.
3. La mise en scène de cette pièce est originale.
4. Il ne veut pas parler de son nouveau projet.
5. C'est un acteur excentrique.
6. Certaines scènes sont longues.

5 **Mettez dans l'ordre.**

1. jeune / comprendre / Tu / pour / trop / es → *Tu es trop jeune pour comprendre.*
2. Elle / porter / pas assez / forte / pour / sa valise / n'est
3. gagner / Ils / ne / sont / pour / se / pas assez / entraînés
4. pour / fatigués / sommes / ce soir / trop / Nous / sortir
5. trop / Vous / sur l'écran / les sous-titres / êtes / loin / pour / lire

6 **Soulignez l'adverbe qui convient.**

Des élèves difficiles

1. Vous êtes (beaucoup – *très*) indisciplinés dans cette classe. C'est dur.
2. Tu ne fais pas (un peu – assez) attention à ton travail ! Tes résultats ne sont pas bons.
3. Vous n'êtes pas (assez – trop) raisonnables. Ça ne va pas ! Je dois me fâcher (trop – un peu) souvent.
4. Je suis (très – beaucoup) mécontent de vos devoirs : vous devez travailler plus sérieusement.
5. Vous n'avez pas (assez – trop) travaillé : vos notes sont mauvaises.
6. J'ai été (trop – beaucoup) gentil avec vous : ça va changer ! Maintenant je serai (trop – très) sévère.

Observez

- Tu travailles parfois **très bien**, parfois **très mal.** Aujourd'hui, c'est **assez bien !**
- Cette femme est **beaucoup trop** timide et cet homme parle **un peu trop !**

a. *Assez* et *très* peuvent se placer devant *mal* et *bien.* ☐ Vrai ☐ Faux

b. On peut varier l'intensité de l'adverbe *trop* avec les adverbes ...... **et** ......

Entraînez-vous

7 **Mettez dans l'ordre. (Rétablissez l'apostrophe si nécessaire.)**

1. cher / beaucoup / paye / Je / trop → *Je paye beaucoup trop cher.*
2. grand / un peu / appartement / Cet / est / trop / pour moi tout seul
3. assez / propose / Cette / des / logements / bien / situés / agence
4. rapidement / beaucoup / J'ai visité / maison / trop / cette
5. est / trop / L'immeuble / bruyant / beaucoup
6. pas / équipée / bien / La cuisine / ne / est / assez

Les adverbes en *-ment*

Observez

- Il est doux, elle est douce, ils m'ont parlé **doucement** tous les deux.
- Il est fou, elle est folle, ils sont **follement** amoureux l'un de l'autre.

a. Comment forme-t-on en général les adverbes en *-ment* ?

- Ton histoire est vraie ? Mélissa est partie, **vraiment** ?
- Vous devez **absolument** avoir un visa, c'est une nécessité absolue.
- C'est une femme passionnée, elle fait tout **passionnément**.
- C'est arrivé **fréquemment,** c'est une situation fréquente.
- Il a appris des langues qui ne sont pas courantes mais qu'il parle **couramment**.

b. Pour les adjectifs terminés par *-i, -u, -é,* que remarquez-vous ?

c. Associez.

Pour les adjectifs terminés par *-ant* •	**• l'adverbe se termine par *-emment*.**
Pour les adjectifs terminés par *-ent* •	**• l'adverbe se termine par *-amment*.**

- Il réfléchit très calmement. • Elle parle trop agressivement. • Nous répondons assez franchement.

d. *Assez, très* et *trop* peuvent se placer devant les adverbes *en -ment*. ☐ **Vrai** ☐ **Faux**

Entraînez-vous

8 Transformez les adjectifs au féminin puis formez les adverbes.

1. fier → *fière* → *fièrement*
2. clair
3. habituel
4. correct
5. juste
6. sérieux
7. ancien
8. calme
9. actif
10. long
11. frais
12. premier

9 Formez les adverbes.

1. aisé → *aisément*
2. poli
3. assuré
4. infini
5. absolu
6. vrai
7. joli
8. modéré

10 Associez l'adverbe et l'adjectif féminin et répondez à la question.

gaiement – contrairement – précisément – gentiment – confortablement
profondément – simplement – amicalement – brièvement – négativement
rarement – intensément – énormément – globalement – brutalement

1. *gaie* → *gaiement*
2. brève
3. rare
4. intense
5. amicale
6. négative
7. confortable
8. profonde
9. simple
10. énorme
11. globale
12. gentille
13. précise
14. contraire
15. brutale

Quels sont les adverbes irréguliers ? *gaiement,* ......, ..., ..., ..., ..., ...

11 **Complétez le tableau et répondez à la question.**

Adjectif	Adverbe
1. récent	*récemment*
2. constant	......
3.	violemment
4. brillant	......
5.	suffisamment

Adjectif	Adverbe
6. patient	......
7.	lentement
8. bruyant	......
9.	fréquemment
10. intelligent	......

Quel adjectif ne suit pas la même règle de formation que les autres ? ......

12 **Remplacez l'expression soulignée par un adverbe en *-ment*.**

1. Il m'a parlé de façon assez simple. → *Il m'a parlé assez simplement.*
2. Il m'a regardé d'un air innocent.
3. Elle nous a répondu d'une façon trop brève.
4. Il m'a expliqué d'un ton très gentil.
5. Ils ont crié d'un air joyeux.
6. Ils me téléphonent de façon très régulière.
7. Il s'exprime de manière bruyante.

13 **Transformez comme dans l'exemple.**

Exemple : Il est stupide, c'est réel. → Il est réellement stupide.
1. Elle est malade, c'est vrai.
2. Tu es agressif, c'est constant.
3. Vous êtes énervé, c'est fréquent.
4. Ils sont convaincus, c'est rare.
5. Elle est drôle, c'est incroyable.
6. Il a été blessé, c'est sérieux.
7. Ils sont contents, c'est probable.
8. Elles sont en retard, c'est régulier.

14 **Transformez comme dans l'exemple.**

Exemple : Il s'est installé dans le wagon. (tranquille) → Il s'est installé tranquillement dans le wagon.
1. Il nous a salués. (discret)
2. Il s'est endormi. (rapide)
3. Son portable a sonné. (bruyant)
4. Il a été réveillé. (brusque)
5. Il a répondu. (sec)
6. Il a parlé. (méchant)
7. Il s'est levé. (brutal)
8. Il a disparu. (mystérieux)

Les adjectifs utilisés comme adverbes

Observez

- – Cette eau de toilette sent assez bon, j'ai envie de l'acheter, mais elle coûte cher !
  – Oui, c'est une bonne eau de toilette, mais elle est trop chère !
- Tes valises pèsent très lourd, c'est incroyable ! Les miennes sont moins lourdes, heureusement !
- Chut ! Vous pouvez parler plus bas, les enfants ? Parlez à voix basse, s'il vous plaît !

a. Entourez les 4 adjectifs utilisés comme adverbes.
b. Les adjectifs utilisés comme adverbes sont toujours à la forme du masculin singulier. ☐ **Vrai** ☐ **Faux**

Entraînez-vous

15 Mettez dans l'ordre et répondez à la question.

1. Avec / juste / jouez / vous / cet / ne / pas / instrument / très
   → *Avec cet instrument, vous ne jouez pas très juste.*
2. C'est / de / voir / avec / clair / difficile / le brouillard
3. Tu / cher / billets / payé / ces / pour / ? / as
4. grand / Ces / chaussent / sandales
5. pas / très / sent / Ce parfum / bon / ne
6. parler / un peu / Pouvez-vous / bas / plus / ?

Quels sont les adjectifs utilisés comme adverbes ? ......

16 Complétez comme dans l'exemple. (Attention à l'accord de l'adjectif.)

*Exemple : dur → Les élèves de cette école travaillent très **dur** ; leurs exercices sont toujours vraiment **durs** à faire.*

1. fin → Fais des tranches ...... ; c'est meilleur si tu coupes ....
2. jeune → Mes grands-parents ne sont pas très ......, bien sûr, mais ils font très ...... pour leur âge.
3. faux → Malheureusement, tu chantes ...... et au piano tu fais beaucoup de ...... notes.
4. fort → Mes collègues ont une voix ......, elles parlent trop ......, c'est fatigant.
5. grand → Napoléon voyait ......, il a toujours eu de ...... projets.

Bilan

17 À vous ! Proposez des adverbes qui peuvent être associés aux verbes suivants : *parler, aimer, travailler, marcher et regarder.*

18 Soulignez le mot qui convient et indiquez à qui on s'adresse.

Conseils à qui ?

à un conférencier – à des élèves – *à un automobiliste* – à un commerçant

1. Avancez (*lentement* – lent), parce qu'avec la neige la route glisse (très – beaucoup), il ne faut pas freiner (beaucoup – trop) brusquement. → *à un automobiliste*
2. Faites (très – trop) attention, lisez (attentif – attentivement) les questions avant de répondre. → ......
3. Ne parlez pas trop (bas – juste) et soyez (beaucoup – assez) clair pour permettre à tout le monde de comprendre (facile – facilement). → ......
4. Ne vendez pas trop (cher – léger), proposez (fréquent – fréquemment) des promotions, vous attirerez beaucoup de clients. → ......

19 Choisissez et complétez.

exclusivement – trop – *beaucoup*

Vous en avez *beaucoup* (1) rêvé ! Nous l'avons réalisée ...... (2) pour vous : la Méganix, parce que rien n'est ...... (3) beau pour ceux qu'on aime !

très – immédiatement – trop

Vous êtes ...... (4) stressé ? Venez vous détendre en thalassothérapie ! Nous vous offrons un week-end garanti « ...... (5) reposant ». Appelez-nous ...... (6) au 0 800 004 027.

IVe PARTIE

Les différents types de phrases

14 La phrase interrogative

Les trois types de questions

Observez

ON SE MARIE L'ÉTÉ PROCHAIN ?
OUI, MAIS EST-CE QU'ON EN PARLE AUX PARENTS TOUT DE SUITE ?
Menu
ACCEPTEZ-VOUS DE PRENDRE POUR ÉPOUSE CHRISTELLE BOLIN ?
1.
2.

a. Quel dessin illustre une situation formelle ? Dessin n° ......

b. Comment sont formées les trois questions ?

- Pouvez-vous m'aider ?
- Va-t-il venir demain ?
- As-tu vu le directeur ?
- Cette voiture est-elle à vendre ?

c. Il y a « -t- » dans la question « Va-t-il venir demain ? ». Pourquoi ?

d. Quand le sujet est un nom, comment doit se construire la question avec inversion ?

Entraînez-vous

1 **Transformez avec *est-ce que* ou *est-ce qu'*.**

1. Vous aimez le sport ? → *Est-ce que vous aimez le sport ?*
2. Il assiste souvent à des concerts ?
3. Elle pratique la natation régulièrement ?
4. Ils vont à la piscine tous les samedis ?
5. Tu vois beaucoup de films ?
6. Vous voyagez beaucoup ?
7. Elles ont un abonnement au cinéma ?
8. Tu sors en boîte tous les week-ends ?

2 **Ajoutez *-t- ou -*.**

1. *Pouvez-vous* me donner son adresse ?
2. Habite......il dans cet arrondissement ?
3. Vit......elle chez ses parents ?
4. La poste est......elle à l'angle de la rue ?
5. Connaissez......vous le quartier ?
6. Ce ticket de bus est......il valable ?
7. A......elle le code de la porte d'entrée ?
8. Y a......il une pharmacie près d'ici ?
9. Prend......il le métro ?
10. Ira......il au collège Camille-Claudel ?

3 Transformez en utilisant la question avec inversion.

Comment ça se passe dans votre pays ?
1. Est-ce qu'on se marie jeune ? → *Se marie-t-on jeune ?*
2. Est-ce que les gens chantent dans les fêtes de mariage ?
3. Est-ce que vous payez beaucoup d'impôts ?
4. Est-ce qu'il y a des limitations de vitesse sur les routes ?
5. Est-ce qu'on met les poubelles dehors chaque jour ?
6. Est-ce que les gens sont très croyants ?
7. Est-ce que vous buvez du vin à table ?
8. Est-ce que les transports publics coûtent cher ?

4 À vous ! Posez des questions sur les habitudes quotidiennes en France. Utilisez les trois types de questions.

5 Transformez avec *est-ce que* puis en utilisant la question avec inversion comme dans l'exemple.

Exemple : Vous prendrez un apéritif ? → Est-ce que vous prendrez un apéritif ?
→ Prendrez-vous un apéritif ?

Au restaurant
1. Vous avez choisi ?
2. Vous connaissez cette spécialité régionale ?
3. Il y a du vin dans la sauce bordelaise ?
4. Vous préférez l'assaisonnement à part ?
5. Vous voulez un dessert ?
6. Vous avez de la tarte Tatin ?
7. Vous pouvez nous apporter l'addition ?
8. Nous pouvons régler par carte bancaire ?

6 Transformez en utilisant la question avec inversion.

Vie étudiante
1. Est-ce que vous vous souvenez de votre premier jour d'école ?
→ *Vous souvenez-vous de votre premier jour d'école ?*
2. Est-ce que cet étudiant se prépare sérieusement pour son examen ?
3. Est-ce qu'ils s'intéressent à cette matière ?
4. Est-ce que tu te présentes au concours ?
5. Est-ce que tes amis s'inscriront à l'université ?
6. Est-ce que Gaëlle se spécialisera en politique européenne ?
7. Est-ce que vous vous organisez bien ?
8. Est-ce que vous vous passionnez pour la philosophie ?

7 Mettez dans l'ordre. (N'oubliez pas - ou -*t*- si nécessaire.)

Code de la route
1. un / interdit / vous / Avez / sens / pris / ? → *Avez-vous pris un sens interdit ?*
2. au / passé / Est / feu rouge / il / ?
3. à / doublé / A / il / droite / ?
4. dépassé / les limitations / vous / de vitesse / Avez / ?
5. refusé / tu / la priorité / As / à droite / ?
6. vous / sur un emplacement / Étiez / garé / réservé / ?
7. il / la ligne blanche / A / franchi / ?

8 **Transformez avec *est-ce que* puis en utilisant la question avec inversion.**

Un nouvel appartement

1. Vous avez fait des travaux ? → *Est-ce que vous avez fait des travaux ?*
→ *Avez-vous fait des travaux ?*
2. Les ouvriers ont repeint le plafond de la salle de bains ?
3. Tu as changé la moquette de ta chambre ?
4. Elle a posé du papier peint dans l'entrée ?
5. Vous avez remplacé les rideaux du séjour ?
6. Le locataire a acheté de nouveaux meubles ?
7. Vous avez refait l'installation électrique ?

Les pronoms interrogatifs *qui* et *que (qu')*

Observez

- Qui avez-vous rencontré ?
- Vous avez appelé qui ?
- Et après, vous avez fait quoi ?
- Que pouvez-vous ajouter ?

a. Quels mots utilise-t-on pour poser une question :
– sur les personnes : ......
– sur les choses : ...... / ......

b. Complétez le tableau.

Question familière	Question avec inversion
– Vous avez rencontré qui ?	......
– Vous avez appelé qui ?	......
– Vous avez fait quoi ?	......
– Vous pouvez ajouter quoi ?	......

Entraînez-vous

9 **Complétez avec *qui, que* ou *quoi.***

1. *Que* voulez-vous ?
2. ...... prend-il ?
3. Tu manges ...... ?
4. Il parle à ...... ?
5. ...... viendra ?
6. Elle achète ...... ?
7. ...... pensez-vous de lui ?
8. Tu lis ...... en ce moment ?
9. ...... ferons-nous ?
10. ...... veux-tu boire ?
11. ...... va nous accompagner ?
12. Il voulait savoir ...... ?
13. ...... dites-vous ?
14. ...... a traduit ce texte ?
15. À ...... écris-tu ?
16. ...... a téléphoné ?

10 Transformez comme dans les exemples.

Exemples : Vous faites quoi ce soir ? → Que faites-vous ce soir ?
Que prépare-t-il ? → Il prépare quoi ?

1. Il a rencontré qui ?
2. Que cherchez-vous ?
3. Il a répondu quoi ?
4. Vous lisez quoi ?
5. Tu attends qui ?
6. Vous allez recevoir qui ?
7. Qui avez-vous invité ?
8. Que regardes-tu ?
9. Il va accompagner qui ?
10. Elle a acheté quoi ?

Observez

- Tu regardes quelqu'un ?
  Qui est-ce que tu regardes ?
- Quelqu'un fait du bruit ?
  Qui est-ce qui fait du bruit ?
- Tu regardes quelque chose ?
  Qu'est-ce que tu regardes ?
- Quelque chose fait du bruit ?
  Qu'est-ce qui fait du bruit ?

Associez.

« Qui est-ce qui » et « Qu'est-ce qui » sont • | **• compléments d'objet du verbe qui suit.**
« Qui est-ce que » et « Qu'est-ce que » sont • | **• sujets du verbe qui suit.**

Entraînez-vous

11 Associez.

1. Qui est-ce qui
2. Qui est-ce que
3. Qui est-ce qu'

a. *vient avec moi ?*
b. il a invité ?
c. a apporté ce paquet ?
d. tu regardes comme ça ?
e. arrive ce soir ?
f. vous allez voir ?
g. veut prendre la parole ?
h. nous allons rencontrer ?
i. on a informé ?

1	*a,* ......
2	......
3	......

4. Qu'est-ce qui
5. Qu'est-ce que
6. Qu'est-ce qu'

j. elle veut ?
k. se passe ?
l. vous désirez ?
m. est arrivé ?
n. ne va pas ?
o. vous voulez dire ?
p. il vous a donné comme explication ?
q. il y a ?
r. tu as répondu ?

4	......
5	......
6	......

12 **Complétez avec *qui* ou *que*. (Rétablissez l'apostrophe si nécessaire.)**

1. Qu'est-ce *que* tu veux boire ?
2. Qui est-ce ...... veut me parler ?
3. Qui est-ce ...... il invite ?
4. Qu'est-ce ...... tu racontes ?
5. Qu'est-ce ...... il dit ?
6. Qui est-ce ...... veut répondre ?
7. Qu'est-ce ...... vous faites ce soir ?
8. Qui est-ce ...... a téléphoné ?
9. Qu'est-ce ...... tu voudrais faire ?
10. Qu'est-ce ...... vous plaît ici ?
11. Qui est-ce ...... a fermé la porte ?
12. Qui est-ce ...... connaît la réponse ?

13 **Complétez avec *qui est-ce qui, qui est-ce que, qu'est-ce qui, qu'est-ce que*. (Rétablissez l'apostrophe si nécessaire.)**

1. – Tu sais que ma sœur vient nous voir ce week-end.
   – Pardon, *qui est-ce qui* vient vous voir ?
2. – Mes collègues m'ont offert une lithographie pour mon départ à la retraite.
   – Pardon ? ...... ils t'ont offert ?
3. – Je dois partir plus tôt, je vais chercher des amis à l'aéroport.
   – Je n'ai pas bien entendu, ... tu vas chercher ?
4. – Vous avez écouté la radio ? Il paraît que le ministre de la Défense a démissionné.
   – Comment ? ...... a démissionné ?
5. – Vous avez entendu ce bruit ?
   – Oui, c'est bizarre, ... se passe ?
6. – Le directeur a convoqué la réceptionniste dans son bureau.
   – Comment ? ...... il a convoqué ?
7. – Marion voudrait que nous partions au bord de la mer.
   – Moi, je suis d'accord. Et toi, ... tu en penses ?

Les mots interrogatifs *quand, où, combien, comment, pourquoi, quel* et *lequel*

Observez

- Où est-ce que vous avez mal ?
- Comment vous êtes-vous fait ça ?
- Quand êtes-vous tombée ?
- Combien de comprimés est-ce que vous avez pris ?
- Pourquoi avez-vous attendu avant de m'appeler ?

a. Quels mots utilise-t-on pour interroger :
- **sur le temps, le moment ?**
- **sur le lieu ?**
- **sur la cause ?**
- **sur le nombre, la quantité ?**
- **sur la manière ?**

b. La question avec « est-ce que » et la question avec inversion commencent par le mot interrogatif.
☐ **Vrai** ☐ **Faux**

c. Complétez le tableau pour avoir les trois formes de questions.

Question familière	Question avec *est-ce que*	Question avec inversion
• Vous avez mal où ? Où vous avez mal ?	......	......
• Vous vous êtes fait ça comment ? Comment vous vous êtes fait ça ?	......	......
• Vous êtes tombée quand ?	......	......
• Vous avez pris combien de comprimés ? Combien de comprimés vous avez pris ?	......	......
• Pourquoi vous avez attendu avant de m'appeler ?	......	......

d. Que remarquez-vous sur la place des mots interrogatifs dans la question familière ?

Entraînez-vous

14 Associez.

1. – *Pourquoi est-ce que tu ris ?*
2. – Il est comment ton prof d'histoire ?
3. – Où est-il allé ?
4. – Quand est-il rentré de vacances ?
5. – Comment vous sentez-vous ?
6. – Combien de jours de vacances a-t-il ?

a. – À la patinoire.
b. – La semaine dernière.
c. – Très sympa.
d. – *Parce que c'est trop drôle.*
e. – Il m'a dit qu'il partait une semaine.
f. – Pas très bien, je suis fatigué.

1	d
2	......
3	......
4	......
5	......
6	......

15 Posez les questions avec un mot interrogatif et *est-ce que*. Conjuguez le verbe au passé composé.

Racontez-nous vos vacances

1. – (revenir) *Quand est-ce que vous êtes revenu* ? – Dimanche matin, très tôt.
2. – (aller) ...... ? – Au bord de la mer.
3. – (voyager) ...... ? – En train.
4. – (séjourner) ...... ? – À l'hôtel.
5. – (partir) ...... ? – Dix jours.
6. – (choisir cet endroit) ...... ? – Parce que nous ne le connaissions pas.
7. – (trouver la région) ...... ? – Magnifique.
8. – (acheter des souvenirs) ...... ? – La veille de notre départ.

16 Transformez les questions comme dans l'exemple.

Exemple : Tu as trouvé ton studio comment ? → Comment est-ce que tu as trouvé ton studio ?
→ Comment as-tu trouvé ton studio ?

1. Il y a combien de pièces ?
2. L'appartement est libre quand ?
3. Le loyer coûte combien ?
4. Nous pouvons le visiter quand ?

5. Nous avons rendez-vous où ?
6. Ce quartier se trouve où ?
7. Nous pouvons emménager quand ?
8. Pourquoi il faut attendre longtemps ?

Observez

- **À quel** étage (ms) habitez-vous ?
  Quelle est votre adresse (fs) ?
  Quelles villes (fp) est-ce que vous connaissez en Europe ?
  Dans **quels** pays (mp) avez-vous voyagé ?
- J'aime bien ce pantalon (ms). Et toi, **lequel** est-ce que tu préfères ?
- – Je voudrais cette écharpe (fs).
  – Pardon ? **Laquelle** voulez-vous ?
- – C'est décidé, je vais lui offrir des gants (mp).
  – **Lesquels** est-ce que tu prends ?

Complétez le tableau des adjectifs et des pronoms interrogatifs.

	Adjectifs interrogatifs	Pronoms interrogatifs
Masculin singulier	......	......
Féminin singulier	......	......
Masculin pluriel	......	......
Féminin pluriel	......	***lesquelles***

Entraînez-vous

17 Complétez avec *quel*, *quels*, *quelle* ou *quelles*.

Palmarès

1. *Quels* films passent au Multiplex cette semaine ?
2. Vous aimez ...... genre de films ?
3. ...... acteurs français connaissez-vous ?
4. Il y a des réductions à ...... séances ?
5. ...... est le programme ce soir ?
6. Ce film est adapté de ...... roman ?
7. ...... est la pièce qui a remporté le premier prix ?
8. ...... critiques avez-vous lues ?
9. ...... récompense est la plus importante ?
10. Vous préférez ...... version ?

18 Associez.

À la télé ce soir

1. *Quelles informations ?*
2. Quel journal ?
3. Quelle émission ?
4. Quel reportage ?
5. Quelle journaliste ?
6. Quels présentateurs ?
7. Quelles chaînes ?
8. Quel débat ?
9. Quelle série ?
10. Quelles publicités ?
11. Quel feuilleton ?
12. Quels jeux ?

a. Lequel ?
b. Laquelle ?
c. Lesquels ?
d. Lesquelles ?

1	*d*
2	......
3	......
4	......
5	......
6	......
7	......
8	......
9	......
10	......
11	......
12	......

19 Transformez comme dans l'exemple.

Exemple : Tu prépares quelle recette ? → Tu prépares laquelle ?

1. Vous avez goûté quels fromages ?
2. Tu choisis quelle sauce ?
3. Vous aimez quels gâteaux ?
4. Vous avez acheté quel pain ?
5. Tu aimes quelle salade ?
6. Vous prenez quelles boissons ?
7. Tu suggères quelle entrée ?
8. Vous conseillez quels vins ?

Bilan

20 Complétez avec un mot interrogatif.

Institutions politiques françaises

1. – *Qui* gouverne la France ? – Le président de la République.
2. – ...... est la durée du mandat présidentiel ? – Cinq ans.
3. – ...... siègent les députés ? – À l'Assemblée nationale.
4. – ...... s'appelle le ministre de la Justice ? – Le garde des Sceaux.
5. – ...... se réunit le Conseil des ministres ? – Tous les mercredis matin.
6. – ...... vit le président de la République ? – À l'Élysée.
7. – ...... dirige le conseil municipal ? – Le maire.
8. – ...... se trouve le Sénat ? – Dans le jardin du Luxembourg.
9. – ...... est élu le président de la République ? – Au suffrage universel.
10. – ...... fait le président de l'Assemblée nationale ? – Il dirige les débats parlementaires.

21 Choisissez et complétez puis associez. (Rétablissez l'apostrophe si nécessaire.)

pourquoi – à quel – qu'est-ce qui – quelle (2) – où est-ce que – d'où – qu'est-ce que

Istanbul

1. *Pourquoi* cette ville est-elle magique ?
2. ...... est la meilleure formule de séjour ?
3. ...... il faut surtout visiter ?
4. ...... on achète les billets ?
5. ...... embarcadère prend-on le bateau ?
6. ...... voit-on le mieux la ville ?
7. ...... saison vous conseillez ?
8. ...... vous a beaucoup plu ?

a. De la tour construite par les Génois.
b. Vous embarquez près du pont de Galata.
c. La formule « hôtel/excursions ».
d. Le printemps ou l'automne.
e. Une croisière sur le Bosphore.
f. À l'entrée du musée.
g. *Parce qu'elle est en Europe et en Asie.*
h. Allez surtout visiter la vieille ville.

1	*g*
2	......
3	......
4	......
5	......
6	......
7	......
8	......

22 Choisissez et complétez.

pourquoi – qu'est-ce qui – comment – *qu'est-ce que* – qui est-ce qui – quels – combien

Problèmes de santé

1. *Qu'est-ce que* le médecin vous a prescrit ?
2. ...... vous a envoyé chez ce spécialiste ?
3. ...... vous sentez-vous ?
4. ...... de cachets prenez-vous par jour ?
5. ...... vous convient le mieux ?
6. ...... n'allez-vous pas à l'hôpital ?
7. ...... médicaments dois-je prendre le soir ?

23 Complétez. Utilisez la question avec *est-ce que*. (Rétablissez l'apostrophe si nécessaire.)

– Bonjour, je cherche un studio à louer.
– Oui. *Est-ce que vous avez vu* (1) quelque chose dans nos annonces ?
– Oui, j'ai vu le studio de 38 m² à Bastille. ...... (2) exactement ?
– Il se trouve au coin de la rue de la Bastille et du boulevard Beaumarchais.
– ...... (3) proche du métro ?
– Oui, il est très près, à 150 mètres et il est tout meublé et bien équipé. Le loyer de 1 000 euros inclut les charges. ...... (4) ?
– Oui, ça me convient tout à fait. Et, pour le visiter ?
– Alors, ... (5) demain matin ?
– Non, je ne suis libre que l'après-midi.
– Bon, rendez-vous à 15 h 30, si vous voulez.
– D'accord ! ...... (6) ?
– On peut se retrouver directement au 11, rue de la Bastille.
– Très bien, merci et à demain.

24 À vous ! Vous voulez vous informer sur un stage de voile, un séjour touristique, la location d'une voiture : vous préparez une liste de questions. Utilisez les trois types de questions.

25 Transformez pour avoir les trois types de questions.

Pour mieux se connaître

1. Les voyages
– Avez-vous déjà vécu à l'étranger ? → *Est-ce que vous avez déjà vécu à l'étranger ?*
→ *Vous avez déjà vécu à l'étranger ?*
– Tu viens d'où ?
– Tu es arrivé en France quand ?
– Ton premier contact avec les Français, comment s'est-il passé ?

2. Les études
– À quel âge as-tu commencé l'école ?
– À l'école, qu'est-ce que tu préférais comme matière ?
– Où est-ce que vous avez fait vos études ?
– Qu'avez-vous étudié ?

3. Les loisirs
– Qu'est-ce que vous écoutez comme musique ?
– Allez-vous souvent au cinéma ?
– Quel film est-ce que vous avez vu dernièrement ?

4. Les animaux domestiques
– Vous aimez les animaux ?
– Est-ce que vous avez un animal de compagnie ?
– Il s'appelle comment ?

26 À vous ! Vous préparez des questions pour mieux connaître vos camarades de classe, vos collègues de travail, vos voisins. Utilisez les trois types de questions.

15 La phrase négative

Les négations *ne... pas*, *ne... plus*, *ne... pas encore*, *ne... jamais*

Dans la phrase négative, les articles sont parfois modifiés, voir chapitre 2.

Observez

- – Il est déjà midi et le facteur n'est pas encore passé !
  – En hiver, il ne passe jamais avant l'heure du déjeuner, tu sais. Et après ce long week-end, je crois qu'il ne va pas passer avant une heure.
- – Votre grand-père n'est pas malade, j'espère, je ne l'ai pas vu depuis longtemps.
  – Il ne veut plus sortir. Il dit qu'il n'a plus de forces !
- – Vous aimez la cuisine française ?
  – En général, oui, mais je n'ai jamais mangé d'escargots.
- – Je ne suis pas chez Benoît Diot ? Oh, excusez-moi, madame, je me suis trompée de numéro.
  – Non, mademoiselle, vous ne vous êtes pas trompée, mais Benoît n'habite plus ici.

a. Soulignez les verbes à la forme négative et entourez les négations.

b. Cochez.

– *Ne* se place juste
☐ devant le sujet. ☐ derrière le sujet.

– Aux temps simples, *pas*, *plus*, *pas encore* et *jamais* se placent
☐ devant le verbe. ☐ derrière le verbe.

– Aux temps composés, *pas*, *plus*, *pas encore*, *jamais* se placent
☐ devant l'auxiliaire. ☐ derrière l'auxiliaire.

c. Mettez dans l'ordre :

– passe / Il / jamais / ne
– pas encore / n' / passé / est / Il
– ne / sortir / Il / veut / plus

Entraînez-vous

1 Réécrivez les textes à la forme négative. Utilisez *ne... pas*.

1. Je pars en vacances. Je vais faire mes valises.
   → *Je ne pars pas en vacances. Je...*
2. Ma voisine s'occupe de mon chat. Elle a le temps et elle aime ça.
3. La route est ouverte à la circulation. Vous pouvez passer par là.
4. La salle peut accueillir tout le monde. Il y a assez de chaises. Le microphone est installé. La conférence va bien se dérouler.

2 Transformez à la forme négative comme dans l'exemple.

Exemple : On entend les oiseaux. Dans une ville, on n'entend pas les oiseaux.

1. On est stressé. Loin d'une ville, ...
2. Il y a beaucoup d'espaces verts. Dans une ville, ...
3. On a les magasins près de chez soi. Loin d'une ville, ...
4. On se détend facilement pendant les week-ends. Dans une ville, ...
5. Il y a des embouteillages. Loin d'une ville, ...
6. Il y a beaucoup de bruit. Loin d'une ville, ...
7. On peut respirer l'air pur. Dans une ville, ...

3 À vous ! Expliquez pourquoi vous n'aimeriez pas vivre à la campagne ou en ville.

Je n'aime pas..., il n'y a pas..., on ne peut pas...

4 Mettez dans l'ordre pour compléter les phrases. (Rétablissez l'apostrophe si nécessaire.)

1. Je vous remercie. (pas / dessert / Je / ne / de / prends) → *Je ne prends pas de dessert.* (plus / ai / ne / Je / faim.) → *Je n'ai plus faim.*
2. Je suis inquiète. (rentrée / ne / pas encore / est / Elle) – (son téléphone portable / pris / pas / Elle / a / ne) – (nous prévenir / peut / Elle / pas / ne)
3. C'est incroyable. (jamais / se reposent / ne / Ils) – (fatigués / ne / jamais / Ils / sont)
4. J'arrête. (pas encore / La partie / finie / est / ne) – (Mais / plus / ai / je / ne / envie de jouer)
5. On est sans nouvelles d'eux. (jamais / ne / Ils / écrit / ont) – (plus / Ils / téléphonent / ne) – (ne / plus / Ils / viennent)
6. C'est la catastrophe ! (ne / jamais / sera / On / à temps / prêts) – (salle / ne / On / a trouvé / pas encore / de) – (Les faire-part / été envoyés / pas encore / ne / ont)

5 Utilisez la forme négative. Conjuguez les verbes au présent. (Rétablissez l'apostrophe si nécessaire.)

1. Dans ce petit coin de montagne, ce *n'est plus* (ne plus être) comme avant. Tout a changé. Les gens ...... (ne plus savoir) qui je suis, ils ...... (ne plus s'arrêter) pour me dire bonjour. Et puis, il ...... (ne plus y avoir) le calme que j'aimais tant !
2. Ce n'est pas juste ! Je ...... (ne plus pouvoir) jouer sur le toboggan, je suis trop grand et je ...... (ne pas encore avoir) l'âge de faire du trampoline avec mon grand frère ! Et puis, lui et ses copains ...... (ne pas encore m'accepter) pour jouer au foot. Pourquoi est-ce que je ...... (ne pas pouvoir) faire comme je veux ?

6 Transformez à la forme négative. (Rétablissez l'apostrophe si nécessaire.)

1. J'ai fait l'ascension du Mont-Blanc. (ne... pas) → *Je n'ai pas fait l'ascension du Mont-Blanc.*
   Je suis allé dans les Alpes. (ne... jamais) → *Je ne suis jamais allé dans les Alpes.*
2. Elle bronze vite. (ne... pas)
   Elle reste longtemps au soleil. (ne... jamais)
3. Nous allons en discothèque. (ne... jamais)
   Nous aimons ça. (ne... pas)
4. Il prend des photos. (ne... jamais)
   Il a un appareil performant. (ne... pas)
5. Vous avez le temps. (ne... pas)
   Vous prenez des vacances. (ne... jamais)
6. Ils ont dormi à la belle étoile. (ne... jamais)
   Ils ont le goût de l'aventure. (ne... pas)

Personne, rien et aucun(e)

Observez

- Mon premier séjour à Londres ? C'était horrible ! Je ne connaissais personne ! Et puis, comme je ne parlais pas un mot d'anglais, personne ne m'adressait la parole.
- Les soldes, ce n'est pas cher, c'est vrai, mais rien ne me plaît, alors je n'achète rien ! L'année dernière, c'était déjà comme ça. Je n'avais rien vu d'intéressant, je n'avais rien acheté.
- Il ne va pas bien en ce moment : il ne veut rien faire et il ne veut voir personne. Il n'a vu personne depuis un mois.

a. *Personne* et *rien* peuvent être ☐ **sujets.** ☐ **compléments.**

b. Quand *personne* et *rien* sont sujets, le verbe est au singulier. ☐ **Vrai** ☐ **Faux**

c. Quand ils sont compléments d'objet, avec un temps composé,
– *personne* se place ☐ **devant le participe passé.** ☐ **derrière le participe passé.**
– *rien* se place ☐ **devant le participe passé.** ☐ **derrière le participe passé.**

d. Mettez dans l'ordre : **– faire / ne / Il / rien / veut** **– personne / Il / voir / veut / ne**

e. *Personne* et *rien* peuvent être suivis d'un adjectif, qui est alors précédé de la préposition ......
L'adjectif est ☐ **au masculin.** ☐ **au masculin ou au féminin.**

- Dans mon quartier, le dimanche, aucun magasin n'est ouvert, c'est vraiment calme, et en plus, beaucoup de gens partent à la campagne : on n'a aucune difficulté pour se garer.

f. *Aucun(e)* + nom peut être ☐ **sujet.** ☐ **complément.**

g. *Aucun(e)* + nom peut être au pluriel. ☐ **Vrai** ☐ **Faux**

Entraînez-vous

7 Transformez avec *personne* comme dans les exemples.

Exemples : Ils ne me connaissent pas. → Personne ne me connaît.
Je ne les entends pas. → Je n'entends personne.

1. Ils ne savent pas où j'habite.
2. Je ne les ai pas vus.
3. Ils ne m'ont pas parlé.
4. Ils ne comprennent pas mon mystère.
5. Je ne veux plus les recevoir.
6. Ils ne découvriront pas mon nom.

8 Transformez avec *rien* comme dans les exemples.

Exemples : Vous voulez quelque chose ? → Vous ne voulez rien ?
Quelque chose te ferait plaisir ? → Rien ne te ferait plaisir ?

1. Quelque chose vous intéresse ?
2. Vous avez choisi quelque chose ?
3. Quelque chose a retenu ton attention ?
4. Il veut essayer quelque chose ?
5. On prend quelque chose ?
6. Quelque chose lui a plu ?

9 **Transformez avec *aucun(e)* comme dans les exemples.**

Exemples : Les articles pourront être échangés. → Aucun article ne pourra être échangé.
J'ai vu des nouveaux produits. → Je n'ai vu aucun nouveau produit.

1. Ils ont fait une bonne affaire.
2. Des garanties vous sont offertes.
3. Vous avez droit à des réductions.
4. Tous les paiements en ligne sont sécurisés.
5. Un acompte est exigé.
6. On vous demande un justificatif de domicile.

10 **Mettez dans l'ordre. (Rétablissez l'apostrophe si nécessaire.)**

Quel ennui, ce séminaire !

1. de / vu / personne / Je / célèbre / ai / ne → *Je n'ai vu personne de célèbre.*
2. nouveau / rien / de / On / ne / entendu / a on ne a rien entendu de nouveau
3. Le repas / original / ne / avait / rien / de
4. particulier / de / abordé / Le débat / ne / rien / a
5. Les organisateurs / passionnant / de / avaient / ne / personne / invité
6. de / personne / Il / y / ne / eu / a / satisfait

11 **À vous ! Vous avez assisté à une soirée ou une réunion inintéressante et mal organisée. Expliquez en utilisant les négations *personne, rien, aucun, aucune.***

Ne... ni... ni... et ne... que

Observez

- François fait un régime. Il ne mange pas de sucre et il ne mange pas de matières grasses.
  → Il **ne** mange **ni** sucre **ni** matières grasses.
- Sa sœur Erika se trouve parfaite. Elle ne veut pas maigrir et elle ne veut pas grossir.
  → Elle **ne** veut **ni** maigrir **ni** grossir.

a. Barrez les mots remplacés par *ni… ni…*

b. Que remarquez-vous ?

- En ville, ma voiture reste toujours au garage, je **ne** me déplace **qu'**en transports en commun.

c. *Ne... que...* est synonyme de *seulement*. ☐ **Vrai** ☐ **Faux**

Entraînez-vous

12 **Mettez dans l'ordre. (Rétablissez l'apostrophe si nécessaire.)**

1. parle / ni / ni / l'espagnol / ne / Je / l'italien. → *Je ne parle ni l'espagnol ni l'italien.*
2. gymnase / Il / bibliothèque / ni / ne / y / ni / a
3. Vous / courir / ni / ne / crier / devez / ni
4. écrire / lire / savent / ne / Ils / ni / ni
5. à la corde / Elles / ni / à la marelle / jouent / ni / ne
6. ni / voulons / Nous / faire nos exercices / ne / apprendre nos leçons / ni
7. avez droit / ne / ni / à la calculatrice / ni / Vous / au dictionnaire
8. le mercredi après-midi / Les étudiants / ni / cours / le jeudi matin / ni / ont / ne

13 Transformez comme dans l'exemple.

Exemple : Elle ne veut pas partir et elle ne veut pas rester. → Elle ne veut ni partir ni rester.

C'est complètement absurde !

1. Il n'aime pas dormir le jour et il n'aime pas dormir la nuit.
2. Ils n'ont pas accepté et ils n'ont pas refusé.
3. Je ne lui ai pas dit oui et je ne lui ai pas dit non.
4. Ce travail n'est pas intéressant et n'est pas bien payé.
5. Ce n'est pas vrai et ce n'est pas faux.
6. Il n'y aura pas de perdant et il n'y aura pas de gagnant.
7. Dans cette maison, il n'y a pas d'escalier et il n'y a pas d'ascenseur.
8. On ne peut pas monter et on ne peut pas descendre.

14 Remplacez *seulement* par *ne... que*.

Embarquement immédiat

1. Il y a seulement deux vols par semaine. → *Il n'y a que deux vols par semaine.*
2. On peut prendre seulement un bagage à main.
3. Nous avons seulement des devises danoises.
4. Je regrette, nous acceptons seulement les euros.
5. J'ai seulement cette grosse valise.
6. Elle part seulement pour six semaines.
7. Vous avez droit à seulement 20 kilos de bagages.
8. Nous aurons seulement une escale.

15 Réécrivez les phrases en utilisant *ne... que*.

1. Romain <u>boit du café</u>. Il <u>fume des cigares</u>. Il <u>rêve d'Amérique latine</u>. → *Romain ne boit que du café ......*
2. En français, Peter <u>a lu *Le Petit Prince*</u>. Il <u>aime les histoires pour enfants</u>.
3. Arno et Edwige <u>ont deux enfants</u>, des jumelles, Virginie et Julie, qui <u>font des bêtises</u>, qui <u>ont des mauvais résultats</u> mais qui sont très affectueuses.

Bilan

16 Associez.

1. *Il ne prend jamais l'avion.*
2. Il ne fait rien comme les autres.
3. Il ne regarde personne dans les yeux.
4. Il n'est jamais découragé.
5. Il ne fréquente que les gens connus.
6. Il n'aime pas la compagnie des autres gens.
7. À l'étranger, il ne trouve rien d'intéressant.

a. un solitaire
b. un snob
c. un timide
d. *un anxieux*
e. un nationaliste
f. un original
g. un optimiste

1	*d*
2	......
3	......
4	......
5	......
6	......
7	......

17 À vous ! Imaginez comment ces personnes parlent d'elles-mêmes : un(e) retraité(e), un(e) célibataire sans enfant, un père/une mère de famille nombreuse, un enfant capricieux. Utilisez des formes négatives.

Exemple : Un(e) retraité(e) → Je n'ai plus besoin de me lever pour aller travailler...

18 Choisissez la négation et faites les phrases.

Avec les nouvelles lunettes Glasnet :
1. vous – aurez des problèmes de vision
→ *Vous n'aurez plus de problèmes de vision.*
2. un détail – vous échappera
3. porter des lunettes – sera ennuyeux

aucun | *ne plus* | ne jamais

Avec le nouveau stylo Graphic :
4. vous – ferez des fautes
5. vous – aurez des compliments

aucune | ne que

Avec le nouveau rouge à lèvres Bello :
6. vous – connaîtrez des succès
7. vous – aurez l'air fatigué

ne jamais | ne que

Avec la nouvelle voiture Broum :
8. un accident – pourra vous arriver
9. vous – aurez peur de quelque chose
10. conduire – sera dangereux

ne plus | ne rien | aucun

19 À vous ! Proposez des slogans publicitaires en utilisant des négations.

20 Complétez avec *ne... pas, ne... pas encore, personne ne, ne... que, rien ne, ne... plus*. (Rétablissez l'apostrophe si nécessaire.)

Au bureau
– Gaby, le technicien est passé pour la panne de la photocopieuse ?
– Non, *personne n'*(1) est venu.
– Ah ! Et vous avez réservé mon vol pour Rome ?
– J'ai téléphoné deux fois à l'agence, mais ...... (2) répond, c'est bizarre. Donc j'ai envoyé un fax, mais je ...... ai ...... (3) reçu de réponse.
– Bon, on attend. Vous pourrez remplacer la cartouche de l'imprimante, aussi ?
– Je vais aller en acheter une, il ...... y en a ...... (4) dans la réserve.
– Mais si ! Vous ...... les avez ...... vues (5) ? Elles sont rangées avec le papier.
– Non, je vous assure, comme il ...... y en avait ...... (6) la semaine dernière, j'en ai recommandé mais on ...... nous les a ...... (7) livrées.
– Alors, il faut en acheter une tout de suite. Décidément, ... (8) va, ce matin : la cafétéria ...... est ...... (9) ouverte, et notre machine à café ...... marche ...... (10)! Ah là là ! On ...... a ...... (11) des problèmes aujourd'hui !

Ve PARTIE

La phrase complexe et l'expression des circonstances

16 La phrase relative

Les pronoms relatifs *qui, que, où*

Observez

1. Sonia, l'amie **qui** était avec moi le jour **où** j'ai été accidenté, va partir vivre en Turquie.
2. Le Mexique est un pays **que** je connais bien et **où** j'ai beaucoup d'amis.
3. C'est toi **qui** n'as pas de stylo ? Prends le crayon **qui** est là !
4. Voilà Béatrice, celle **qu'**on attendait tous !
5. Le bruit, c'est quelque chose **qui** me fatigue et **que** je ne supporte vraiment pas !

a. Soulignez les mots remplacés par les pronoms relatifs *qui, que / qu'* et *où*.
b. Quel pronom relatif est sujet du verbe de la phrase relative ?
c. Quel pronom relatif est complément d'objet direct du verbe de la phrase relative ?
d. Devant une voyelle, ... **devient *qu'*.**
e. Notez le numéro de la phrase qui correspond. Le pronom relatif *où* remplace :
– un complément de lieu ......
– un complément de temps ......

Entraînez-vous

1 **Complétez avec *qui* ou *que*. (Rétablissez l'apostrophe si nécessaire.)**

Prends la liste de courses *qui* (1) est sur la table.
Achète les légumes chez le marchand ...... (2) est à l'entrée du marché. Dis-lui que les tomates ...... (3) il avait samedi dernier étaient délicieuses.
Pour le rôti, va chez le boucher ...... (4) Pierrette nous a indiqué, on va essayer.
N'oublie pas le gâteau ...... (5) j'ai commandé chez le pâtissier.
Rapporte les photos ...... (6) doivent être prêtes.
Va chez le teinturier et dépose les vêtements ...... (7) j'ai préparés.
Et, s'il te plaît, descends la poubelle ...... (8) j'ai mise près de la porte. Merci !

2 **Faites une seule phrase avec le pronom relatif *qui* ou *que*. (Rétablissez l'apostrophe si nécessaire.)**

Relations

1. J'ai rencontré Paul Verlant. Il était au lycée avec moi. → J'ai rencontré Paul Verlant *qui était au lycée avec moi.*
2. J'aime beaucoup mes voisins. Ils habitent au même étage que moi. → J'aime beaucoup les voisins ......
3. J'ai invité Isabelle Morand. Tu la connais bien. → J'ai invité Isabelle Morand ......
4. J'ai retrouvé des amis. Ils ont vécu en Tunisie. → J'ai retrouvé des amis ......

5. J'ai téléphoné à Martin. Il me conduit parfois au bureau. → J'ai téléphoné à Martin ......
6. J'ai dîné avec des collègues. Je les apprécie beaucoup. → J'ai dîné avec des collègues ......
7. On a une nouvelle directrice. On la trouve très sympathique. → On a une nouvelle directrice ......
8. Nous avons une réunion avec un représentant. Personne ne le connaît. → Nous avons une réunion avec un représentant ......

3 Transformez comme dans les exemples.

Exemples : Tu as raison ! → C'est toi qui as raison.
Je le préfère. → C'est lui que je préfère.

1. Tu es le premier ! C'est toi ......
2. Je le déteste ! C'est lui ......
3. Elle va gagner ! C'est elle ......
4. Il nous attend ! C'est nous ......
5. Je vais perdre ! C'est moi ......
6. Je l'attends tous les soirs ! C'est elle ......
7. Tu as mal joué ! C'est toi ......
8. Je suis stupide ! C'est moi ......

4 Associez et répondez.

Il est parti
1. *l'année*
2. le jour
3. dans un pays
4. dans une ville
5. au moment
6. à l'étranger
7. la semaine
8. dans un endroit

a. où il s'est installé définitivement.
b. où il a perdu son travail.

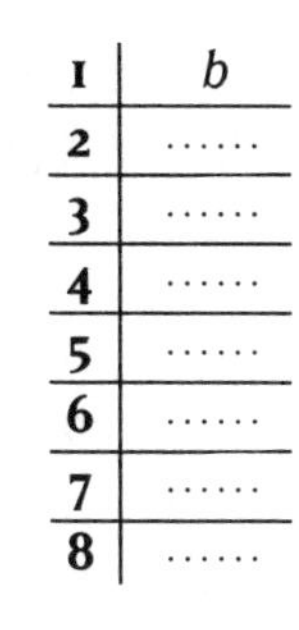

1	*b*
2	......
3	......
4	......
5	......
6	......
7	......
8	......

Indiquez les numéros des phrases qui expriment **a.** le lieu : ...... **b.** le temps : ......

5 Complétez avec *qui*, *que* ou *où*. (Rétablissez l'apostrophe si nécessaire.)

Je me souviens...
1. de la jolie place *où* nous avons garé la voiture,
2. des monuments ...... nous avons visités,
3. du square ...... nous nous sommes arrêtés,
4. du jardin ...... est au bord la rivière,
5. des personnes ...... nous avons rencontrées,
6. de l'hôtel ...... nous avons séjourné,
7. du restaurant ...... dominait la vallée,
8. des spécialités ...... nous avons choisies,
9. des petites rues ...... nous avons parcourues,
10. de l'atmosphère ...... nous plaisait tellement !

6 Mettez dans l'ordre. (Rétablissez l'apostrophe si nécessaire.)

Saisons
1. Le printemps / où / la nature / la saison / est / se réveille
→ *Le printemps est la saison où la nature se réveille.*
2. Noël / une fête / les enfants / énormément / aiment / est / que
3. fatigants / durent / sont / Les hivers / qui / trop longtemps
4. Les vacances / prend / on / les plus longues / sont / en été / que
5. C'est / offre / qui / les plus jolies / l'automne / couleurs
6. semble / qui / recouverte / de neige / La nature / dormir / est
7. Les coquelicots / voit / on / que / en juin / l'été / annoncent

Le pronom relatif *dont*

Observez

- Qui est cette madame Lenoir ? Tu me parles tout le temps de madame Lenoir.
  → Qui est cette madame Lenoir **dont** tu me parles tout le temps ?
- Bravo, Jacques, vous avez fait un bon travail. Je suis satisfait de votre travail.
  → Bravo, Jacques, vous avez fait un bon travail **dont** je suis satisfait.

a. Soulignez les noms que *dont* remplace.

b. *Dont* peut remplacer ☐ **une chose.** ☐ **une personne.**

c. *Dont* peut remplacer ☐ **le complément d'un verbe.** ☐ **le complément d'un adjectif.**

Ce complément est précédé de la préposition ......

Entraînez-vous

7 Mettez dans l'ordre.

1. Voici / le programme / responsable / je / suis / dont → *Voici le programme dont je suis responsable.*
2. une décision / Il a pris / dont / enchantés / sommes / nous
3. C'est / une offre / dont / ne / ils / informés / pas / sont
4. une nouvelle / C'est / elle / contente / sera / dont
5. une information / dont / nous / C'est / sommes / pas / sûrs / ne
6. Elle a / proche / dont / quelques collègues / se sent / elle
7. dont / amoureux / Il nous a présenté / est / la jeune fille / il

8 Transformez comme dans l'exemple.

Exemple : Il donne des explications (nous – ne jamais être convaincus).
→ Il donne des explications dont nous ne sommes jamais convaincus.

Au travail

1. Il a fabriqué un prototype (il – être très fier).
2. Il fait des propositions (il – être toujours satisfait).
3. On a une nouvelle collègue (il – être amoureux).
4. Il a des réactions (nous – être parfois surpris).
5. Une fois par mois, il réunit l'équipe de vendeurs (il – être responsable).
6. J'ai un projet intéressant (il – être jaloux).

9 Mettez dans l'ordre. (Rétablissez l'apostrophe si nécessaire.)

Mieux me connaître, c'est découvrir...

1. amis / je / m'entoure / dont / les / bons → *les bons amis dont je m'entoure,*
2. ne / peux / je / dont / pas / me passer / les lectures
3. les vacances / je / ai envie / souvent / dont
4. rêve / dont / les voyages lointains / je
5. les plats délicieux / je / ne /dont / jamais / me prive
6. je / le chocolat / ai besoin / jour / dont / chaque

10 Transformez comme dans l'exemple.

Exemple : Regarde le DVD. Je t'ai parlé de ce DVD. → Regarde le DVD dont je t'ai parlé.

1. Va voir la pièce de théâtre. On a discuté de cette pièce de théâtre.
2. Choisissez les gâteaux. Vous avez envie de ces gâteaux.
3. Prends les bouteilles. Tu as besoin de ces bouteilles.
4. Rincez les verres. Vous vous êtes servi de ces verres.
5. Redis-lui l'histoire. Elle ne se souvient pas bien de cette histoire.
6. Présentez-moi le groupe. Vous faites partie de ce groupe.

Bilan

11 Complétez avec *qui*, *que*, *où* ou *dont*.

– Bonjour, je suis intéressée par le canapé en cuir noir *qui* (1) est dans la vitrine, là.
– Oui, c'est un modèle ...... (2) nous venons de recevoir et ...... (3) se fait en d'autres teintes, si vous préférez. C'est un canapé ...... (4) n'est pas fragile et ...... (5) vous pourrez entretenir sans problème.
– Il est confortable ?
– Très confortable. Essayez-le, vous allez voir.
– Oui, c'est vrai. On est vraiment bien. Il y a tout de même quelque chose ...... (6) me gêne, c'est le prix, 3 000 € !
– Vous savez, c'est un canapé ...... (7) vous garderez des années !
– Oui, vous avez raison.
– Je vous assure, c'est un achat ...... (8) vous serez contente et ...... (9) vous ne regretterez pas !
– Il me plaît beaucoup, je vais le prendre. Je pourrai être livrée rapidement ?
– En fin de semaine prochaine, je pense. Mais vous allez voir ça avec mon collègue. Vous voyez le bureau ...... (10) il y a le monsieur en bleu là-bas, allez-y !
– Merci.

12 Complétez avec *qui*, *que*, *où* ou *dont*.

– Monsieur, pour aller à la plage *qui* (1) se trouve au bord de la rivière, s'il vous plaît, c'est bien par là ?
– Vous avez ce chemin ...... (2) y mène, mais avec les vélos ...... (3) vous avez, ça sera difficile, c'est un chemin ...... (4) il y a beaucoup de pierres. Vous devriez prendre l'autre route, la route ...... (5) passe sur le pont, là-bas, et ...... (6) n'abîmera pas vos pneus ! Et faites attention à cette plage, parce que c'est un endroit ...... (7) n'est pas surveillé et ...... (8), la semaine dernière, il y a eu un accident ...... (9) la télévision a parlé ! Vous n'avez pas vu, à la télé ?
– Non. Merci, monsieur. Au revoir !
– Ah ! Ces jeunes !

13 Complétez avec *qui*, *que* ou *dont*. (Rétablissez l'apostrophe si nécessaire.)

Devinettes

1. – C'est quelque chose *qui* change de forme, ... est léger, ... voyage et ...... on regarde en rêvant.
   – J'ai trouvé, c'est un nuage !
2. – C'est un élément naturel ...... peut être chaud ou froid, ... souffle fort ou légèrement et ...... les Anciens considéraient comme un dieu.
   – Moi je sais : c'est le vent !
3. – C'est une fleur ...... tout le monde adore, ... est de différentes couleurs, ... sent bon mais ...... pique parfois !
   – Je pense que c'est la rose !
4. – C'est quelque chose ...... les enfants aiment beaucoup, ... ils fabriquent, ... ils lancent dans le ciel et ...... vole.
   – Bien sûr, c'est un cerf-volant !
5. – C'est une période de la vie ..... on se souvient avec tendresse, ... on aime raconter, et ..... passe vite !
   – C'est l'enfance, non ?
6. – C'est quelque chose ...... on regarde dans une salle obscure, ... nous transporte dans un autre monde, ... nous fait rêver mais ...... on est parfois déçu !
   – C'est un film !

14 **À vous !** Sur le même modèle, proposez des devinettes en utilisant les pronoms relatifs *qui*, *que*, *où* et *dont*.

15 Complétez avec *qui*, *que*, *où* ou *dont*. (Rétablissez l'apostrophe si nécessaire.)

Téléachat

Bonjour à tous ! Je vous propose aujourd'hui encore plusieurs nouveaux produits *qui* (1) vont embellir votre vie ! D'abord, ce téléphone révolutionnaire ...... (2) va vous étonner : un téléphone ...... (3) sera à la fois votre agenda, votre mini-ordinateur, votre appareil photo et votre baladeur, bref, un merveilleux objet ...... (4) tiendra facilement dans votre poche et ...... (5) vous ne vous séparerez plus jamais ! Tout cela pour 499 € !
À installer dans votre cuisine, ce robot « Tout en un » ...... (6) prépare les meilleurs plats et remplace les appareils ...... (7) vous utilisez chaque jour ! Vous aurez ainsi, pour le prix de 799 €, ce super robot ...... (8) travaillera pour vous !
Maintenant quelque chose ...... (9) est beaucoup plus abordable et ...... (10) vous allez trouver vraiment pratique : ce petit gadget ...... (11) nous arrive du Japon et ...... (12) fait en même temps stylo et crayon ! C'est un objet ...... (13) vos collègues de bureau seront jaloux, et ...... (14) vaut seulement 99 €.
Et ce radio-réveil ...... (15) vous réveille avec la musique ...... (16) vous choisissez et ...... (17) garde au chaud le café ...... (18) il a préparé pour vous ! C'est une petite merveille ...... (19) vous vous offrirez pour 299 € seulement, mais le café n'est pas fourni !
Pour terminer, regardez ce mini range-CD ...... (20) vous pourrez mettre jusqu'à trois cents CD ! C'est un tout petit meuble ...... (21) peut être installé n'importe où, ... (22) vous pouvez déplacer facilement et ...... (23) ne coûte que 79 € !
Pour nous retrouver, allez vite sur notre site ...... (24) vous aurez tous les détails ...... (25) vous pourriez encore avoir besoin !
Et un grand merci à tous les téléspectateurs ...... (26) nous écrivent ou ...... (27) nous envoient des mails : les commentaires ...... (28) ils nous adressent sont toujours précieux !
Bonne journée à vous tous, et à la semaine prochaine bien sûr !

16 **À vous !** Dans une émission du même type, vous proposez d'autres produits en utilisant les pronoms relatifs *qui*, *que*, *où* et *dont*.

17 Le discours indirect au présent

La phrase déclarative

Observez

Les syndicats : « Nous aimerions discuter avec le gouvernement. »

Didier Mapin : « J'arrête le football, je prends ma retraite. »

Le chômage a baissé de 1 %

L'ÉTÉ SERA TRÈS CHAUD.

1. France-Matin **informe que** le chômage a baissé de 1 %.
2. Didier Mapin **annonce qu'il** arrête le football et **qu'il** prend **sa** retraite.
3. Météo France **prévoit que** l'été sera chaud.
4. Les représentants des syndicats **déclarent qu'ils** aimeraient discuter avec le gouvernement.

a. Notez les verbes qui introduisent les paroles rapportées. ...... / ...... / ...... / ......
En connaissez-vous d'autres ?

b. Ces verbes sont suivis de *que*. ☐ **Vrai** ☐ **Faux** **Que remarquez-vous dans la phrase n° 2 ?**

c. Quand on passe du discours direct au discours indirect, certains pronoms personnels et mots possessifs changent de personne. ☐ **Vrai** ☐ **Faux**

Entraînez-vous

1 Mettez dans l'ordre et soulignez les verbes qui introduisent les propos rapportés. (Rétablissez l'apostrophe si nécessaire.)

Procès

1. la séance / Le juge / que / est ouverte / déclare → *Le juge déclare que la séance est ouverte.*
2. est innocent / L'avocat / que / son client / affirme
3. avoue / L'accusé / que / il / ce vol / a commis
4. ils / Les témoins / que / admettent / n'ont pas tout vu
5. annoncent / l'accusé / que / n'est pas coupable / Les jurés
6. la vérité / que / il / Le condamné / jure / dit
7. La victime / elle / dit / est satisfaite du jugement / que

2 Soulignez les mots qui vont changer au discours indirect et complétez les phrases.

Vive le sport !

1. « *Je suis* content d'avoir gagné. » → M. Aubert déclare *qu'il est content d'avoir gagné.*
2. « Nous avons très bien joué. » → Les joueurs disent ......
3. « Je suis déçu de ma défaite » → Le nageur admet ......
4. « Nous avons très mal joué. » → Les joueurs reconnaissent ......
5. « Le public a été formidable. » → Le capitaine de l'équipe déclare ......
6. « Nous allons bien préparer le prochain match. » → L'entraîneur annonce ......
7. « L'équipe a été solidaire. » → Les joueurs expliquent ......
8. « Nous dédions notre victoire à nos supporters. » → Les joueurs annoncent ......

3 Transformez au discours indirect.

Promesses du maire

1. « *Mon* équipe et moi avons entendu les revendications des concitoyens et nous les comprenons. »
   → Le maire déclare *que son équipe* ......
2. « Des emplois vont être créés et trois écoles seront construites. » → Le maire promet ......
3. « Je suis tous les jours à la mairie et chaque habitant peut prendre rendez-vous pour me parler de ses préoccupations. » → Le maire annonce ......

4 Complétez les dialogues.

1.

Bonjour, c'est Rémi.
Je rentrerai à la maison samedi prochain.
J'ai déjà fait la réservation. Je prendrai le train de 13 h et j'arriverai à la gare Saint-Charles à 15 h 30. Je vous rappellerai s'il y a un contretemps.

Marc : – Ah ! Rémi a laissé un message sur mon répondeur.
Hélène : – Qu'est-ce qu'il dit ?
Marc : – Il dit *qu'il rentrera* à la maison samedi prochain et .... Il ajoute ....
Hélène : – C'est tout ?
Marc : – Non, il dit aussi ....

2.

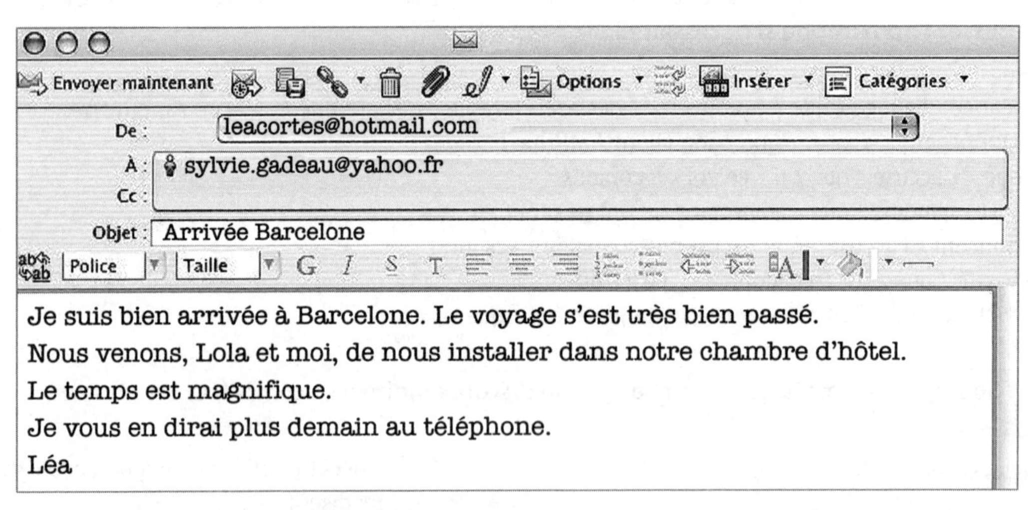

Envoyer maintenant
Options
Insérer
Catégories
De : leacortes@hotmail.com
À : sylvie.gadeau@yahoo.fr
Cc :
Objet : Arrivée Barcelone
Police
Taille
Je suis bien arrivée à Barcelone. Le voyage s'est très bien passé.
Nous venons, Lola et moi, de nous installer dans notre chambre d'hôtel.
Le temps est magnifique.
Je vous en dirai plus demain au téléphone.
Léa

Claude : – Tu as des nouvelles de Léa ?
Sylvie : – Oui, elle m'a envoyé un mail.
Claude : – Qu'est-ce qu'elle écrit ?
Sylvie : – Elle écrit .... Elle dit aussi ....

La phrase interrogative

Observez

« D'où venez-vous ? » « Quelle est votre destination finale ? »
« Combien de temps est-ce que vous allez rester ? »
« Pourquoi vous êtes venu ? » « Qui va vous héberger ? »
« Quand allez-vous repartir ? »

– Pourquoi c'est si long ? Qu'est-ce qui se passe ?
– Il y a un contrôle. Le douanier **demande** à chaque passager **d'où** il vient, **quelle** est sa destination finale, **combien de temps** il va rester, **pourquoi** il est venu, **qui** va l'héberger, **quand** il va repartir, etc.

a. Dans une interrogation indirecte, il y a un point d'interrogation à la fin de la phrase.
☐ **Vrai** ☐ **Faux**

b. Les mots interrogatifs *qui, quand, pourquoi, comment, combien, quel* changent dans l'interrogation indirecte. ☐ **Vrai** ☐ **Faux**

c. Dans une interrogation indirecte, l'ordre des mots est le même que celui d'une phrase déclarative.
☐ **Vrai** ☐ **Faux**

Serveur : – Vous avez choisi ? Est-ce que je peux prendre votre commande ? Qu'est-ce que vous prenez comme boisson ?
Grand-mère : – Qu'est-ce qu'il dit ? Je n'entends pas.
Petite-fille : – Mamie, **il demande si on** a choisi, **s'il** peut prendre notre commande et **ce qu'**on prend comme boisson.
Grand-mère : – Monsieur, je prendrais bien de la viande mais **je voudrais savoir si elle** est bonne.
Petite-fille : – Mamie, voyons !

d. Associez.
Il demande : « Est-ce que... ? » • **• Il demande ce que...**
Il demande : « Qu'est-ce que... ? » • **• Il demande si...**

e. On ne dit pas ~~si-il~~, on dit : ......

Entraînez-vous

5 **Mettez dans l'ordre. (Rétablissez l'apostrophe si nécessaire.)**

Enquête

1. aux témoins / Le commissaire / ce que / ont vu / il / demande.
   → *Le commissaire demande aux témoins ce qu'ils ont vu.*
2. demande / L'inspecteur / au suspect / où / il / à 8 heures / était
3. son agresseur / à la victime / La police / demande / elle / si / a vu
4. il / L'enquêteur / pourquoi / demande / à l'accusé / a fait ça
5. était / à la femme du suspect / avec son mari / demandent / si / Les policiers / elle
6. ont entendu du bruit / Les policiers / si / aux voisins / ils / demandent

6 Complétez avec *si* ou *ce que*. (Rétablissez l'apostrophe si nécessaire.)

Interrogations

1. Les jeunes se demandent souvent *s'ils* vont réussir leur vie, ... ils feront dans dix ans et ...... ils auront des enfants.
2. Tous les soirs, je me demande ...... je vais préparer à dîner et ...... les enfants vont aimer.
3. Je me demande ...... mon petit ami va m'offrir pour mon anniversaire et ...... ce cadeau va me plaire.
4. Elle se demande ...... il vaut mieux prendre l'avion ou le train.
5. Les artistes se demandent toujours ...... les critiques vont dire.
6. Elle se demande ...... elle va rester dans cette entreprise ou la quitter.

7 À vous ! Faites part de vos propres interrogations.

Je me demande souvent si ...... / ce que ...... / pourquoi ...... / comment ......

8 Soulignez la forme qui convient. (Rétablissez l'apostrophe si nécessaire.)

Quand on revient de vacances, les amis veulent toujours savoir...

1. (ce que – *si*) le voyage s'est bien passé,
2. (où – ce que) on a visité,
3. (si – ce que) on a bien mangé,
4. (quand – si) on a rapporté des souvenirs,
5. (ce que – comment) on a été accueillis par les habitants,
6. (qui – avec qui) on a rencontré.

Quand je reviens d'un match de football, ma sœur me demande...

7. (si – ce que) j'ai bien joué,
8. (comment – combien) de buts j'ai marqués,
9. (ce que – si) les adversaires étaient forts,
10. (pourquoi – où) le match a eu lieu,
11. (ce que – si) mon équipe est bien classée.

9 À vous ! Après un week-end, vos amis, vos collègues vous posent des questions.

Ils veulent savoir ......

10 Transformez au discours indirect.

Mon patron est un homme inquiet ; il me pose toujours les mêmes questions. Il me demande...

1. « Avez-vous prévenu les clients ? » → *si j'ai prévenu les clients,*
2. « Quel est mon emploi du temps de la semaine ? »
3. « Où avez-vous rangé les documents ? »
4. « Qu'est-ce que vous pensez de ma décision ? »
5. « Est-ce vous croyez que j'ai eu raison ? »
6. « Qui dois-je rencontrer ? »
7. « Est-ce que j'ai un dîner d'affaires ? »
8. « Quand partez-vous en vacances ? »
9. « Pouvez-vous assister à la réunion avec moi ? »

La phrase impérative

Observez

« Ne marchez pas trop vite, restez groupés et surtout, ne vous éloignez pas du chemin. Julie, relève-toi et écoute-moi ! Julie, **je te dis de te relever** et **de m'écouter**, c'est très important. Bon alors, je répète, **je vous demande de ne pas marcher** trop vite, **de rester** groupés et **je vous conseille de ne pas vous éloigner** du chemin. »

a. Au discours indirect, on remplace l'impératif par *de* + infinitif après des verbes comme *dire, demander, conseiller.* ☐ **Vrai** ☐ **Faux**

b. Mettez dans l'ordre : dis / Je / te / te relever / mécouter / de / et / de

c. Mettez dans l'ordre : de / du chemin / Je / conseille / ne / vous / pas / vous éloigner
Avec l'infinitif, où se place la négation ?

Entraînez-vous

11 **Mettez dans l'ordre. (Rétablissez l'apostrophe si nécessaire.)**

Ordres, conseils et recommandations

1. à son patient / Le médecin / ne / fumer / pas / de / recommande
   → *Le médecin recommande à son patient de ne pas fumer.*
2. conseille / Le maire / aux habitants / cette route / éviter / de
3. de / Le contrôleur / présenter / demande / aux passagers / leurs billets
4. ne / aux élèves / Le surveillant / de / demande / pas / tricher à l'examen
5. les consignes / conseille / de / Le professeur / aux étudiants / bien lire
6. aux visiteurs / prendre / de / Le gardien du musée / ne / de photos / demande / pas
7. recommande / faire attention / Le guide / de / aux pickpockets / aux visiteurs
8. demande / être ponctuels / Le chef d'entreprise / à ses employés / de

12 **À vous ! Cherchez d'autres ordres, conseils ou recommandations que peuvent donner un médecin, un maire, un contrôleur, un guide ou un chef d'entreprise.**

13 **Transformez au discours indirect. (Rétablissez l'apostrophe si nécessaire.)**

Séance photos

1. Souriez !
2. Levez-vous !
3. Levez un bras !
4. Tenez-vous bien droite !
5. Tournez-vous !
6. Regardez derrière moi !
7. Ne bougez plus !
8. Ayez l'air content !

→ Le photographe demande à la jeune fille *de sourire,* ……

14 Transformez au discours indirect.

1. Mes parents n'arrêtent pas de me dire : « Aie confiance en toi, sois persévérant, ne te décourage pas. »
   → Ils n'arrêtent pas de me dire *d'avoir confiance en moi, de* ......
2. Je te le dis tous les jours : « Dépêche-toi en rentrant de l'école, ne traîne pas, mets-toi à ton travail tout de suite. » → Tous les jours, je te répète ......

15 Transformez au discours indirect.

1. Écrivez votre nom lisiblement, indiquez vos coordonnées, complétez le questionnaire et remettez-le à la secrétaire. → Je vous demande *d'écrire* votre nom lisiblement, ... vos coordonnées, ... le questionnaire et ...... à la secrétaire.
2. Fais un effort, lève-toi, viens avec moi et aide-moi. → Je te demande ...... un effort, ... , ... avec moi et ....
3. Asseyez-vous, attendez un instant et ne vous inquiétez pas. → Je vous demande ...... , ... un instant et ....

Bilan

16 Transformez au discours indirect en utilisant le verbe *demander.*

Au musée, paroles de guide

1. « Avez-vous des questions ? »
   → *Il demande aux visiteurs s'ils ont des questions.*
2. « Qu'est-ce que vous ne comprenez pas ? »
3. « Regardez bien. »
4. « Que voyez-vous au premier plan ? »
5. « Approchez-vous ! »
6. « Avez-vous aimé ? »
7. « Ne touchez pas ! »
8. « Quel tableau préférez-vous ? »

17 Transformez au discours indirect.

Les porte-parole

1. – Je peux emprunter votre échelle ?
   – Maman, c'est la voisine ! Elle nous demande *si elle peut emprunter notre échelle.*
   – Dis-lui ...... (Elle peut la prendre dans le garage.)
   – Elle demande ...... (Quand voulez-vous que je la rende ?)
   – Réponds-lui ...... (Nous n'en avons pas besoin en ce moment.)

2. – Mademoiselle, je dois voir monsieur Gatou.
   – Monsieur Gatou, madame Lenoir est là. Elle dit ......
   – Madame Lenoir, monsieur Gatou demande ...... (Est-ce que c'est urgent ?)
   – Dites à monsieur Gatou ...... (Il s'agit de la signature du contrat Péri.)
   – Madame Lenoir, monsieur Gatou dit ...... (Je vais la recevoir.) et vous demande ...... (Elle peut patienter quelques instants ?)

3. – Allô ? Philippe ? C'est Suzanne. Qu'est-ce que vous faites dimanche ?
   – Sophie, c'est ta mère au téléphone. Elle nous demande ......
   – Dis-lui ...... (Nous n'avons rien de prévu.)
   – Elle nous propose ...... (Venez déjeuner.)
   – Demande-lui ...... (Est-ce qu'on apporte quelque chose ?)

18 L'expression du temps

Les prépositions de temps

Observez

- Laurent vient d'être nommé à l'ONU à New York pour deux ans. Il y travaillera à partir du mois d'avril. Avant son départ, il mettra son appartement en vente ; sa femme le rejoindra là-bas après l'été. Ils y resteront jusqu'à la fin du contrat de Laurent. Ils ont beaucoup de démarches à faire avant de partir.
- John a vécu en France pendant cinq ans, de 2000 à 2005.
- Mon amie d'enfance est arrivée chez nous il y a deux jours et elle repartira dans deux semaines environ.
- On fait le trajet Paris-Marseille en trois heures, c'est formidable !
- Je connais mon mari depuis vingt-cinq ans.

a. Soulignez les prépositions de temps.

- **Avant** son départ, il mettra son appartement en vente.
- Ils ont beaucoup de démarches à faire **avant de** partir.

b. Associez.

Avant de • • **s'utilise devant un nom.**
Avant • • **s'utilise devant un verbe à l'infinitif.**

Entraînez-vous

1 Complétez avec *avant* ou *avant de* comme dans les exemples.

*Exemples : Je bois un grand verre d'eau **avant** mon petit-déjeuner.*
*Je bois un grand verre d'eau **avant de** prendre mon petit-déjeuner.*

1. Vous voulez un petit apéritif ...... passer à table ?
2. Tu bois quelque chose ...... le dîner ?
3. Vous devriez réserver une table ...... la fin de la semaine.
4. N'oubliez pas de confirmer votre réservation ...... venir.
5. Je vais demander des explications ...... commander.
6. Tu veux un fromage ...... le dessert ?
7. Attends la fin du repas ...... te lever !
8. Je prends mon médicament ...... le repas.
9. Demande au garçon ...... te décider.
10. J'ai un coup de fil à passer ...... dîner.

Observez

- **À partir de** demain, il sera interdit de fumer dans les bureaux.
- Je resterai dans cette entreprise **jusqu'à** la fin de mon contrat.
- La banque sera fermée **de** 13 heures **à** 15 heures.

Associez.

À partir de •	• **indique le début et la fin de l'action.**
De... à... •	• **indique le point de départ d'une action.**
Jusqu'à •	• **indique le point d'arrivée d'une action.**

Entraînez-vous

2 **Complétez avec *de... à...*. (Rétablissez l'apostrophe si nécessaire. Attention à l'article contracté.)**

1. Nous serons absents *du* 7 avril *au* 28 avril.
2. Elle a remplacé sa collègue ...... août ...... octobre.
3. Le magasin est ouvert ...... 9 heures ...... 19 heures.
4. Il a vécu à Strasbourg ...... 1995 ...... 1999.
5. Mon stage durera ...... 5 ...... 9 novembre.
6. Ils ont eu des épreuves ...... 8 heures du matin ...... 5 heures de l'après-midi.
7. Les cours de rattrapage auront lieu ...... avril ...... juin.
8. Il a travaillé quatre ans à Barcelone : ...... 1er janvier 1982 ...... 31 décembre 1985.
9. Généralement, les banques sont ouvertes ...... lundi ...... samedi.
10. Depuis la naissance de ses enfants, elle est occupée ...... matin ...... soir.

3 **Associez. (Plusieurs réponses sont possibles.)**

1. jusqu'à	a. semaine prochaine	1 *d*, ...
2. jusqu'au	b. 1er janvier	2 ......
3. jusqu'à la	c. prochaines vacances	3 ......
4. jusqu'aux	d. *minuit*	4 ......
5. à partir de	e. mi-juillet	5 ......
6. à partir du	f. 15 heures	6 ......
7. à partir de la	g. Noël	7 ......
8. à partir des	h. début novembre	8 ......

4 **Transformez avec *jusqu'à*, *jusqu'en* ou *à partir de* comme dans les exemples. (Attention à l'article contracté.)**

Exemples : J'ai vécu à Londres. (J'en suis parti en 2006.) → J'ai vécu à Londres jusqu'en 2006.
Je vais vivre à Lyon. (Je vais m'y installer le 1er mai.) → Je vais vivre à Lyon à partir du 1er mai.

Début ou fin ?

1. J'ai travaillé au bureau. (Je l'ai quitté à 19 heures.)
2. Nous sommes en vacances. (Nous reprenons le travail le 4 septembre.)

3. Il va habiter à Nice. (Il s'installera le mois prochain.)
4. Nous allons partir à la campagne. (Nous allons rentrer dimanche soir.)
5. Mes amis italiens logent chez moi. (Ils repartent la semaine prochaine.)
6. Le dentiste peut vous recevoir. (Il arrive à son cabinet à 13 heures.)
7. On passe l'été au bord de la mer. (On revient à Dijon en septembre.)
8. Elle va changer de travail. (Elle prendra un nouveau poste le 1er mars.)
9. Nous sommes restés à La Rochelle. (Nous avons attendu la fin du festival.)
10. Elle sera étudiante. (Elle commencera en octobre.)

Observez

J'ai repeint la cuisine **pendant** le week-end. J'ai repeint la cuisine **en** un seul week-end.

Associez.

En • • **indique la durée d'une action.**
Pendant • • **indique la durée nécessaire et suffisante pour réaliser quelque chose.**

Entraînez-vous

5 Associez.

1. *Il me faut trois heures pour aller à Dijon.*
2. Tu as mis une semaine pour écrire ton mémoire.
3. Vous prendrez une matinée pour terminer.
4. Ça lui a pris la soirée pour lire ce rapport.
5. Il m'a fallu une heure pour comprendre.
6. Ça leur prendra une demi-heure pour venir.
7. Il vous a fallu deux minutes pour décider.
8. Je mettrai cinq minutes pour faire les courses.

a. Ils viendront en une demi-heure.
b. Vous avez décidé en deux minutes.
c. Tu as écrit ton mémoire en une semaine.
d. *Je vais à Dijon en trois heures.*
e. Elle a lu ce rapport en une soirée.
f. Je ferai les courses en cinq minutes.
g. Vous terminerez en une matinée.
h. J'ai compris en une heure.

1	2	3	4	5	6	7	8
d	......	......	......	......	......	......	......

6 Complétez avec *en* et une durée de votre choix.

1. J'ai peint ce tableau *en deux mois.*
2. Nous avons réglé ce conflit ....
3. Elle a fait ce puzzle ....
4. Ils ont visité toute la ville ....
5. Il a écrit ce livre ....
6. Elle a accouché ....
7. Il a réparé mon ordinateur ....
8. Ils ont cambriolé toute la maison ....

7 **Complétez avec *pendant* ou *en*.**

1. Nous vous demandons de garder votre ceinture attachée *pendant* quelques minutes.
2. On a fait toutes sortes d'activités ...... des heures.
3. Quel sportif ! Il a couru le 100 mètres ...... dix secondes !
4. Je suis resté à la bibliothèque ...... cinq heures.
5. Eurostar va de Paris à Londres ...... trois heures.
6. Je n'habite pas loin. Tu peux être chez moi ...... cinq minutes.
7. Dans le train, j'ai dormi ...... deux heures.
8. ...... une seconde, il a compris la situation.
9. J'ai lu ce roman policier ...... une soirée.
10. Tu as vu cette publicité ? « Apprenez le russe ...... trois mois ! »

Observez

- John a vécu en France **pendant** cinq ans.
- Laurent vient d'être nommé à l'ONU à New York **pour** deux ans.

On utilise *pour* pour indiquer une durée prévue. ☐ **Vrai** ☐ **Faux**

Entraînez-vous

8 **Complétez avec *pour* et une durée de votre choix.**

1. La bibliothèque est fermée *pour trois mois* à cause des travaux.
2. Je pars travailler ...... en Argentine.
3. J'ai prévu de partir ...... mais je resterai peut-être plus longtemps.
4. Il est inscrit à la salle de sport ....
5. Elle est hospitalisée ...... : espérons qu'elle sera sortie pour Noël !
6. Ne t'inquiète pas, je me dépêche : je sors juste ....
7. Elles vont habiter chez moi ....

9 **Complétez avec *pour* ou *pendant*.**

Logement

1. Nous cherchons un appartement *pour* six mois seulement.
2. Ils ont habité tout près de chez moi ...... deux ans.
3. Il a eu de la chance, il n'a pas payé de loyer ...... deux mois.
4. J'ai trouvé un colocataire ...... un semestre, après on verra.
5. On a signé un bail ...... trois ans.

Mariage

6. Réfléchis bien ! On ne se marie pas ...... quelques mois, tu sais.
7. Ils se sont fréquentés ...... cinq ans, ils se connaissent bien.
8. Nous avons vécu ensemble ...... plus d'un an.
9. Luc et Léa ne sont pas là. Ils sont en voyage de noces ...... trois semaines.

Observez

- Mon amie d'enfance est arrivée chez nous **il y a** deux jours.
- Elle repartira **dans** deux semaines environ.

Associez.

Il y a • • **situe un fait dans le passé.**
Dans • • **situe un fait dans le futur.**

Entraînez-vous

10 **Complétez avec *dans* ou *il y a*.**

1. Je vous appellerai *dans* une semaine.
2. Il pense repartir ...... huit jours.
3. Je reviens ...... quelques minutes.
4. Nous nous sommes rencontrés ..... deux ans.
5. Elle est revenue ...... trois semaines.
6. Ils auront une réponse ...... deux mois au maximum.
7. Dépêchons-nous, le film commence ...... cinq minutes.
8. Il nous a contactés ...... plusieurs semaines déjà.
9. Je suis rentré ...... quelques jours seulement.
10. Tu peux rappeler ...... un quart d'heure ?

Observez

1. Je connais mon mari **depuis** vingt-cinq ans.
2. Le TGV circule en France **depuis** 1981.
3. Je n'ai pas de nouvelles de mes amis **depuis** le 1er janvier.
4. Je ne voyage plus **depuis** la naissance des jumeaux.
5. Je n'ai pas pris l'avion **depuis** trois ans.

a. *Depuis* indique que l'action n'est pas terminée au moment où l'on parle. ☐ **Vrai** ☐ **Faux**
b. Indiquez le numéro des phrases.
– ***Depuis* est suivi d'une expression de durée chiffrée :** ......
– ***Depuis* est suivi d'un nom exprimant un événement :** ......
– ***Depuis* est suivi d'une date :** ......

Entraînez-vous

11 **Mettez dans l'ordre.**

1. discutent / depuis / Ils / trois heures → *Ils discutent depuis trois heures.*
2. Nous / octobre dernier / ici / vivons / depuis
3. travaille / dans cette entreprise / depuis / Je / le mois de mars
4. Elles / ne / les cours / le mois dernier / depuis / suivent / plus
5. connaît / la famille Florentin / On / plusieurs années / depuis
6. Vous / l'autobus / longtemps / depuis / attendez / ?
7. parler / depuis / Tu / n' / pas / une heure / de / arrêtes
8. pleut / plus / depuis / Il / ne / une demi-heure

12 Faites des phrases comme dans l'exemple. Conjuguez les verbes au présent.

Exemple : ne plus se voir – Nous – deux ans → Nous ne nous voyons plus depuis deux ans.
Quoi de neuf ?
1. ne plus faire de sport – Elle – plusieurs années
2. mettre ce parfum – Tu – longtemps ?
3. ne plus se maquiller – Je – mon allergie
4. avoir des cours – On – le 1er octobre
5. ne plus assister aux réunions – Ils – quelques mois
6. ne plus sortir – Il – son accident
7. aller à la piscine – Je – le début de l'année
8. faire du yoga – Tu – de nombreuses années
9. ne plus voyager – Vous – la naissance de vos enfants

13 À vous ! Faites une petite liste de ce que vous avez commencé à faire ou arrêté de faire, en précisant la durée, le moment.

Exemples : Je ne fume plus depuis le 1er janvier. Je m'intéresse au jardinage depuis mon installation à la campagne...

Observez

Maria apprend le français **depuis** deux ans.
Cela fait deux ans **que** Maria apprend le français.
Il y a deux ans **que** Maria apprend le français.

a. « Cela fait deux ans que » et « Il y a deux ans que » sont synonymes de « depuis deux ans ».
☐ **Vrai** ☐ **Faux**

b. Les expressions *cela fait... que...* et *il y a... que...* se placent :
☐ **en début de phrase.** ☐ **en fin de phrase.**

Entraînez-vous

14 Transformez comme dans l'exemple. (Rétablissez l'apostrophe si nécessaire.)

Exemple : J'ai un ordinateur portable depuis trois mois. (Cela fait... que...) → Cela fait trois mois que j'ai un ordinateur portable.
1. Je travaille chez moi depuis deux ans. (Il y a... que...)
2. Elle va régulièrement à l'étranger depuis cinq ans. (Il y a... que...)
3. Nous sommes en formation depuis quatre semaines. (Cela fait... que...)
4. Il partage son bureau avec moi depuis six mois. (Il y a... que...)
5. Ils font un stage depuis un mois. (Cela fait... que...)
6. Tu cherches un travail depuis longtemps. (Cela fait... que...)
7. Elle est à la retraite depuis dix ans. (Il y a... que...)

Les conjonctions de temps

Observez

- J'aime me promener sur la plage **quand** il y a beaucoup de vent.
- Tu pourras faire la vaisselle **pendant que** je raccompagnerai Mamie chez elle ?
- Notre maison n'a pas été cambriolée **depuis que** nous avons un chien.
- J'arriverai à la maison **avant que** tu partes. Je pourrai rester **jusqu'à ce que** tu t'en ailles.

a. Le verbe est à l'indicatif après les conjonctions : ......, ..., ...

b. Le verbe est au subjonctif après les conjonctions : ......, ...

Entraînez-vous

15 Soulignez la forme qui convient.

1. Je me lève de bonne heure (*quand* – pendant que) j'ai un train à prendre.
2. Tu voyages plus (pendant que – depuis que) tu as une nouvelle voiture ?
3. Le téléphone n'a pas arrêté de sonner (pendant que – depuis que) tu dormais.
4. Nous ne leur avons pas téléphoné (depuis que – quand) nous sommes en vacances.
5. Elle vous a écrit (depuis qu' – quand) elle est à Bamako ?
6. Quelqu'un est venu (pendant que – depuis que) j'étais à la cafétéria ?
7. La prochaine fois, je fermerai la porte à clé (depuis que – quand) je sortirai de mon bureau.
8. Ils nous ont prévenus (depuis qu' – quand) ils ont appris leurs résultats.

16 Complétez avec *pendant que* ou *depuis que*. (Rétablissez l'apostrophe si nécessaire.)

1. Il est en forme *depuis qu'*il fait du sport régulièrement.
2. Ingrid et moi, on jouera aux cartes ..... tu regarderas un film.
3. Je bois du thé tous les matins ..... je suis allée en Inde.
4. Elle travaille chez elle ..... elle a des enfants.
5. Ils ont fait une longue promenade ..... je me reposais.
6. Tu peux m'attendre ..... je vais à la poste ?
7. Elles ne voient plus souvent leurs copines ..... elles ont changé d'école.
8. Ils partent aux sports d'hiver tous les ans ..... ils ont ce grand chalet.
9. Nous resterons avec les enfants ..... vous serez au restaurant.
10. Tu es plus heureux ..... tu as déménagé ?

17 Mettez dans l'ordre. (Rétablissez l'apostrophe si nécessaire.)

1. avant que / Pars / la nuit / tombe → *Pars avant que la nuit tombe.*
2. avant que / il / Je / vais rentrer / trop tard / soit
3. Reste / fasse jour / il / jusqu'à ce que
4. parte / jusqu'à ce que / On / le train / restera avec toi
5. vous / Il / avant que / arriviez / a plu
6. reviennes / Je / tu / ai travaillé / jusqu'à ce que
7. le magasin / Dépêchons-nous / ferme / avant que
8. Tu / avant que / soit / ne traverseras pas / rouge / le feu

18 **Complétez avec la conjonction qui convient. (Rétablissez l'apostrophe si nécessaire.)**

1. Ils sont restés au même endroit *jusqu'à ce que* (jusqu'à ce que – quand) je revienne.
2. Vous pourrez partir ...... (avant que – quand) j'arriverai.
3. Je n'ai rien fait ...... (jusqu'à ce que – quand) il rentre.
4. Mange un sandwich ...... (pendant que – avant que) on parte.
5. Nous avons joué au tennis ...... (jusqu'à ce que – pendant que) il fasse nuit.
6. Ils sont devenus très sportifs ...... (depuis que – jusqu'à ce que) ils ont acheté une piscine.
7. On se voyait souvent, Nathalie et moi, ... (avant que – pendant que) je vende ma maison.
8. Il est arrivé ...... (pendant que – avant que) je préparais le repas.
9. Elle ne répondra pas ...... (avant que – depuis que) tu lui dises la vérité.
10. Parlons-en ...... (avant que – quand) je prenne une décision.

Quand... ? Combien de temps... ?

Observez

Pour la phrase interrogative, voir chapitre 14.

– **Quand** avez-vous quitté votre dernier emploi ?
– Il y a six semaines, le 31 octobre.
– Vous avez travaillé à Madrid **pendant combien de temps** ?
– Pendant trois ans.
– Vous avez appris l'espagnol **en combien de temps** ?
– Vite, en six mois !
– Vous êtes rentré en France **il y a combien de temps** ?
– Il y a un peu plus d'un an.
– Et vous cherchez du travail **depuis combien de temps** ?
– Depuis plusieurs mois.
– **Depuis quand** exactement ?
– Depuis le 19 septembre.
– Vous voulez repartir, je suppose. **Dans combien de temps** ?
– Le plus rapidement possible.
– Et **pour combien de temps** ?
– Pour toujours, pourquoi pas !

a. Associez.

Question sur un moment • **• Combien de temps ?**
Question sur la durée • **• Quand ?**

b. À quelles prépositions *quand* et *combien de temps* peuvent-ils être associés ? Complétez.

...... **quand ?**

......
......
......
......
......
...... **combien de temps ?**

Entraînez-vous

19 **Associez. (Plusieurs réponses sont parfois possibles.)**

1. *Il part quand ?*
2. Ils sont rentrés à quelle heure ?
3. Elle cherche du travail depuis combien de temps ?
4. Il a trouvé un poste en combien de temps ?
5. Vous avez été recruté il y a combien de temps ?
6. Le contrat est signé pour combien de temps ?
7. Tu commences dans combien de temps ?

a. À minuit.
b. Depuis plusieurs mois.
c. Il y a un mois à peu près.
d. Pour un an.
e. *Dans dix jours.*
f. En deux semaines.
g. La semaine prochaine.

1	2	3	4	5	6	7
e, ...	......	......	......	......	......	......

20 **Posez les questions avec *quand* ou *combien de temps*.**

1. Le centre commercial ouvrira ses portes lundi 29 mai.
   → *Le centre commercial ouvrira ses portes quand ?*
2. Ce jour-là, il fermera à 22 heures.
3. On attend cet événement depuis cinq ans.
4. Le projet a été discuté pendant plus de trois ans.
5. Le magasin a été construit en deux ans.
6. Les travaux ont commencé il y a deux ans et demi.
7. La station-service est fermée le dimanche après-midi.
8. Le parking sera agrandi dans six mois.

Bilan

21 **Soulignez la forme qui convient.**

1. Lionel a commencé à étudier la trompette en 1905, (*il y a* – depuis) un peu plus de cent ans. Il a pris des cours (pendant – dans) quelques années et (à partir de – depuis) 1908, il a joué dans un orchestre de province. (Dans – En) cinq ans, il s'est fait une réputation mondiale. Il a donné des concerts (il y a – jusqu'à) sa mort.

2. Gabrielle a vécu en Auvergne (pendant – en) seize ans, (depuis qu' – jusqu'à ce qu') elle décide de quitter sa famille pour tenter sa chance à Paris. Elle est devenue célèbre (quand – jusqu'à ce qu') elle s'est installée dans la capitale où elle a fait fortune (il y a – en) quelques années dans le monde de la mode. (Pendant – Depuis) la guerre, elle a connu quelques difficultés, mais, grâce au parfum N° 5, son nom restera encore mythique (pendant – depuis) des siècles !

22 **À vous ! Racontez les différentes périodes de votre vie, de vos apprentissages…**

23 Complétez. (Rétablissez l'apostrophe si nécessaire.)

Ma vie au collège

jusqu'à ce que – pendant (2) – avant – avant de – il y a – *depuis*

Depuis (1) la semaine dernière, les élèves doivent présenter leur carte ...... (2) entrer au collège, parce que le jeudi 21 mars, ... (3) dix jours, un garçon étranger à l'établissement a pénétré dans une salle de classe et a menacé notre professeur de biologie avec un couteau ...... (4) une quinzaine de minutes, ... (5) Paul puisse sortir donner l'alerte. Mais le garçon a réussi à s'enfuir ...... (6) l'arrivée des surveillants : tout le monde a eu très peur, et bien sûr on n'a pas pu travailler ...... (7) toute la matinée !

depuis que – avant – jusqu'à – en – pendant

Je voudrais bien être comme Pauline, ... (8) je sais qu'elle est surdouée ! ...... (9) les contrôles, elle n'a pas besoin de relire ses leçons ...... (10) des heures ! Elle les révise ...... (11) quelques minutes et elle sait tout, et elle a les meilleures notes ! Et moi qui étudie parfois ...... (12) minuit, je n'ai pas toujours de bons résultats.

24 Complétez avec *depuis* ou *il y a*.

1. Il a son permis de conduire *depuis* six mois, il a eu un accident ...... trois semaines.
2. Ils se sont inscrits à l'Institut Cervantès ...... deux ans mais ils apprennent l'espagnol ...... cinq ans.
3. Je vis à Paris ...... le mois de septembre. J'ai découvert la ville ...... un an à peu près.
4. Tu as arrêté de fumer ...... quelques semaines, c'est bien, mais tu fumais ...... quinze ans !
5. Nous travaillons ensemble ...... le 1er janvier. Nous nous sommes associés ...... plusieurs mois.
6. Elles dormaient ...... 1 heure du matin. Elles ont été réveillées ...... cinq minutes.

25 Complétez avec *depuis* ou *il y a*.

Mes parents se sont mariés en 1980, *il y a* (1) vingt-cinq ans, et ...... (2) cette année-là ils ont toujours habité Marseille. Mon père voyageait beaucoup pour son travail, mais, fatigué de prendre des avions, il a décidé, ... (3) trois ans, d'ouvrir un restaurant sur le port. Ma mère, qui ...... (4) leur mariage travaillait dans une banque, a quitté son poste ...... (5) un an pour s'occuper du restaurant. ...... (6) l'ouverture, les affaires marchent très bien, les tables sont réservées tous les soirs ! Pour couronner ce succès, mes parents ont reçu, ... (7) quelques semaines, le prix de la meilleure bouillabaisse de Marseille ! Je ne les ai jamais vus si heureux ...... (8) ce jour-là !

19 Les relations logiques

L'expression de la cause

Observez

- – Je croyais que tu étais au cinéma. Pourquoi tu rentres si tôt ?
  – **Parce que** j'ai manqué la séance, je me suis trompée d'heure.
  – Bien, **puisque** tu es là, viens m'aider à ranger la cave !

- Je n'ai rien acheté **parce que** je n'avais pas assez d'argent.
  Comme je n'avais pas assez d'argent, je n'ai rien acheté.

a. Pour donner une explication que l'interlocuteur ne connaît pas, on utilise ......
b. Quand la cause est connue, on utilise ......
c. Quand on veut donner l'explication avant le fait, on commence la phrase par ......

Entraînez-vous

1 Mettez dans l'ordre. (Rétablissez l'apostrophe si nécessaire.)

1. l'a quittée / est triste / son ami / Brigitte / parce que → *Brigitte est triste parce que son ami l'a quittée.*
2. sommes fatigués / beaucoup dormi / nous / Nous / parce que / n'avons pas
3. fait / magnifique / Ils / sont heureux / ont / parce que / ils / un voyage
4. parce que / sont inquiets / ne sont pas encore / Xavier et Anne / rentrés / leurs enfants
5. de / Vous / réponse positive / n'avez pas / êtes déçu / vous / obtenu / parce que
6. perdu / tu / es furieux / Tu / parce que / ta carte de crédit / as
7. Je / parce que / n'ai pas encore reçu / de réponse / suis surpris / je

2 À vous ! Expliquez les sentiments que vous éprouvez en ce moment.

Exemple : Je suis content parce que j'ai réussi mon permis de conduire.

3 Soulignez la cause et faites des phrases en utilisant *comme* comme dans l'exemple.

Exemple : Il faut préparer une chambre. Elle arrive demain. → Comme elle arrive demain, il faut préparer une chambre.

Hôtel de la gare

1. Nous sommes trois. Nous aimerions une chambre plus grande.
2. Ils ont dû prendre un taxi. Il n'y avait plus de métro.
3. Vous ne pouvez pas rester plus longtemps. Vous n'avez pas réservé.
4. Il fait très chaud en été. L'hôtel est climatisé.
5. Les animaux n'étaient pas acceptés. J'ai changé d'hôtel.
6. Elles ont très mal dormi. Le quartier est très bruyant.
7. On était en demi-pension. On n'a jamais déjeuné à l'hôtel.

4 **Transformez les phrases comme dans les exemples. (Rétablissez l'apostrophe si nécessaire.)**

Exemples : Comme vous avez vraiment mal, vous pouvez prendre ces médicaments très forts.
→ Vous pouvez prendre ces médicaments très forts parce que vous avez vraiment mal.
Il doit aller passer une radio parce qu'il s'est fait une entorse à la cheville.
→ Comme il s'est fait une entorse à la cheville, il doit aller passer une radio.

SOS Médecins

1. Comme elle a une grave infection, elle va être hospitalisée.
2. Comme tu n'as pas de certificat médical, tu ne peux pas t'inscrire au club piscine.
3. Nous devons tout payer parce que nous n'avons pas notre attestation d'assurance.
4. Comme votre blessure saigne beaucoup, je vous conseille d'aller aux urgences.
5. Elle a souvent des malaises parce qu'elle ne se nourrit pas assez.
6. Il ne peut pas se déplacer facilement parce qu'il a la jambe plâtrée.

5 **Complétez avec *puisque* ou *parce que*. (Rétablissez l'apostrophe si nécessaire.)**

1. – Allô ? Carine, ne m'attends pas pour dîner *parce que* je vais rentrer tard.
   – Bon, eh bien, ... tu ne rentres pas tout de suite, j'ai le temps de préparer un dessert.
2. – Mamie, j'arrête la cassette ...... ce n'est pas intéressant.
   – D'accord mon chéri, et ...... tu ne regardes plus le film, éteins la télévision, s'il te plaît.
3. Quelqu'un a une autre idée ? Non ? Alors, ... personne ne fait de propositions, arrêtons la réunion ...... nous perdons notre temps.
4. Bravo, Laure, tu as encore progressé et ...... tes résultats sont excellents, tu as toutes tes chances pour le championnat du monde.
5. Dimanche, je serai seul ...... Sylvie et les enfants vont au Futuroscope. Alors, ... il n'y aura personne à la maison, je regarderai le match de foot au calme.
6. Monsieur, excusez-moi, cela fait une demi-heure que j'attends, alors, ... personne ne prend ma commande, je m'en vais.
7. – Pourquoi est-ce que Jürg retourne en Autriche ?
   – ...... il ne se plaît pas ici.

Observez

J'avais peur de me perdre sur les petites routes de campagne **à cause du** brouillard mais **grâce à** mon GPS, j'ai trouvé la maison de mes amis rapidement.

a. *À cause de* et *grâce à* sont suivis : ☐ **d'un nom.** ☐ **d'un verbe.**
b. Le résultat est positif. On utilise : ☐ ***à cause de.*** ☐ ***grâce à.***

Entraînez-vous

6 **Complétez avec *à cause de* ou *grâce à*. (Rétablissez l'apostrophe si nécessaire. Attention à l'article contracté.)**

1. La route est dangereuse *à cause de la* neige.
2. Ils ont remporté la médaille d'or ...... équipe féminine.
3. Le linge a séché rapidement ...... soleil.

4. Les salariés ont obtenu une augmentation ...... grève.
5. Notre pique-nique a été raté ...... vent.
6. J'arrive à travailler tard le soir ...... café.
7. La communication est facilitée ...... téléphones portables.
8. Nous n'avons pas reçu votre carte postale ...... grève.
9. Les carburants coûtent très cher ...... taxes.
10. On a mal dormi ...... orage.

7 **Complétez avec *à cause de* ou *grâce à*. (Rétablissez l'apostrophe si nécessaire. Attention à l'article contracté.)**

1. Nous avons été retardés *à cause des* embouteillages, excusez-nous.
2. J'ai retrouvé mon trousseau de clés ...... toi. Merci.
3. Elle n'aime pas être seule dans cette maison ...... bruits qu'elle ne connaît pas.
4. – L'appareil photo est cassé. Ce n'est pas ma faute ! C'est ...... elle !
   – Avec toi, c'est toujours ...... quelqu'un d'autre ! Tu ne fais jamais de bêtises, toi ?
5. Ils ont fait beaucoup de progrès ...... leur professeur.
6. La fête a été gâchée ...... mauvais temps.
7. Le trajet dure moins longtemps maintenant ...... la nouvelle ligne de métro.
8. Notre qualité de vie s'améliore ...... progrès technologiques.

8 **À vous ! Donnez des explications sur la réussite ou l'échec d'une de vos expériences.**

L'expression de la conséquence

Observez

- Ils sont arrivés en retard à la réunion, **donc** ils n'ont pas pu participer au vote.

- Le temps était **tellement** lourd **que** de violents orages ont éclaté.
  Il a **tellement** plu **que** de nombreuses routes ont été inondées.
  Tellement de routes ont été barrées **que** des automobilistes ont dû passer la nuit à l'hôtel.
  J'ai eu **tellement** peur **que** je ne suis pas sorti.

a. *Donc* introduit : ☐ **la conséquence.** ☐ **la cause.**

b. Pour insister sur l'intensité d'une cause, on utilise ......

c. Associez.

Devant un verbe •
Devant un adjectif •
Devant un nom •

• on utilise *tellement de*.
• on utilise *tellement*.

d. Avec certaines locutions verbales *(avoir chaud / froid / faim / soif / sommeil / peur / envie / mal*, etc. *faire plaisir / attention / mal / envie*, etc.), on utilise *tellement*, et non *tellement de*.
☐ **Vrai** ☐ **Faux**

e. Où se place *tellement* quand il est utilisé avec un verbe conjugué à un temps composé ?

Entraînez-vous

9 Mettez dans l'ordre.

Sur la route

1. nous faisons / 500 km à faire / Nous avons / donc / un plein d'essence
   → *Nous avons 500 km à faire donc nous faisons un plein d'essence.*
2. j'allume / est tombée / donc / mes phares / La nuit
3. tu as raté / Tu roulais / donc / la sortie d'autoroute / trop vite
4. Ma voiture / donc / je suis rentré / en panne / en auto-stop / est tombée
5. donc / elle ne peut pas / Elle a oublié / conduire / ses lunettes
6. était verglacée / ils ont roulé / donc / La chaussée / très lentement
7. nous avons dû / Nous nous sommes trompés / donc / faire demi-tour
8. énormément de bouchons / donc / Beaucoup de personnes / il y a / partent en week-end

10 Complétez avec *tellement* ou *tellement de*.

1. Ils ont *tellement* chanté qu'ils ne peuvent plus parler.
2. J'avais ...... soif que j'ai bu trois verres d'eau.
3. Le café était ...... chaud qu'elle s'est brûlé la langue.
4. On a ...... mangé à midi qu'on ne va pas dîner.
5. Il y avait ...... monde que certaines personnes sont restées debout.
6. Il a mangé ...... crème au chocolat qu'il a été malade !
7. La soirée était ...... réussie que les invités sont restés jusqu'à 4 heures du matin !
8. On avait prévu ...... boissons qu'il en reste encore beaucoup.

11 Mettez dans l'ordre. (Rétablissez l'apostrophe si nécessaire.)

Festival de Cannes

1. Le film / tellement / les spectateurs / mauvais / que / était / ont sifflé.
   → *Le film était tellement mauvais que les spectateurs ont sifflé.*
2. les larmes aux yeux / applaudi / Le public / tellement / que / a / l'actrice avait
3. tellement / journalistes / Il y avait / que / de / l'acteur / on ne voyait plus
4. riaient / tellement / on n'entendait pas / Les gens / que / les dialogues.
5. Certaines scènes / interdit aux moins de dix-huit ans / que / le film / sont / tellement / violentes / est
6. que / tellement / Le jeune acteur / fans / de / a / à sortir de l'hôtel / il a eu du mal

12 Soulignez la conséquence et faites des phrases comme dans l'exemple.

Exemple : Il était très fatigué. Il s'est endormi pendant le film.
→ *Il était tellement fatigué qu'il s'est endormi pendant le film.*

1. Elles n'entendent pas le téléphone. Elles sont concentrées sur leur travail.
2. Il va chez le médecin. Il a très mal.
3. Ce travail est délicat. Je fais très attention.
4. Il a du mal à y croire. Sa réussite est inattendue.
5. Ses parents sont très fiers. Ils ont prévenu toute la famille.
6. Je ne peux plus respirer. J'ai beaucoup couru.
7. Elle avait très envie de cette robe. Elle l'a achetée.

L'expression du but

Observez

- J'économise de l'argent **pour** partir en vacances cet été.
- Ma grand-mère m'a prêté de l'argent **pour que** je puisse partir en vacances cet été.
- Je n'ai pas de carte bancaire **pour** ne pas dépenser trop d'argent.

a. Associez.

***Pour* est suivi •** **• du subjonctif.**

***Pour que* est suivi •** **• de l'infinitif.**

b. On utilise l'infinitif quand le sujet grammatical est le même dans les deux propositions.

☐ **Vrai** ☐ **Faux**

c. Quelle est la place de la négation avec l'infinitif ?

Entraînez-vous

13 Mettez dans l'ordre. (Rétablissez l'apostrophe si nécessaire.)

1. découvrir / Ils / pour / voyagent / d'autres cultures → *Ils voyagent pour découvrir d'autres cultures.*
2. m'écrive / mon adresse / J'ai laissé / pour / à un ami / que / il
3. que / passions / Tout / est / pour / nous / un bon séjour / organisé
4. amuser / pour / Nous partons / nous / en vacances
5. rien / J'ai fait / ne / une liste / pour / oublier
6. à Berlin / progresser / Elle / va / pour / en allemand
7. sachions / J'ai acheté / pour / nous / un guide / où aller / que
8. pour / Nous / dormir / avons réservé / pas / une chambre d'hôtel / ne / sous la tente

14 Complétez avec *pour* ou *pour que*.

1. Téléphone-moi *pour* me donner l'heure du rendez-vous.
   ...... nous nous mettions d'accord.
   ...... je sache ce que je dois faire.
   ...... nous dire si tu viens.
2. Elle a appelé ...... s'excuser.
   ...... nous ne nous inquiétions pas.
   ...... nous soyons informés.
   ...... te prévenir.
3. Nous ne sommes pas venus ...... ne pas vous déranger.
   ...... vous vous reposiez.
   ...... je puisse terminer mon travail.
   ...... te permettre de ranger l'appartement.

15 **Faites des phrases avec *pour* + infinitif ou *pour que* + subjonctif.**

Dépêche-toi !
1. (ne pas manquer ton avion)
   → *Dépêche-toi pour ne pas manquer ton avion.*
2. (être à l'heure)
3. (tes amis – ne pas t'attendre)
4. (me faire plaisir)
5. (ne pas arriver en retard)

Entraîne-toi !

6. (être en forme)
7. (on – pouvoir courir ensemble)
8. (améliorer tes performances)
9. (ne pas grossir)
10. (on – s'inscrire au marathon)

16 **Transformez avec *pour* + infinitif ou *pour que* + subjonctif comme dans les exemples.**

Exemples : Nous allons voter. Nous élirons le président.
→ Nous allons voter pour élire le président.
Il faut voter. L'Assemblée nationale sera constituée.
→ Il faut voter pour que l'Assemblée nationale soit constituée.

1. Le ministre a réduit les impôts. Les gens pourront consommer plus.
2. Les candidats font une campagne électorale. Ils informent les électeurs.
3. La route a été bloquée. On fait des travaux.
4. Le maire a décidé de construire une deuxième école. De nouveaux élèves seront accueillis.
5. Un vieux bâtiment a été détruit. Le parc va être agrandi.
6. Un nouvel aéroport est prévu. Le trafic pourra se développer.
7. On a réparé la porte. On ne dérange plus les voisins.
8. Les travaux seront finis avant l'été. Les touristes ne seront pas gênés.

L'expression de l'opposition et de la concession

Observez

Au lieu de réviser pour ses examens, il regarde la télévision.

a. ***Au lieu de* est suivi : ☐ d'un verbe conjugué. ☐ d'un infinitif.**

b. « Au lieu de réviser pour ses examens, il regarde la télévision » signifie :
☐ Il regarde la télévision et en même temps, il travaille.
☐ Il ne travaille pas ; à la place, il regarde la télévision.

Le français est une langue latine **alors que** l'anglais est une langue germanique.

c. ***Alors que* veut dire : ☐ c'est la même chose. ☐ c'est complètement différent.**

d. ***Alors que* est suivi : ☐ de l'indicatif. ☐ du subjonctif.**

Entraînez-vous

17 **Transformez avec *au lieu de* comme dans l'exemple.**

Exemple : Viens t'amuser. Ne dors pas. → Viens t'amuser au lieu de dormir.

1. Économise. Ne dépense pas tout ton argent.
2. Prends le temps de réfléchir. Ne te précipite pas.
3. Explique-toi calmement. Ne crie pas.
4. Repose-toi. Ne passe pas tes week-ends à travailler.
5. Sors te promener. Ne reste pas enfermé.
6. Vas-y à pied. Ne prends pas la voiture.

18 **Associez et faites des phrases. (Rétablissez l'apostrophe si nécessaire.)**

1. *Les hamburgers sont américains.*
2. Il pleut à Marseille.
3. J'adore le cinéma.
4. Béatrice a déjà terminé son travail.
5. Nous arrivons toujours en avance.
6. Tu vis seul.
7. On aime faire la grasse matinée.

a. Il fait un temps magnifique à Lille.
b. Vous êtes vraiment matinaux.
c. Mon mari ne s'intéresse qu'au sport.
d. Ils sont régulièrement en retard.
e. Je partage un appartement avec trois étudiants.
f. Sa sœur n'a pas encore commencé.
g. *La paella est espagnole.*

1	2	3	4	5	6	7
g	......	......	......	......	......	......

→ *Les hamburgers sont américains alors que la paella est espagnole.*

Observez

- Elle sourit toujours, **pourtant** elle a beaucoup de soucis.
- Il est sorti de la salle **bien que** la réunion ne soit pas terminée.

a. Choisissez.

1. « Elle sourit toujours, pourtant elle a beaucoup de soucis » signifie :
- **a. Elle sourit toujours parce qu'elle n'a pas beaucoup de soucis.**
- **b. Elle a beaucoup de soucis mais elle sourit toujours.**
- **c. Elle a beaucoup de soucis, donc elle sourit toujours.**

2. « Il est sorti de la salle bien que la réunion ne soit pas terminée » signifie :
- **a. Il est sorti de la salle parce que la réunion était terminée.**
- **b. Comme la réunion était terminée, il est sorti de la salle.**
- **c. Il est sorti de la salle mais la réunion n'était pas terminée.**

b. *Pourtant* et *bien que* ont le même sens. ☐ **Vrai** ☐ **Faux**

c. On peut remplacer *pourtant* et *bien que* par *mais*. ☐ **Vrai** ☐ **Faux**

d. *Bien que* est suivi : ☐ **de l'indicatif.** ☐ **du subjonctif.**

Entraînez-vous

19 Mettez dans l'ordre.

C'est incompréhensible !

1. elle ne parle pas / à Berlin / Elle a vécu / pourtant / allemand couramment / vingt ans
   → *Elle a vécu vingt ans à Berlin, pourtant elle ne parle pas allemand couramment.*
2. Ils ont un chalet / ils n'aiment pas la neige / pourtant / dans les Alpes
3. pourtant / Je pars / j'ai facilement / faire une croisière / le mal de mer
4. beaucoup d'amis / Vous serez seul / vous avez / pour votre anniversaire / pourtant
5. Tu as donné / de travailler / pourtant / ta démission / tu as besoin
6. pour son avenir / au loto / il s'inquiète / pourtant / Il a gagné

20 À vous ! Donnez des exemples de faits qui ne vous semblent pas logiques. Utilisez *pourtant*.

Exemple : Mon frère fume beaucoup, pourtant il est très sportif.

21 Transformez comme dans l'exemple. (Rétablissez l'apostrophe si nécessaire.)

Exemple : Il a pris sa décision rapidement, pourtant il est généralement hésitant.
→ Il a pris sa décision rapidement bien qu'il soit généralement hésitant.

1. Nous nous sommes mis en colère, pourtant nous avons normalement le sens de l'humour.
2. Cette institutrice manque de patience, pourtant elle adore les enfants.
3. Tu réagis quelquefois assez brutalement, pourtant tu es quelqu'un de calme.
4. Les gens me trouvent sympathique, pourtant je dis des choses désagréables de temps en temps.
5. Il réussit très bien dans ses études, pourtant il est très lent.
6. Elle a beaucoup d'autorité, pourtant elle n'élève jamais la voix.
7. Vous êtes toujours enthousiaste, pourtant vous avez beaucoup de problèmes.

22 Transformez les phrases comme dans l'exemple.

Exemple : Je ne suis pas très sportive. Je pars faire du trekking au Népal.
→ Je pars faire du trekking au Népal bien que je ne sois pas très sportive.

En forme ?

1. Ils font beaucoup de sport. Ils n'ont pas d'endurance.
2. Nous nous mettons de la crème solaire. Nous attrapons des coups de soleil.
3. On boit souvent. On se déshydrate rapidement.
4. Elle mange peu. Elle grossit.
5. Il est très fatigué. Il se couche tard.
6. Elles sont enceintes. Elles continuent à fumer.
7. Je ne me sens pas bien. Je sors avec des amis ce soir.
8. Tu as très mal aux yeux. Tu regardes la télévision.

23 Soulignez la forme qui convient.

Les médias

1. (À cause de – *Grâce à*) Internet, tout le monde peut s'informer rapidement (pourtant – bien qu') on entende souvent les gens dire qu'ils ne sont pas au courant de l'actualité.
2. De plus en plus de gens regardent la télévision (pour – pour que) se distraire.
3. À la télévision, les émissions sportives ont un énorme succès (alors que – parce que) les débats politiques attirent très peu de monde.
4. (Parce que – Comme) les Français ne font pas complètement confiance aux journalistes, ils lisent moins de quotidiens et, (puisqu' – pour qu') il y a moins de lecteurs, certains journaux font faillite.
5. Les gens achètent moins la presse payante (parce que – pour que), maintenant, ils trouvent facilement des journaux gratuits.
6. Les radios libres se sont (tellement – donc) multipliées que le choix est énorme.
7. On peut aussi suivre l'actualité (à cause de – grâce à) son téléphone portable.
8. Beaucoup de publicités cherchent à séduire les jeunes (bien qu' – pour qu') ils achètent toujours de nouveaux appareils.

24 Complétez avec la forme qui convient. (Rétablissez l'apostrophe si nécessaire. Attention aux articles contractés.)

donc – *puisque* – grâce à

Madame Jaubert, *puisque* (1) vous êtes libre vendredi, je vous demanderai de remplacer monsieur Lévêque. ...... (2) vous, les élèves de 1re B auront cours, ... (3), n'oubliez pas de les prévenir.

au lieu de – pour que – comme

Bon, écoutez-moi, ... (4) je serai absent demain, je vous donne ces textes à préparer ...... (5) vous continuiez vos révisions ...... (6) perdre votre temps.

à cause de – alors que – tellement de

...... (7) examens, on a ...... (8) travail qu'on ne pourra pas tout faire pour demain, monsieur, ... (9) pendant le week-end, ce serait plus facile.

pourtant – bien que – alors que – pour

En ce moment, Sylvain ne travaille pas suffisamment, il manque de courage ...... (10) étudier, il n'est pas très motivé, ... (11) il sait que ses résultats seront très importants pour lui, ... (12) Caroline, elle, n'arrête pas de réviser ...... (13) elle ait toujours d'excellents résultats.

20 L'expression de la comparaison

Le comparatif

Observez

Le Renard II
Sortie en salle le 23 juin

- Un deuxième film **plus** original **que** le premier, mais **aussi** long (cinq heures !), et avec un scénario **moins** violent.
- L'action démarre **moins** vite, le héros apparaît **plus** tard, et pourtant les cinq heures de film passent **aussi** rapidement.
- **Plus d'**effets spéciaux **que** dans le premier film, mais **moins de** gadgets. La musique, elle, occupe **autant de** place. Saisissant !
- On rit **autant que** dans le premier film.
- Il plaira peut-être **moins** aux enfants **qu'**aux adolescents, et **plus** aux adultes.

a. Complétez le tableau des formes du comparatif.

	Supériorité	Égalité	Infériorité
Avec un adjectif	....	....	....
Avec un adverbe	....	....	....
Avec un nom	....	....	....
Avec un verbe	....	....	....

- De bons acteurs, **meilleurs que** dans le premier film, spécialement le rôle principal qui est **mieux** interprété.
- Les sketchs de Guibard : mauvais, encore **pires que** les précédents, **plus mauvais** les uns **que** les autres !

b. Associez.

meilleur •   **• bien**
mieux •   **• mauvais**
pire •   **• bon**

– Tu es allé au théâtre de l'Odéon ? Les travaux sont finis, la salle est magnifique. On voit **beaucoup mieux** qu'avant, et l'acoustique est **bien meilleure** !
– Malheureusement, les fauteuils ne sont pas tellement plus confortables
– Je ne suis pas d'accord, je trouve qu'avant, c'était **bien pire**, vas-y, tu verras que c'est **bien mieux**…

c. Associez.
Pour insister :

beaucoup •   **• mieux**
bien •   **• meilleur**
    • pire

- Elle est **comme** moi, elle adore le théâtre. On choisit souvent **les mêmes** spectacles.
- J'ai visité l'exposition **le même** jour **qu'**elles, à **la même** heure, pourtant je ne les ai pas vues !

d. ***Le même, la même, les mêmes*** **et** ***comme*** **indiquent une similitude.** ☐ **Vrai** ☐ **Faux**

e. Les expressions ***le même, la même, les mêmes*** **sont suivies de :** ☐ ***que.*** ☐ ***comme.***

Entraînez-vous

1 Faites des phrases comme dans l'exemple. (Attention à l'accord de l'adjectif.)

Exemple : l'Île-de-France (+ grand) – l'Alsace → L'Île-de-France est plus grande que l'Alsace.

Géographie de la France

1. la mer Méditerranée (+ chaud) – l'océan Atlantique
2. le Jura (– haut) – les Alpes
3. la Loire (+ long) – la Seine
4. le Nord (+ plat) – le Sud
5. au sud de la Seine, les pluies (– fréquent) – au nord
6. la côte basque (= ensoleillé) – la Côte d'Azur

2 Complétez.

1. Mon jeune frère est *plus travailleur* (+ travailleur) que mon frère aîné mais il n'est pas ...... (= vif).
2. Ma sœur est ...... (– généreuse) que moi, elle est ...... (+ économe).
3. Mes parents sont ...... (= dynamiques) que moi mais ils sont ...... (+ fatigués).
4. J'habite dans une maison neuve ...... (– jolie) et ...... (– grande) que celle de mon enfance.
5. Mes amis vivent dans les montagnes, ils ont une vie ...... (+ bonne) qu'ici, ils sont ...... (– stressés).

3 Mettez dans l'ordre. (Rétablissez l'apostrophe si nécessaire.)

1. plus / Les moyens / performants / de communication / avant / sont / que
   → *Les moyens de communication sont plus performants qu'avant.*
2. que / des informations / Internet / on / avant / Avec / facilement / trouve / plus
3. la technique / maintenant / Autrefois / développée / moins / que / était
4. confortablement / vivaient / Les gens / ne / aussi / que / pas / de nos jours
5. Les offres culturelles / plus / que / nombreuses / sont / dans ma jeunesse
6. actuellement / La qualité de la vie / que / peut-être / meilleure / était

4 Transformez comme dans les exemples. Deux réponses sont parfois possibles. (Attention à l'accord de l'adjectif.)

Exemples : Ces plats sont bien présentés, mais là-bas ils sont ***bien mieux / beaucoup mieux*** *présentés.*
Leur vin est assez mauvais, mais celui-là est ***bien plus mauvais / bien pire*** *!*

1. Mon café est bon, mais le sien est ....
2. Je cuisine bien, mais tu cuisines ...... / ...... !
3. Ici, ils vendent de bons produits, mais chez Diérard, ils en vendent de ....
4. Cette crème est bonne, mais la mienne est ....
5. Je trouve ces bonbons à l'orange vraiment mauvais, mais ceux au miel sont ...... / ...... !
6. Elles sont pas mal, ces glaces, et si tu ajoutes de la crème chantilly, elles seront ...... !
7. Une sauce tomate va bien avec cette viande, mais une sauce béarnaise ira ...... / ....

5 **Complétez avec *plus de… que de, moins de… que de, autant de… que de.***

L'arc-en-ciel
1. Dans le rose, il y a *autant de* rouge *que de* blanc.
2. Dans le gris clair, il y a ...... blanc ...... noir.
3. Dans le violet, il y a ...... bleu ...... rouge.
4. Dans le vert foncé, il y a ...... jaune ...... bleu.
5. Dans le marron, il y a ...... noir ...... rouge.
6. Dans l'orange, ... rouge ...... jaune.

6 **À vous ! Dites ce qu'il y a dans le gris foncé, l'orange clair, le rose foncé, le marron clair, le vert clair.**

7 **Transformez comme dans l'exemple. (Attention à l'apostrophe.)**

Exemple : Aujourd'hui, on a eu ...... (– pluie) (hier). → Aujourd'hui, on a eu ***moins de pluie qu'hier****.*
1. Cette année, il est tombé ...... (= neige) (l'hiver dernier).
2. Ce matin, la météo annonce ...... (– nuages) (hier).
3. Hier, il y a eu ...... (+ éclaircies) (aujourd'hui).
4. Cet après-midi, il a fait ...... (– vent) (ce matin).
5. Cette semaine, il est prévu ...... (+ soleil) (la semaine dernière).
6. Cet automne, on a eu ...... (= orages) (cet été).

8 **Complétez avec *comme* ou *que*. (Rétablissez l'apostrophe si nécessaire.)**

1. Tu parles *comme* ton père, tu as la même voix *que* lui.
2. Elle écrit ...... sa mère, elle a la même écriture ...... elle.
3. Vous avez la même réaction ...... les autres, vous réagissez ...... eux.
4. Tu as les mêmes expressions ...... moi, tu t'exprimes ...... moi.
5. Elle sourit ...... sa grand-mère, elle a le même sourire ...... elle.
6. Ma sœur se coiffe ...... toi, elle a la même coiffure ...... toi.
7. Elle a le même style ...... nous, elle s'habille ...... nous.
8. Tu ris ...... tes frères, tu as le même rire ...... eux.

9 **Transformez comme dans l'exemple. (Rétablissez l'apostrophe si nécessaire.)**

Exemple : je vais au collège – Julie → Je vais au même collège que Julie.
1. elle prend le bus – moi
2. nous avons les professeurs – l'année dernière
3. je suis du quartier – elle
4. nos amies vont au centre sportif – nous
5. le directeur habite l'immeuble – mon oncle
6. Julie va aller au lycée – moi

10 **Mettez dans l'ordre puis complétez comme dans l'exemple. (Attention à l'apostrophe.)**

Exemple : On / plus / admiré / les toiles / a / (les photos)
→ On a plus admiré les toiles que les photos.
1. moins / J'ai / ses tableaux / aimé / (ses sculptures)
2. J'ai / ce restaurant / autant / apprécié / (l'autre)
3. autant / marché / Nous / n'avons pas / (hier)
4. Nous / mieux / suivi / la conférence / avons / (les débats)
5. Ils / intervenus / moins / sont / (d'habitude)
6. me suis / mieux / Je / aujourd'hui / organisé / (hier)

11 Choisissez et complétez. (Rétablissez l'apostrophe si nécessaire.)

meilleure – autant de – *mieux que* – plus... que

– Alors, comment tu te sens, ce soir ? Tu as encore de la fièvre ?
– Oui, malheureusement ! Ça ne va pas *mieux que* (1) ce matin ! J'ai ...... (2) fièvre, j'ai dormi toute la journée et pourtant je me sens encore ...... (3) fatiguée ...... au petit-déjeuner.
– Bon, j'espère que tu vas passer une bonne nuit et que tu seras en ...... (4) forme demain !

aussi – moins – meilleure – le même

– Donc, je continue ...... (5) traitement, docteur ?
– Absolument. Mais je vais vous donner aussi du Génovan, c'est un médicament un peu ...... (6) fort et qui devrait donner d'...... (7) bons résultats. Voilà ! Au revoir, madame, et je vous souhaite une ...... (8) santé !

12 Choisissez et complétez.

mieux – *la même* – plus de – le même – moins de – meilleur – plus – moins

– Tu sais, je cherche toujours un studio à louer, hier, j'en ai visité deux qui me plaisent assez, et je n'arrive pas à choisir ! Ils font *la même* (1) surface et ils sont dans ...... (2) quartier.
– Raconte !
– Le premier a ...... (3) lumière parce qu'il est ...... (4) exposé, mais il a ...... (5) charme, il est dans un immeuble ...... (6) récent et moi, je préfère l'ancien, tu me connais.
– Et les loyers ?
– Le deuxième coûte un peu ...... (7) cher.
– Alors, n'hésite pas, prends-le, il est ...... (8) marché, et tu n'aimes pas le moderne !
– Tu as raison !

13 Observez les tableaux et complétez.

École ABCD
• Depuis 1980
• 12 classes
• Au centre-ville
• 20 heures de cours par semaine
• 400 € par semaine
• Langues étudiées : anglais, arabe, chinois, russe
• Laboratoire de langues

École Juliéna
• Depuis 2000
• 15 classes
• Dans notre parc de 10 hectares
• 20 heures de cours par semaine
• 440 € par semaine
• Langues étudiées : chinois, russe
• Laboratoire de langues et médiathèque

1. L'école Juliéna est *plus* récente *que* l'école ABCD.
2. L'école ABCD a ...... classes ...... l'école Juliéna.
3. Pour le calme, l'école Juliéna est ...... située.
4. À l'école ABCD, il y a probablement ...... bruit.
5. L'école ABCD offre ...... heures de cours par semaine ...... l'école Juliéna.
6. Une semaine à l'école ABCD est ...... chère ...... à l'école Juliéna.
7. On peut étudier ...... langues à l'école Juliéna.
8. L'école Juliéna paraît ...... équipée ...... l'école ABCD.

14 À vous ! Vous comparez deux clubs de vacances, deux stations de sports d'hiver...

Le superlatif

Observez

CINÉMA LA BOBINE

SÉANCE DE 18 h
- Le jour **le plus** long
- **Nos meilleures** années
- **La moins** spéciale **de** nos missions
- **La plus** mauvaise affaire **du** siècle
- **Les pires** dangers **de** tous les temps

SÉANCE DE 20 h
- Celle qui arrivera **le plus** loin
- **Le moins** souvent sera **le mieux !**

SÉANCE DE 22 h
- La femme qui parlait **le plus**
- La route qui tournera **le moins** sera la bonne

SÉANCE DE MINUIT
- **Le plus de** fous dans **le moins d'**espace possible !

a. Cochez.

	Avec un nom	Avec un adjectif	Avec un verbe ou avec un adverbe
le plus, la plus, les plus *le moins, la moins, les moins*			
le plus de, le moins de			
le plus, le moins			

b. Complétez : « La moins spéciale …… nos missions. »

Un bel homme, **le plus bel** homme, l'homme **le plus beau.**

c. Au superlatif, les adjectifs normalement placés devant le nom (voir chapitre 1) peuvent se placer devant ou derrière le nom. ☐ Vrai ☐ Faux

d. Si l'adjectif est placé derrière le nom, on doit répéter l'article. ☐ Vrai ☐ Faux

Entraînez-vous

15 Complétez puis associez.

Comment sont-ils ?

1. Il écrit beaucoup : c'est lui qui écrit *le plus*.
2. Elle ne réagit pas beaucoup, c'est elle qui réagit …… .
3. Il rit beaucoup : c'est lui qui rit …… .
4. Je ne travaille pas beaucoup : c'est moi qui travaille …… .
5. Vous protestez souvent : c'est vous qui protestez …… .
6. Il n'intervient pas souvent : c'est lui qui intervient …… .
7. Il mange beaucoup : c'est lui qui mange …… .

a. paresseux
b. gai
c. timide
d. passive
e. gourmand
f. *studieux*
g. râleur

1	*f*
2	……
3	……
4	……
5	……
6	……
7	……

16 **Répondez comme dans l'exemple. (Attention aux articles contractés.)**

Exemple : C'est la plus jolie plage (la côte) ? → Oui, c'est la plage la plus jolie de la côte !
1. C'est le plus beau monument (la ville) ?
2. C'est le plus grand jardin (le quartier) ?
3. C'est la plus petite place (le village) ?
4. C'est le plus haut sommet (les environs) ?
5. Ce sont les meilleurs restaurants (l'arrondissement) ?
6. C'est le plus vieux château (la région) ?
7. C'est le plus bel immeuble (la résidence) ?

17 **Transformez avec le superlatif.**

Avec notre agence, nous vous garantissons :
1. Un accueil chaleureux. → *L'accueil le plus chaleureux.*
2. Des vacances réussies.
3. Un bon prix.
4. Un soleil éclatant.
5. Un bronzage séduisant.
6. Des excursions bien organisées.
7. Des rencontres insolites.
8. Des souvenirs incroyables.

18 **Complétez avec le superlatif. (Attention à l'accord des adjectifs.)**

Pour vous, c'est quoi...
1. le vêtement (+ original) → *le vêtement le plus original ?*
2. l'invention (+ génial)
3. le sport (– violent)
4. les films (+ amusant)
5. les professions (+ intéressant)
6. le moyen de transport (– cher)

19 **À vous ! Vous posez le même type de questions à vos camarades pour connaître leurs goûts.**

20 **Complétez avec le superlatif. (Attention à l'accord des adjectifs.)**

Il habite dans *le plus beau* (+ beau) palais du royaume, il se fait faire des costumes dans les étoffes ...... (+ riche), et ses chaussures dans ...... (+ bon) cuirs. Elle vit dans la maison ...... (+ pauvre) du village, elle a ...... (– joli) habits, mais ...... (+ beau) yeux du monde. Est-ce qu'ils se rencontreront pour former ...... (+ heureux) des familles ?

21 **Complétez avec *le meilleur, la meilleure, les meilleurs, les meilleures* ou *le mieux*.**

Bravo !
1. Toute l'équipe a bien joué, vous êtes *les meilleurs* !
2. Vous avez su trouver ...... occasions !
3. Vous jouez tous bien, mais je trouve que c'est toi qui as ...... joué !
4. Ce soir, nous allons passer ...... soirée de la saison !
5. Je vous ai vraiment entraînés ...... possible, et ça a marché !
6. C'est notre équipe qui a ...... classement.
7. Vous allez être ...... équipe du monde, et vous le méritez !

22 **Soulignez l'expression de comparaison qui convient.**

– Bonjour, je serais intéressée par une télévision, mais je suis un peu perdue, vous pouvez m'aider ? Il y en a tellement, encore (*plus que* – comme) dans votre catalogue !
– Oui, madame. Qu'est-ce qui vous intéresserait ?
– J'hésite entre ces deux-là.
– Alors, elles ont toutes les deux à peu près (la même – les mêmes) dimensions. Celle-ci est un tout petit peu (moins – aussi) large, elle fait trois centimètres de (moins – plus) en largeur et elle a peut-être un (meilleur – meilleurs) son. Mais avec l'autre, vous voyez (mieux – meilleur) les nuances de couleur, regardez, on a une (bien pire – bien meilleure) qualité d'image.
– Oui, c'est très net ! Et pourtant elle est (moins – comme) chère !
– Pour le rapport qualité/prix, vous ne trouverez pas (mieux – autant) ! C'est vraiment (la plus intéressante – la moins intéressante), c'est ce qui se fait de (mieux – pire) actuellement !
– Bon, je vais prendre un peu (plus de – autant de) temps pour réfléchir parce que ça fait (plus – aussi) cher que je ne pensais. En tout cas, je vous remercie, monsieur.

23 **Complétez.**

Publicités

1. la meilleure – la même – *moins*

Voilà l'hiver, et bien sûr, vous êtes *moins* dynamique qu'en été, vous n'avez plus ...... énergie !
Alors réagissez vite, achetez le super yaourt Mujik, et vous vivrez ...... des saisons !

2. moins – les plus – meilleur

Avec les lits Pépada, nous vous garantissons un ...... sommeil et ...... beaux rêves ! Et si vous trouvez ...... cher ailleurs, nous vous remboursons la différence !

3. bien mieux – le plus – plus de

Grâce au dentifrice Gentident, vous aurez le sourire ...... éclatant ! Et pour ...... blancheur, utilisez-le très régulièrement, vous vous sentirez ...... qu'avant !

24 **À vous !** **Proposez des slogans publicitaires pour les produits de votre choix.**

Précis grammatical

I Le groupe du nom et les pronoms

Le nom

Le nom indique l'identité ou désigne des personnes, des animaux, des événements, des choses ou des idées.

Le genre

Tous les noms sont du genre masculin (m) ou féminin (f).
• Les noms d'**inanimés** ont un genre fixe.
➠ *Exemples : train (m), bureau (m), voiture (f), idée (f).*
• Les noms terminés par *-ment, -eil, -ier, -isme, -oir, -eau, -ail, -in, -al, -teur, -age* et *-on* sont souvent **masculins**.
• Les noms terminés par *-té, -ude, -ette, -aille, -ie, -ade, -esse, -ure, -ance, -ence, -ure, -tion, -son* et *-eur* sont souvent **féminins**.

Le genre des noms de **personnes** et **d'animaux** (noms d'animés) correspond presque toujours au sexe.
➠ *Exemples : homme (m), femme (f), père (m), mère (f), enfant (f/m), cheval (m), jument (f).*

Pour former le féminin des noms d'animés :	Masculin	Féminin
On ajoute généralement -***e*** au nom masculin.	*marchand, ami*	*marchand**e**, ami**e***
Cas particuliers		
• noms masculins terminés par ***-e*** → même forme	*journaliste*	*journaliste*
• noms masculins terminés par ***-er*** → ***-ère***	*boulang**er***	*boulang**ère***
• noms masculins terminés par ***-(i)en*** → ***-(i)enne***	*chi**en**, Europé**en***	*chi**enne**, Europé**enne***
• noms masculins terminés par ***-eur*** → ***-rice***	*conduct**eur***	*conduct**rice***
• noms masculins terminés par ***-eur*** → ***-euse***	*coiff**eur***	*coiff**euse***
• formes très différentes au masculin et au féminin	*frère, oncle, neveu...*	*sœur, tante, nièce...*

Le nombre

Les noms comptables peuvent être au singulier et au pluriel.

Pour former le pluriel des noms :	Singulier	Pluriel
On ajoute généralement -***s*** au nom singulier.	*chaise*	*chaise**s***
Cas particuliers		
• noms singuliers terminés par ***-eu*** et ***-eau*** → on ajoute ***-x***	*cheveu, bureau*	*cheveu**x**, bureau**x***
• noms singuliers terminés par ***-al*** → ***-aux***	*journal*	*journ**aux***
• noms singuliers terminés par ***-s*** et ***-x*** → même forme	*tapis, prix*	*tapis, prix*

Les articles

	Masculin singulier	Féminin singulier	Pluriel
Article défini	***le*** *père* ***l'****oncle*	***la*** *mère* ***l'****amie*	***les*** *enfants* ***les*** *amis*
Article indéfini	***un*** *cadeau*	***une*** *lettre*	***des*** *messages*
Article partitif	***du*** *pain* ***de l'****argent*	***de la*** *volonté* ***de l'****eau*	

On utilise **l'article défini** pour :

• désigner une personne ou une chose connue.

→ *Les enfants de ma sœur sont adorables. (Les enfants sont connus.)*

• désigner une personne ou une chose précise.

➡ *Exemple : Donne-moi la tasse qui est sur la table. (La tasse est déterminée par la proposition relative ; c'est une tasse précise.)*

• désigner une généralité.

➡ *Exemple : J'aime le chocolat. (J'aime le chocolat en général.)*

Attention !

à + le → ***au*** *de + le →* ***du***

à + les → ***aux*** *de + les →* ***des****.*

➡ *Exemples : Je parle au monsieur. / Je pose une question aux artistes. / C'est le sac du monsieur. / C'est le spectacle des artistes.*

On utilise **l'article indéfini** :

• devant des noms comptables indéterminés.

➡ *Exemple : Je voudrais une baguette et des croissants.*

• pour désigner une personne ou une chose non identifiée.

➡ *Exemple : Tu connais un bon médecin ?*

On utilise **l'article partitif** devant un nom concret non comptable ou devant un nom abstrait.

➡ *Exemples : Je voudrais de l'eau ! (On ne peut pas compter l'eau.) Il a du courage et de la chance.*

L'omission des articles indéfinis et partitifs

Les articles indéfinis et partitifs ne sont pas utilisés dans les cas suivants :

• après un verbe à la forme négative, ils deviennent **de** ou **d'**.

➡ *Exemples : Il veut une voiture. → Il ne veut pas de voiture. / Il a du temps. → Il n'a pas de temps.*

• après une expression de quantité (*beaucoup de, assez de, plus de, une bouteille de, un paquet de*...), il n'y a **pas d'article**.

➡ *Exemple : Il boit peu de vin mais beaucoup d'eau, un litre d'eau par jour au moins.*

• après le verbe *être* pour indiquer la profession d'une personne, il n'y a pas d'article.

➡ *Exemple : Elle est photographe.*

Attention ! Si la phrase commence par *C'est (Ce sont)*, l'article reste.

➡ *Exemples : C'est une journaliste très compétente. / Ce sont des endroits touristiques.*

Les adjectifs qualificatifs

Les adjectifs qualificatifs servent à décrire ou à caractériser un nom ou un pronom. Ils s'accordent en genre et en nombre avec le nom ou le pronom.
➠ *Exemples : un pull vert / une robe longue / Paul est grand. / Ils sont bruns.*

Pour former le féminin des adjectifs qualificatifs :

	Masculin	**Féminin**
On ajoute généralement **-e** à l'adjectif masculin	*général, petit, pur, poli, espagnol*	*généra**le**, peti**te**, pur**e**, poli**e**, espagno**le***
Cas particuliers		
• adjectifs masculins terminés par **-e** → même forme	*calme, agréable*	*calme, agréable*
• adjectifs masculins terminés par **-er** → **-ère**	*lég**er**, fi**er**, ch**er***	*lég**ère**, fi**ère**, ch**ère***
• adjectifs masculins terminés par **-(i)en** → **-(i)enne**	*coré**en**, anc**ien***	*coré**enne**, anc**ienne***
• adjectifs masculins terminés par **-on** → **-onne**	*b**on**, bret**on***	*b**onne**, bret**onne***
• adjectifs masculins terminés par **-el** → **-elle**	*cru**el**, mensu**el***	*cru**elle**, mensu**elle***
• adjectifs masculins terminés par **-eux** → **-euse**	*heur**eux***	*heur**euse***
• adjectifs masculins terminés par **-f** → **-ve**	*neu**f**, vi**f***	*neu**ve**, vi**ve***
• formes très différentes au masculin et au féminin	*fou, blanc, doux*	*folle, blanche, douce*

Pour former le pluriel des adjectifs qualificatifs :

	Singulier	**Pluriel**
On ajoute généralement **-s** à l'adjectif singulier	*intéressante*	*intéressante**s***
Cas particuliers		
• Adjectifs singuliers terminés par **-eau** → on ajoute **-x**	*beau*	*beau**x***
• Adjectifs singuliers terminés par **-al** → **-aux**	*spéci**al**, nation**al***	*spéci**aux**, nation**aux***
Attention !	*ban**al**, fin**al***	*ban**als**, fin**als***
• Adjectifs singuliers terminés par **-s** et **-x** → même forme	*suédois, vieux*	*suédois, vieux*

Place des adjectifs qualificatifs dans le groupe nominal

Les adjectifs exprimant : la nationalité, la spécificité, la forme, la couleur et l'appréciation ou le jugement sont toujours placés **derrière** le nom.
➠ *Exemples : un ami belge, un téléphone portable, une assiette ronde, un stylo rouge, un film passionnant.*

Certains adjectifs sont toujours placés **devant** le nom : *beau, bon, dernier, grand, jeune, joli, long, mauvais, meilleur, nouveau, petit.*
➠ *Exemples : Un beau pull, une bonne adresse, un grand arbre.*

Attention ! Devant un nom masculin commençant par une voyelle ou un *h* muet, *beau → bel / nouveau → nouvel / vieux → vieil.*
➠ *Exemples : un bel immeuble, un nouvel étudiant, un vieil ami.*

Les adjectifs et les pronoms démonstratifs

On utilise les adjectifs et les pronoms démonstratifs pour désigner une personne, une chose ou un objet. L'adjectif s'accorde avec le nom qu'il précède, le pronom prend le genre et le nombre du nom qu'il remplace.

	Masculin singulier	Féminin singulier	Masculin pluriel	Féminin pluriel
Adjectif	***ce*** *disque* ***cet**** *ordinateur*	***cette*** *cassette*	***Ces*** *livres*	
Pronom	**celui**	**celle**	**ceux**	**celles**

* **Attention !** Lorsque le nom masculin commence par une voyelle ou un *h* muet, *ce* devient *cet.*

Le pronom démonstratif est toujours suivi d'une des trois précisions suivantes :
• préposition *de* + nom.
➠ *Exemples : Cette voiture ? C'est celle* ***de Paul.*** */ Ce vélo, c'est celui* ***de ma mère****.*
• proposition relative.
➠ *Exemple : Ces fruits sont ceux* ***que j'ai achetés ce matin****.*
• *-ci* ou *-là*, qui servent à désigner quelque chose.
➠ *Exemple : Tu préfères quel pull ? Celui-****ci*** *ou celui-****là*** *?*

Attention ! On ne dit pas *c'est ~~celui-là de mon frère~~* mais *c'est celui de mon frère* (sinon, il y a deux précisions).

Les adjectifs et les pronoms possessifs

On utilise les adjectifs et les pronoms possessifs pour exprimer un rapport de possession. Leur forme varie selon la personne du possesseur. L'adjectif s'accorde avec le nom qu'il précède ; le pronom prend le genre et le nombre du nom qu'il remplace.

Formes des adjectifs et pronoms possessifs

Un possesseur		Plusieurs possesseurs	
Masculin	**Féminin**	**Masculin**	**Féminin**
mon sac → ***le mien*** *mes sacs* → ***les miens***	*ma robe* → ***la mienne*** *mes robes* → ***les miennes***	*notre ami* → ***le nôtre*** *nos amis* → ***les nôtres***	*notre amie* → ***la nôtre*** *nos amies* → ***les nôtres***
ton frère → ***le tien*** *tes frères* → ***les tiens***	*ta sœur* → ***la tienne*** *tes sœurs* → ***les tiennes***	*votre avis* → ***le vôtre*** *vos avis* → ***les vôtres***	*votre idée* → ***la vôtre*** *vos idées* → ***les vôtres***
son chien → ***le sien*** *ses chiens* → ***les siens***	*sa souris* → ***la sienne*** *ses souris* → ***les siennes***	*leur vélo* → ***le leur*** *leurs vélos* → ***les leurs***	*leur voiture* → ***la leur*** *leurs voitures* → ***les leurs***

Attention ! Lorsque le nom féminin commence par une voyelle ou un *h* muet, *ma, ta* et *sa* deviennent *mon, ton* et *son.*

Les pronoms personnels

Les pronoms personnels remplacent un nom ou un groupe nominal.
➠ *Exemples : Bruno est avocat. → **Il** est avocat. / Je connais cet avocat célèbre. → Je **le** connais.*

Les pronoms sujets et les pronoms toniques

Pronoms sujets	Pronoms toniques
je	**moi**
tu	**toi**
il	**lui**
elle	**elle**
nous	**nous**
vous	**vous**
ils	**eux**
elles	**elles**

Le pronom sujet *on* :
• désigne une personne indéterminée.
➠ *Exemple : En France, on parle français.*
• est souvent employé à la place de *nous* dans la langue familière. Il peut être renforcé par le pronom tonique *nous*.
➠ *Exemple : Dimanche, nous, on va partir à la campagne.*

Attention ! Avec le pronom *on* sujet, le verbe se conjugue à la troisième personne du singulier.

On utilise les pronoms **toniques** :
• pour insister sur le sujet. ➠ *Exemple : Lui, il habite à Lyon.*
• avec la forme affirmative de l'impératif des verbes pronominaux.
➠ *Exemple : Lève-toi. (se lever)*

Les pronoms compléments d'objet direct

me / m' **te / t'** **le / l'** **la / l'** **nous** **vous** **les**	On utilise ces pronoms avec des verbes transitifs directs (cf. *Les constructions verbales*). ➠ *Exemples : Il **me** voit.* (voir quelqu'un) / *Je **t'**entends.* (entendre quelqu'un) / *Nous **l'**aidons.* (aider quelqu'un) / *On **la** regarde.* (regarder quelque chose ou quelqu'un) / *Elle **nous** attend.* (attendre quelqu'un) / *Je **vous** écoute.* (écouter quelqu'un) / *Il **les** achète.* (acheter quelque chose)

Attention ! ***Le, la, les*** remplacent des choses ou des personnes.
Attention ! Avec la forme affirmative de l'impératif, on utilise le pronom tonique *moi*.
➠ *Exemple : Regardez-moi.*

en	***En*** remplace un nom de chose ou de personne précédé d'une quantité (article partitif, nombre, adverbe de quantité, nom représentant une quantité). ➠ *Exemples : Je bois du café tous les jours. → J'**en** bois tous les jours. / Je bois une tasse de café le matin. → J'**en** prends **une** tasse le matin. / Elle a beaucoup d'enfants. → Elle **en** a **beaucoup**.*

Les pronoms compléments d'objet indirect

me / m' **te / t'** **lui** **nous** **vous** **leur**	On utilise ces pronoms avec des verbes transitifs indirects suivis de la préposition **à** + **nom de personne** (cf. *Les constructions verbales*). ➠ *Exemples : Il **me** parle.* (parler à quelqu'un) / *Je **t**'envoie un mail.* (envoyer à quelqu'un) / *On **lui** explique.* (expliquer à quelqu'un) / *Ils **nous** demandent le chemin.* (demander à quelqu'un) / *Je **vous** montre les photos.* (montrer à quelqu'un) / *Nous **leur** disons « bonjour ».* (dire à quelqu'un)

Attention ! ***Lui*** et ***leur*** remplacent des noms masculins ou féminins.

Avec certains verbes construits avec la préposition *à* (*penser à, s'intéresser à, faire attention à, s'habituer à, tenir à ...*) :
- si le complément est une personne, on garde la préposition **à** + **le pronom tonique**.

➠ *Exemple : Je pense à mes amis.* → *Je pense à eux.* (penser à quelqu'un)
- si le complément est une chose, on utilise le pronom ***y***.

➠ *Exemple : Je pense à mes vacances.* → *J'y pense.* (penser à quelque chose)

Avec certains verbes construits avec la préposition *de* (*parler de, se souvenir de, s'occuper de, avoir envie de, avoir besoin de...*) :
- si le complément est une personne, on garde la préposition ***de*** + **le pronom tonique.**

➠ *Exemple : Je m'occupe de mon fils.* → *Je m'occupe de lui.* (s'occuper de quelqu'un)
- si le complément est une chose, on utilise le pronom ***en***.

➠ *Exemple : Elle s'occupe de son jardin.* → *Elle s'en occupe.* (s'occuper de quelque chose)

Attention ! Avec la forme affirmative de l'impératif, on utilise le pronom tonique *moi*.

➠ *Exemple : Téléphone-moi.*

Les pronoms compléments de lieu : *en* et *y*

Le pronom *en* remplace un complément qui indique le lieu d'où l'on vient.

➠ *Exemple : – Vous venez de la gare ? – Oui, on en vient.*

Le pronom *y* remplace un complément qui indique le lieu où l'on va et où l'on est.

➠ *Exemple : – Vous allez à la gare ? – Oui, on y va.*

Place des pronoms compléments

Les pronoms compléments se placent **devant** :
- un verbe conjugué à un temps simple. ➠ *Exemple : Je lui parle.*
- l'auxiliaire d'un verbe conjugué à un temps composé. ➠ *Exemple : Il m'a répondu.*
- un verbe conjugué à l'impératif négatif. ➠ *Exemple : Ne le répétez à personne !*
- l'infinitif quand il y a un verbe + infinitif. ➠ *Exemple : Il va nous envoyer l'invitation.*

Les pronoms compléments se placent **derrière** :
- un verbe conjugué à l'impératif affirmatif. ➠ *Exemples : Asseyez-vous. / Donne-moi ton adresse.*

2 Le verbe

Les constructions verbales

Les verbes intransitifs

Les verbes intransitifs ne peuvent pas être suivis d'un complément d'objet.
➠ *Exemples : La Terre tourne. / Je pars demain. / Nous rions. / Elle marche vite.*

Les verbes transitifs

Pour donner un sens à la phrase, les verbes transitifs doivent être suivis d'un complément d'objet. Ce complément peut être un nom, un pronom personnel ou un infinitif.
➠ *Exemples : J'aime le chocolat. / Il lui parle beaucoup. / Elle veut parler.*
• Un verbe transitif est **transitif direct** s'il est suivi d'un complément d'objet direct (COD). Il n'y a pas de préposition entre le verbe et le complément.
➠ *Exemples : Elle mange des fruits. (manger quelque chose) / Nous les aidons. (aider quelqu'un)*
• Un verbe transitif est **transitif indirect** s'il est suivi d'un complément d'objet indirect (COI). Le verbe est lié à son complément par une préposition (souvent *à* ou *de*).
➠ *Exemples : Il s'intéresse à l'histoire. (s'intéresser à quelque chose) / Elle téléphone à son amie. (téléphoner à quelqu'un) / Je me souviens de ma première école. (se souvenir de quelque chose)*

Attention !
Un verbe peut avoir plusieurs constructions.
• Il peut être transitif ou intransitif. ➠ *Exemples : Je mange. / Je mange du chocolat.*
• Un verbe peut avoir deux compléments : un complément direct et un complément indirect.
➠ *Exemples : Ils envoient un colis à leurs amis. (envoyer quelque chose à quelqu'un) / J'invite ma cousine à venir avec moi. (inviter quelqu'un à faire quelque chose) / Elle conseille à ses parents de prendre l'avion. (conseiller à quelqu'un de faire quelque chose)*

Les verbes pronominaux

Ces verbes se conjuguent avec un pronom réfléchi de la même personne que le sujet.
➠ *Exemples : Je me lève. (se lever) / Nous nous promenons. (se promener) / Ils s'écrivent souvent ? (s'écrire)*

Les verbes : formes et valeurs

Il existe trois types de formes verbales.
• Les formes simples : radical (le corps du verbe) + terminaisons (elles changent selon les temps et les personnes). Les formes simples sont l'infinitif, le présent, l'imparfait, le futur, le conditionnel.
• Les formes composées : auxiliaire *être* ou *avoir* + participe passé (passé composé, plus-que-parfait).
• *Être en train de* + infinitif (présent progressif), *venir de* + infinitif (passé récent) / *aller* + infinitif (futur proche).

L'infinitif

Radical + terminaisons → *parler*

Les infinitifs se terminent par :
-er (*aimer*), ***-ir*** (dorm***ir***), ***-re*** (écri***re***, fai***re***, boi***re***, entend***re***, pein***dre***, met***tre***, connaît***re***), ***-oir*** (pouv***oir***, recev***oir***).

L'infinitif est la forme impersonnelle du verbe. C'est la forme qu'on trouve dans le dictionnaire.
On l'utilise :
- après un verbe conjugué. ➠ *Exemple : Il veut partir.*
- après une préposition. ➠ *Exemple : Elle nous demande de partir.*

Le présent de l'indicatif

Radical + terminaisons → *je parle / je pars*

Le radical est très irrégulier.
➠ *Exemples : vouloir → Je veux. / voir → Nous voyons. / venir → Je viens.*
- Les terminaisons des verbes en ***-er*** : ***-e*** / ***-es*** / ***-e*** / ***-ons*** / ***-ez*** / ***-ent.***
- Les terminaisons des autres verbes : ***-s*** / ***-s*** / ***-t*** (-d) / ***-ons*** / ***-ez*** / ***-ent.***
- Les terminaisons des verbes *pouvoir* et *vouloir* au singulier : ***-x***, ***-x*** et ***-t***.

Le présent progressif

Être en train de au présent + **infinitif**
→ *je suis en train de parler*

Il exprime qu'une action est en cours de déroulement.

Le passé récent

Venir de au présent + **infinitif** → *il vient de partir*

Il exprime une action réalisée dans un passé très proche du présent.

Le passé composé

Avoir ou ***être*** au présent + **participe passé**
→ *j'ai vu / je suis allé(e)*

- Avec l'auxiliaire *avoir* : la majorité des verbes. ➠ *Exemples : J'ai bien dormi. / Vous avez fini ?*
- Avec l'auxiliaire *être* :

– 15 verbes intransitifs : aller, arriver, descendre, entrer, monter, mourir, naître, partir, passer, rentrer, rester, retourner, sortir, tomber, venir. ➠ *Exemple : Je suis parti. / Il est arrivé tard.*
– les verbes pronominaux. ➠ *Exemple : Il s'est réveillé tard ce matin.*

Participe passé : radical + terminaisons
- Verbes en ***-er*** → radical + ***-é***. ➠ *Exemple : chanter → chanté*
- Beaucoup de verbes en ***-ir*** → radical + ***-i***. ➠ *Exemples : dormir → dormi / choisir → choisi*
- Autres terminaisons : ***-it*** (*écrire → écrit*) / ***-is*** (*prendre → pris*) / ***-u*** (*venir → venu*) / ***-ert*** (*ouvrir → ouvert*) / ***-eint*** (*peindre → peint*).

Attention !
- Avec l'auxiliaire *être*, le participe passé s'accorde avec le sujet.

➠ *Exemple : Caroline est sort**ie** avec des amis mais son mari, John, est rest**é** à la maison.*
- Avec l'auxiliaire *avoir*, le participe passé ne s'accorde jamais avec le sujet, il s'accorde avec le pronom complément d'objet direct (COD).

➠ *Exemple : Il a pris ses valises. (COD derrière : le participe passé ne s'accorde pas)*
→ *Il les a prises (COD devant : le participe passé s'accorde).*

On utilise le passé composé pour exprimer :
• un fait ponctuel du passé. ➠ *Exemple : Elle est arrivée lundi dernier.*
• un fait qui a une durée limitée dans le passé. ➠ *Exemple : J'ai travaillé pendant deux heures.*
• une succession de faits dans le passé. ➠ *Exemple : Elle s'est levée, a mangé puis est sortie.*
• un fait du passé qui explique un résultat, une situation présente. ➠ *Exemple : Je me repose un peu parce que j'ai couru longtemps. (= Je suis fatiguée maintenant.)*
• un fait répété dans le passé. Le nombre de répétitions est exprimé. ➠ *Exemple : Je lui ai téléphoné dix fois.*

L'imparfait

Radical + terminaisons → *je chantais*

• Le radical de l'imparfait est le même que celui de la première personne du pluriel (*nous*) du présent.
➠ *Exemple : Nous **ven**ons. (présent) → Nous **ven**ions. (imparfait)*
• Les terminaisons : ***-ais***, ***-ais***, ***-ait***, ***-ions***, ***-iez***, ***-aient***. ➠ *Exemples : Il av**ait**. / Elles pren**aient**.*

On utilise l'imparfait pour :
• décrire une situation passée. ➠ *Exemple : À dix ans, j'étais très timide.*
• exprimer une habitude du passé. ➠ *Exemple : Dans mon enfance, je jouais souvent du piano.*

Passé composé et imparfait
Dans un récit au passé, on utilise souvent les deux temps ensemble. Dans ce cas :
– le verbe à l'imparfait exprime une action en train de s'accomplir ou décrit le décor ou la situation ;
– le verbe au passé composé indique un fait ponctuel.
➠ *Exemples : Je lisais* (action en train de s'accomplir) *lorsque le téléphone a sonné* (fait ponctuel). / *La mer était calme* (description du décor), *je suis partie faire un tour en bateau* (fait ponctuel).

Le plus-que-parfait

Avoir ou ***être*** à l'imparfait + **participe passé**
→ *j'avais vu / j'étais venu*

Pour le choix de l'auxiliaire et l'accord du participe passé, cf. *Le passé composé.*

L'action exprimée au plus-que-parfait est antérieure à l'action exprimée au passé composé.
➠ *Exemple : Hier, je suis allé à l'Océarium ; je n'y étais jamais allé.*

Le futur proche

Aller au présent + **infinitif** → *il va sortir*

On utilise le futur proche pour parler :
• d'une action immédiate. ➠ *Exemples : Attention, tu vas tomber ! / Vite, la banque va fermer.*
• d'un projet. ➠ *Exemple : Dimanche prochain, je vais partir en Grèce.*

Le futur simple

Radical + terminaisons → *j'arriverai*

• En général, le radical est l'infinitif. ➠ *Exemples : partir → Je **partir**ai. / voyager → Il **voyager**a.*
Quelques verbes ont des radicaux irréguliers. ➠ *Exemples : venir → **Je viendr**ai. / faire → Il **f**era.*
• Les terminaisons : ***-ai***, ***-as***, ***-a***, ***-ons***, ***-ez***, ***-ont***.

On utilise le futur simple pour :
• formuler une prévision. ➠ *Exemple : Il fera beau demain.*
• formuler une promesse. ➠ *Exemple : La prochaine fois, je ferai attention.*

• exprimer un ordre. ➠ *Exemple : Tu ne sortiras pas !*
• indiquer un programme. ➠ *Exemple : Vous visiterez un musée et vous ferez une balade en bus.*

Attention ! On ne dit pas : ~~*S'il fera*~~ *beau, je sortirai.* On dit : *S'il fait beau* (présent), *je sortirai* (futur).

L'impératif

→ *pars, partons, partez*

C'est la même conjugaison que le présent, mais il y a seulement trois personnes et on ne met pas de pronom sujet. ➠ *Exemple : Sors (→ tu), sortons (→ nous), sortez (→ vous).*

Attention ! Verbes en ***-er*** : *mange.* Pas de **-s** sauf si le verbe est suivi de *en* ou *y* (manges-en).

• Verbes pronominaux : trait d'union entre le verbe et le pronom placé après. ➠ *Exemple : Asseyez-vous.*

Le présent du subjonctif

Radical + terminaisons → *je vienne*

• Le radical :
– pour ***je***, ***tu***, ***il*** et ***ils*** : radical de la 3e personne du pluriel (***ils***) du **présent** de l'indicatif.
➠ *Exemples : Ils partent. → il faut que je parte. / Elles prennent. → Il faut que tu prennes.*
– pour ***nous*** et ***vous*** : radical de la 1re personne du pluriel (***nous***) du **présent** de l'indicatif.
➠ *Exemples : Nous venons. → Il faut que nous venions. / Nous recevons. → Il faut que vous receviez.*
• Les terminaisons : ***-e***, ***-es***, ***-e***, ***-ions***, ***-iez***, ***-ent***.
• Quelques verbes irréguliers : aller → *aille* / avoir → *aie* / être → *sois* / faire → *fasse* / pouvoir → *puisse* / savoir → *sache* / vouloir → *veuille*.

On utilise le subjonctif **après un verbe + *que*** qui exprime :
• une nécessité. ➠ *Exemple : Il faut que vous soyez là à 7 heures.*
• un sentiment. ➠ *Exemple : Je suis heureux que tu viennes.*
• une volonté. ➠ *Exemple : Il veut que vous fassiez quelque chose pour lui.*
• un jugement. ➠ *Exemple : Il est anormal qu'il pleuve en cette saison.*

Attention ! Si les deux verbes ont le même sujet, on utilise l'infinitif.
➠ *Exemple : On ne dit pas :* ***Je*** *veux* ~~*que je parte*~~*. On dit : Je veux partir.*

Le présent du conditionnel

Radical + terminaisons → *je prendrais*

• En général, le radical est l'infinitif. ➠ *Exemples : partir → Je* ***partir****ais. / voyager → Il* ***voyager****ait.*
Quelques verbes ont des radicaux irréguliers. ➠ *Exemples : venir → Je* ***viendr****ai. / faire → Il* ***fer****ait.*
• Les terminaisons : ***-ais***, ***-ais***, ***-ait***, ***-ions***, ***-iez***, ***-aient***.

On utilise le présent du conditionnel pour :
• demander poliment. ➠ *Exemple : Auriez-vous l'heure, s'il vous plaît ?*
• exprimer un souhait. ➠ *Exemple : Je souhaiterais parler à monsieur Dumont.*
• donner un conseil ou faire une suggestion. ➠ *Exemples : Tu devrais partir. / On pourrait s'asseoir.*

Attention ! On ne dit pas : ~~*Si je serais*~~ *toi, je partirais plus tôt.* On dit : *Si j'étais toi* (imparfait), *je partirais* (conditionnel) *plus tôt.*

Le passif

***Être* + participe passé** → *il a été filmé*

C'est l'auxiliaire *être* qui exprime le temps du verbe.
➠ *Exemples : Le bâtiment est détruit. (présent) / La route a été construite. (passé composé)*

3 Les mots invariables

Les adverbes

Un adverbe est un mot invariable qui apporte une précision à un verbe, un adjectif ou à un autre adverbe.

• Les adverbes de **quantité** et **d'intensité** : *assez, bien, mal, très, trop, beaucoup, un peu.*
• Les adverbes de **manière** en ***-ment*** : adjectif féminin + ***-ment.***
➠ *Exemples : personnelle → personnellement / douce → doucement*
Attention !
– adjectifs en ***-i***, ***-u***, ***-é*** : adjectif masculin + ***-ment***.
➠ *Exemple : absolu → absolument*
– adjectifs en ***-ant*** et ***-ent*** : adverbes en ***-amment***, ***-emment.***
➠ *Exemples : courant → couramment / fréquent → fréquemment*
• Les adjectifs utilisés comme adverbes : ***haut***, ***juste***, ***fort***...
➠ *Exemple : Elle parle fort (forme invariable).*

Les adverbes se placent généralement :
• derrière le verbe. ➠ *Exemples : Nous mangeons trop. / Il parle méchamment. / Il chante juste.*
• devant l'adjectif et l'adverbe. ➠ *Exemples : Elle est bien habillée. / Il conduit très mal.*

Les différents types de phrases

La phrase interrogative

	Question intonative	Question avec *est-ce que / qui*	Question avec inversion
La question porte sur toute la phrase.	*Tu viens ?*	*Est-ce que tu viens ?*	*Viens-tu ?*
Qui : question sur une personne.	*Qui vient ?* *Vous demandez qui ?*	*Qui est-ce qui vient ?* *Qui est-ce que vous demandez ?*	*Qui demandez-vous ?*
Quoi, qu'est-ce que ou ***que*** : question sur une chose.	*Tu veux quoi ?*	*Qu'est-ce que vous voulez ?*	*Que voulez-vous ?*
Quand : question sur le temps, le moment.	*Elle arrive quand ?*	*Quand est-ce qu'elle arrive ?*	*Quand arrive-t-elle ?*
Où : question sur le lieu.	*Vous allez où ?*	*Où est-ce que vous allez ?*	*Où allez-vous ?*
Comment : question sur la manière.	*Comment tu fais ?*	*Comment est-ce que vous faites ?*	*Comment faites-vous ?*

	Question intonative	Question avec *est-ce que / qui*	Question avec inversion
Pourquoi : question sur la cause.	*Pourquoi il ne vient pas ?*	*Pourquoi est-ce qu'il ne vient pas ?*	*Pourquoi ne vient-il pas ?*
Combien : question sur le nombre, la quantité.	*Combien tu as payé ?*	*Combien est-ce que tu as payé ?*	*Combien as-tu payé ?*
Adjectifs ***quel, quelle, quels, quelles*** et pronoms ***lequel, laquelle, lesquels, lesquelles*** : question sur l'identité.	*Quel sac, quelle valise, quels livres et quelles cassettes on emporte ?* *– Je voudrais une chemise. – Laquelle ?*		

La **question avec inversion** :
- on l'utilise plutôt dans une situation formelle.
- il y a un trait d'union entre le verbe et le pronom sujet. ➠ *Exemple : Venez-vous ?*
- on ajoute ***-t-*** devant les pronoms *il(s), elle(s)* et *on*, quand le verbe se termine par une voyelle.
➠ *Exemple : Combien a-t-il payé ?*
- quand le sujet est un nom, l'inversion de ce nom est généralement impossible ; on doit dire : *Cette voiture est-elle à vendre ?*

La phrase négative

ne... pas ➠ *Exemple : Je ne fume pas.*
ne... plus ➠ *Exemple : Je ne travaille plus, je suis retraité.*
ne... pas encore ➠ *Exemple : Je n'ai pas encore trouvé le mari idéal.*
ne... jamais ➠ *Exemple : Je ne sors jamais le soir.*
ne... rien ➠ *Exemple : Je n'aime rien.*
rien... ne ➠ *Exemple : Rien n'a changé ici.*
ne... personne ➠ *Exemple : Je n'attends personne.*
personne... ne ➠ *Exemple : Personne n'est là.*
ne... aucun(e) ➠ *Exemple : Je n'ai aucun(e) ami(e) ici.*
ne... ni... ni ➠ *Exemple : Je n'aime ni le café ni le chocolat.*
ne... que ➠ *Exemple : Je ne travaille que la nuit.*

Au passé composé, généralement, les deux mots encadrent l'auxiliaire.
➠ *Exemples : Je **n'**ai **pas** mangé. / Je **ne** suis **jamais** allé en Belgique.*

Attention ! *Nous n'avons vu personne.*

5 La phrase complexe et l'expression des circonstances

La phrase relative

Elle est introduite par un pronom relatif qui remplace et précise un nom ou un groupe nominal de la proposition principale. La forme du pronom dépend de sa fonction dans la proposition relative.

• **Qui :** sujet du verbe de la proposition relative / remplace une personne ou une chose.
➠ *Exemple : C'est ce livre qui a les plus belles photos. (Qui remplace le livre et est sujet du verbe avoir).*
• **Que / qu' :** COD du verbe de la relative / remplace une personne ou une chose.
➠ *Exemple : C'est le collègue qu'il préfère. (Que remplace le collègue et est COD du verbe préférer.)*
• **Où :** complément de lieu ou de temps du verbe de la proposition relative.
➠ *Exemples : Je vais vous montrer le magasin **où** je travaille. (Où remplace le magasin et est complément de lieu du verbe travailler.) / Cela s'est passé le jour **où** mon fils est né. (Où remplace le jour et est complément de temps du verbe naître.)*
• **Dont :** remplace un complément introduit par *de* / remplace une personne ou une chose.
➠ *Exemples : Tu vas pouvoir rencontrer l'ami dont je te parle souvent. (Dont remplace l'ami et est complément du verbe parler (de).) / Il nous a présenté la jeune fille dont il est amoureux. (Dont remplace la jeune fille et est complément de l'adjectif amoureux (de).)*

Le discours indirect au présent

Pour rapporter les paroles ou les pensées de quelqu'un, on utilise des verbes comme *dire, promettre, annoncer, déclarer, écrire*, etc. + ***que***
➠ *Exemple : « Je vais venir te voir. » → Mon ami me dit qu'il va venir me voir.*
Pour rapporter une question, on utilise des verbes comme *demander, vouloir, savoir*, etc.
• « Est-ce que... ? » → Il demande **si**...
➠ *Exemple : « Est-ce que tu viens ? » → Elle demande si je viens.*
• « Qu'est-ce que... ? » → Il demande **ce que**...
➠ *Exemple : « Qu'est-ce que vous faites ? » → Elle demande ce que nous faisons.*
• Les mots interrogatifs *qui, quand, pourquoi, comment, combien, quel* ne changent pas.
➠ *Exemple : « Pourquoi es-tu là ? » → Il demande pourquoi je suis là.*
Pour rapporter une phrase impérative, on utilise des verbes comme *demander, conseiller, recommander* + ***de*** + **infinitif.**
➠ *Exemple : « Viens ! » → Je te demande de venir.*

L'expression du temps

• **Avant** + nom / **avant de** + infinitif / **avant que** + subjonctif.
➠ *Exemples : Je déménage avant mes vacances. / Je t'appelle avant de partir. / Elle est arrivée avant que je parte.*
• **À partir de** + nom.
➠ *Exemple : Je commence à travailler à partir de demain.*
• **Dans** + indication chiffrée / préposition toujours utilisée dans un contexte futur.
➠ *Exemple : Nous serons en vacances dans trois jours (trois jours à partir de maintenant).*

- **De... à...** + nom.

➠ *Exemple : Elle est chez elle du lundi au vendredi, de 8 heures à 15 heures.*

- **Depuis** + nom / **Depuis que** + indicatif.

➠ *Exemples : Ils étudient le français depuis plusieurs mois. / Il est heureux depuis qu'il vit à Lyon.*

- **En** + indication chiffrée : le temps nécessaire pour faire quelque chose.

➠ *Exemple : J'ai écrit ce livre en six mois.*

- **Il y a** + indication chiffrée.

➠ *Exemple : Il s'est cassé la jambe il y a une semaine. (= une semaine avant maintenant.)*

- **Jusqu'à** + nom / **Jusqu'à ce que** + subjonctif : une limite dans le futur.

➠ *Exemples : Je reste jusqu'à l'arrivée de mon ami. / J'attends jusqu'à ce qu'il vienne.*

- **Pendant** + nom / **Pendant que** + indicatif.

➠ *Exemples : Le musée est ouvert pendant les vacances. / Elle peint pendant que je lis.*

- **Pour** + indication chiffrée : une durée prévue.

➠ *Exemple : Je m'en vais pour deux mois.*

- **Quand** + indicatif.

➠ *Exemples : Je me lève quand mon réveil sonne / Je reste chez moi quand il pleut.*

Les relations logiques

L'expression de la cause

- **À cause de** + nom : explication d'un fait négatif.

➠ *Exemple : Je suis arrivée en retard à cause des embouteillages.*

- **Grâce à** + nom : explication d'un fait positif.

➠ *Exemple : Je suis arrivée à l'heure grâce au chauffeur de taxi.*

- **Comme** : toujours placé au début de la phrase.

➠ *Exemple : Comme il n'est pas rentré, je m'inquiète.*

- **Parce que** donne une explication.

➠ *Exemple : Je m'inquiète parce qu'il n'est pas rentré.*

- **Puisque** indique une cause connue de l'interlocuteur.

➠ *Exemple : – Je suis très fatigué. – Puisque tu es fatigué, restons à la maison.*

L'expression de la conséquence

- **Donc.**

➠ *Exemples : Il pleut* ***donc*** *je prends mon parapluie / Personne n'est venu* ***donc*** *elle est restée seule.*

- **Tellement (de) ... que** insiste sur l'intensité ou la quantité.

➠ *Exemples : Il est tellement gentil (tellement + adjectif) que tout le monde l'apprécie. / Il a tellement d'amis (tellement de + nom) qu'il n'est jamais seul. / Il travaille tellement (tellement + verbe) qu'il réussit tout.*

L'expression du but

- **Pour** + infinitif / **Pour que** + subjonctif.

➠ *Exemples : Je vais au marché pour acheter des fleurs. / Nous nous asseyons pour nous reposer. / J'économise pour que mon frère et moi puissions partir en voyage.*

L'expression de l'opposition

- **Au lieu de** + infinitif.

➠ *Exemple : Viens m'aider au lieu de rêver.*

- **Alors que.**

➠ *Exemple : Il s'amuse alors que moi, je travaille !*

L'expression de la concession

- **Bien que** + subjonctif.

➠ *Exemple : Il dort, bien qu'il y ait un bruit incroyable.*
(Logiquement, quand il y a du bruit, on ne peut pas dormir mais lui, il dort.)

- **Pourtant.**

➠ *Exemple : Elle est toujours en retard pourtant elle habite à côté de son entreprise.*
(Logiquement, quand on habite près, on arrive à l'heure, mais elle est toujours en retard.)

L'expression de la comparaison

Comparatif et superlatif d'un adjectif et d'un adverbe

*Elle est **plus** (+) grande **que** sa mère.* → *C'est la **plus** grande de la famille.*
*Il est **moins** (–) grand **que** son père.* → *C'est le **moins** grand de la famille.*
*Il est **aussi** (=) grand **que** son père.*

*Tu cours **plus** (+) vite **que** Roland.* → *C'est toi qui cours **le plus** vite.*
*Tu cours **moins** (–) vite **qu'**Émile.* → *C'est toi qui cours **le moins** vite.*
*Tu cours **aussi** (=) vite **que** Pierrot.*

Comparatif et superlatif d'un nom

*J'ai **plus de** (+) travail **qu'**elle.* → *C'est moi qui ai **le plus de** travail.*
*J'ai **moins de** (–) travail **que** toi.* → *C'est moi qui ai **le moins de** travail.*
*Il a **autant de** (=) travail **que** l'année dernière.*

Comparatif et superlatif d'un verbe

*Elles mangent **plus** (+) **que** les autres.* → *Ce sont elles qui mangent **le plus.***
*En été, on mange **moins** (–) **qu'**en hiver.* → *C'est en été qu'on mange **le moins.***
*Il mange **autant** (=) **que** son frère.*

Attention !

On ne dit pas ~~plus bon~~ ni ~~le plus bon~~ mais on dit ***meilleur*** et ***le meilleur***.
➠ *Exemple : C'est moi le meilleur !*
On ne dit pas ~~plus bien~~ ni ~~le plus bien~~ mais on dit ***mieux*** et ***le mieux***.
➠ *Exemple : C'est toi qui parles le mieux !*
On dit *plus mauvais* ou *pire*, *le plus mauvais* ou *le pire*. ➠ *Exemple : Ses notes sont pires que les miennes.*

INDEX

LES CORRIGÉS

Chapitre 1

Le nom et l'adjectif

Observez *page 6*

a. Noms : voisin, chanteur, banquier, étudiante, amie, championne, vendeur, trapéziste. – **Adjectifs** : suisse, exceptionnel, sérieux, grande, jolie, agressif, brésilienne, légère. – **b.** **1.** voisin, voisine – **2.** chanteur, chanteuse – **3.** banquier, banquière – **4.** étudiant, étudiante – **5.** ami, amie – **6.** champion, championne – **7.** vendeur, vendeuse – **8.** trapéziste, trapéziste – **9.** suisse, suisse – **10.** exceptionnel, exceptionnelle – **11.** sérieux, sérieuse – **12.** grand, grande – **13.** joli, jolie – **14.** agressif, agressive – **15.** brésilien, brésilienne – **16.** léger, légère

1 **1.** (f), (f). J'ai déposé les clés chez le gardien. Il est très serviable. – **2.** (m), (m). La bibliothécaire est absente ce matin. – **3.** (m), (m). C'est une employée très efficace. – **4.** (f), (f). Je vous présente un ancien collègue. – **5.** (m), (m). Notre bouchère est vraiment sympathique. – **6.** (m), (m). Vous connaissez cette pharmacienne ? Elle est charmante. – **7.** (f), (f). C'est un ouvrier très compétent. – **8.** (f), (f). Tu connais un meilleur infirmier ? – **9.** (m), (m). C'est une détective renommée. – **10.** (m), (m). Cette conférencière est vraiment géniale. – **11.** (m), (m), (m). C'est une grande championne olympique. – **12.** (m), (m). Pouvez-vous me conseiller une bonne dentiste ?

2 **Noms féminins en *-euse* :** une coiffeuse, une danseuse, une voyageuse, une skieuse, une chanteuse, une nageuse, une voleuse. **Noms féminins en *-rice* :** une directrice, une inspectrice, une actrice, une ambassadrice, une spectatrice, une traductrice, une électrice, une lectrice.
Adjectifs au féminin : exceptionnelle, talentueuse, agressive, généreuse, nerveuse, particulière, autoritaire, sportive, mystérieuse, prétentieuse, fière, attentive, ambitieuse, cruelle, créative, peureuse, professionnelle.

4 un appartement, un médicament – un réveil, le sommeil – un cahier, un papier – le tourisme, un organisme – un tiroir, un mouchoir – un cadeau, un château – un travail, un détail – un jardin, un magasin – un tribunal, un animal – un ordinateur, un aspirateur
Les noms avec ces terminaisons sont généralement masculins.

5 la pauvreté, la bonté – la solitude, une habitude – une baguette, une allumette – la bataille, la taille – une mairie, la chimie – une promenade, une pommade – la richesse, la politesse – l'apparence, la science – une ambulance, la chance – une coiffure, une peinture
Les noms avec ces terminaisons sont généralement féminins.

6 modèle – problème – magazine – portefeuille – groupe – système – fleuve – livre – arbre – téléphone – sourire – acte – service – exercice

7 page – plage – cage – nage – rage – image

8 **Noms masculins :** ballon, don, feuilleton, crayon, rayon, son, wagon, caleçon, balcon, savon. **Noms féminins :** définition, chanson, leçon, liaison, action, façon, maison, inscription, habitation, saison. Les noms qui se terminent par *-tion* sont féminins. Les noms qui se terminent par *-son* sont généralement féminins. Les autres noms qui se terminent par *-on* sont généralement masculins.

9 malheur – cœur – bonheur – honneur

10 **1.** blanc – **2.** fausse – **3.** fou – **4.** fraîche – **5.** rousse – **6.** vieille – **7.** doux – **8.** jalouse

Observez *page 10*

a. Noms au pluriel : amis, pays, billets, jeux, bateaux, nez. **Adjectifs au pluriel :** français, étrangers, faux, nouveaux, luxueux, rouges.
b. Singulier + *s* : ami(s), étranger(s), billet(s), rouge(s). **Singulier + *x* :** jeu(x), nouveau(x), bateau(x). **Singulier = pluriel :** français, pays, faux, luxueux, nez.

11 hôtesse – bagagiste – serveur – rafraîchissement – personnel – cuisiniers – garçons – femmes – centre – esthéticiennes – masseurs – kinésithérapeute – dynamisme

12 **1.** Timides : le seul adj. au pluriel. – **2.** Prudent : le seul adj. au singulier. – **3.** Méchants : le seul adj. dont le pluriel = singulier + *s*. – **4.** Peureux : le seul adj. qui a la même forme au singulier et au pluriel. – **5.** Réservé : le seul adj. au singulier. – **6.** Active : le seul adj. au singulier.

13 **Ne changent pas au pluriel :** 2, 3, 7, 8, 9, 10, 12, 14, 15, 17, 18, 20. **Changent au pluriel :** pierres, gentils, carnets, détails, numéros, immenses, hôtels, blancs, folles.

14 1. (p) – 2. (s) – 3. (s) – 4. (s/p) – 5. (p) – 6. (p) – 7. (s/p) – 8. (s) – 9. (s/p) – 10. (p) – 11. (s) – 12. (s) – 13. (s/p) – 14. (p) – 15. (s/p)

15 1. beaux cheveux, château – 2. jumeaux – 3. jeux, feux – 4. vœux – 5. manteaux – 6. gâteau

16 1. des châteaux féodaux – 2. des bureaux centraux – 3. des points capitaux – 4. des gestes amicaux – 5. des détails spéciaux – 6. des tests finals – 7. des travaux originaux – 8. des vents glacials – 9. des scénarios banals – 10. des festivals internationaux

Observez *page 12*

a. Adjectifs placés devant le nom : beau, grand, bon, gros, meilleure, longue, bel, nouvel, vieil, dernier, septième, premier, seconde, jolie, mauvais, jeune, petit, nouveau, vieille. – **b.** *Beau* devient *bel, nouveau* devient *nouvel* et *vieux* devient *vieil.* – **c.** Vrai – **d. Nationalité :** argentin, suédoise. **Forme :** pointu, rectangulaire. **Couleur :** blanche, noire. **Appréciation :** intéressante, confortable, magnifique. **Spécificité :** portable, politique, touristique, électrique, médicale.

17 1. Un grand salon avec une table ovale. – 2. Une belle cheminée de style ancien. – 3. Un joli miroir de forme carrée. – 4. Une moquette épaisse de laine blanche. – 5. Des petits tapis aux dessins géométriques. – 6. Un canapé confortable de cuir blanc. – 7. Des livres rares dans une grande bibliothèque. – 8. Une pièce agréable avec une atmosphère chaleureuse.

18 **Adjectifs qui se placent devant le nom :** beau (belle), petit(e), grand(e), joli(e), long (longue), nouveau (nouvelle), vieux (vieille). **Adjectifs qui se placent derrière le nom :** rouge, commerçant(e), éclairé(e), parisien(ne), ensoleillé(e), rectangulaire, moderne, fleuri(e), étroit(e), bruyant(e), inhabité(e), non polluant(e).

19 1. Ce sont deux jeunes étudiants français. – 2. Il rêve d'une grosse voiture rouge. – 3. Elle voudrait une petite maison blanche. – 4. Elle a une belle moto japonaise. – 5. Il visite un grand appartement lumineux. – 6. Ils achètent un petit studio rénové. – 7. Ils ont un joli camion multicolore.

20 1. mariée, divorcée, veuve – 2. reposante, mouvementée, sportive – 3. contemporaine, ancienne, neuve – 4. spacieuse, étroite, ensoleillée – 5. merveilleuse, douée, brillante, forte – 6. pleine, épaisse, creuse

21 1. un, haut – 2. une, bleue – 3. un, fou – 4. une, blanche – 5. une belle – 6. une, inquiétante – 7. une, connue – 8. un, dangereux – 9. un, profond – 10. une bonne – 11. une, chaude – 12. un, doux – 13. une, épaisse – 14. une grosse – 15. un mauvais – 16. un, glissant – 17. un, frais – 18. une grande – 19. un, fatigant – 20. une belle – 21. un nouveau – 22. une, légère – 23. un grand – 24. une, déserte

22 1. des courses incroyables – 2. des résultats très décevants – 3. des relais victorieux – 4. des championnes olympiques – 5. des records battus – 6. des prix exceptionnels – 7. des sauts extraordinaires – 8. des titres précieux – 9. des prix spéciaux – 10. des récompenses méritées

23 merveilleuse – vieilles maisons rénovées – bâtiments modernes – petites rues étroites – longues avenues résidentielles – beaux jardins publics – grands arbres – église ancienne – gros centres commerciaux – vivants – chers – active – zone industrielle – connue

24 Exemples de réponses : 1. actualités catastrophiques – 2. magazine sérieux – 3. jeune journaliste ambitieux, informations régionales – 4. dessins incroyables – 5. nouveaux quotidiens – 6. photos caricaturales, amusantes – 7. émission caricaturale – 8. reportage, informations passionnantes

Chapitre 2

Les articles

Observez *page 15*

a. Devant un nom masculin singulier :
– **commençant par une consonne :** le (article défini), un (article indéfini), du (article partitif).
– **commençant par une voyelle ou un *h* muet :** l' (art. défini), un (art. indéfini), de l' (art. partitif).
Devant un nom féminin singulier :
– **commençant par une consonne :** la (art. défini), une (art. indéfini), de la (art. partitif).
– **commençant par une voyelle ou un *h* muet :** l' (art. défini), une (art. indéfini), de l' (art. partitif).
Devant un nom masculin ou féminin pluriel : les (art. défini), des (art. indéfini).
b. des personnes ou des choses indéterminées : articles indéfinis – des personnes ou des choses précises :

articles définis – une généralité : articles définis – des quantités non comptables : articles partitifs.

1 **1.** Le – **2.** la – **3.** Le – **4.** la – **5.** Le – **6.** Les – **7.** les – **8.** L' – **9.** le – **10.** La – **11.** les – **12.** le

2 **1.** le – **2.** le, la – **3.** l' – **4.** la, la – **5.** les – **6.** l' – **7.** l', la – **8.** les – **9.** le – **10.** la

3 **1.** b, f, g, i – **2.** c, e, h – **3.** a, d, j

Lucien : du violon, de la guitare, de la trompette, du chant. **Thomas :** de l'équitation, de l'escrime, du ski, de la boxe, du judo, de l'escalade.

5 **1.** de la, du, de la, de la, du, du – **2.** du, du, des – **3.** de l', des, de l'

6 **1.** de la – **2.** de la – **3.** du – **4.** des – **5.** de la – **6.** des – **7.** de l' – **8.** du

7 **1.** Le – d. du, du – **2.** Le – c. de l', du – **3.** Le – a. du, du – **4.** Le – e. du, de l' – **5.** L' – b. du, du

8 **1.** une, l' – **2.** des, les – **3.** une, la – **4.** les, des

9 **1.** la – **2.** une – **3.** la – **4.** les – **5.** des – **6.** les – **7.** de la – **8.** des – **9.** la – **10.** de l'

Observez *page 17*

a. au – **b.** aux – **c.** du – **d.** des

10 **1.** a, d, g, i – **2.** h – **3.** b, e, f – **4.** c, j

11 **1.** aux – **2.** à la – **3.** au – **4.** aux – **5.** à l' – **6.** aux

12 **1.** à la – **2.** au – **3.** aux – **4.** au – **5.** à la – **6.** aux – **7.** à la – **8.** aux – **9.** au – **10.** à l'

13 **1.** c, j – **2.** d, g – **3.** b, e, i – **4.** a, f, h

15 **1.** des, de l' – **2.** du, de la, de l' – **3.** des – **4.** de la, des – **5.** du, des – **6.** du, du – **7.** du

16 **1.** du – **2.** des – **3.** du – **4.** de l' – **5.** de la – **6.** des – **7.** du – **8.** du

17 **Lundi 13. Matin :** à l', du, de l', de la, des. **Soir :** au, des. **Mardi 14. Après-midi :** du, de la, du. **Mercredi 15. Matin :** au, du. **Soir :** à la, de l'.

18 **1.** Le, de la, de l' – **2.** Le, de l', de l' – **3.** Le, du, de l' – **4.** Le, de l', de la – **5.** Le, de la

Observez *page 20*

a. Vrai – **b.** de ou d'

20 Pour faire un gâteau au chocolat, il faut du chocolat, de la farine, des œufs, du sucre. Il ne faut pas de poivre, d'estragon, de mayonnaise, de fromage. Pour faire un poulet aux champignons à la crème, il faut un poulet, des champignons, de la crème. Il ne faut pas de poisson, de confiture, de sucre, d'oranges, d'œufs.

21 Je n'ai plus de téléphone portable, je n'ai plus les clés de la maison, je n'ai plus de permis de conduire, je n'ai plus de mouchoirs, je n'ai plus d'argent, je n'ai plus de stylos, je n'ai plus de pastilles pour la gorge, je n'ai plus de parfum, je n'ai plus de carnet d'adresses, je n'ai plus le numéro de téléphone du cabinet médical, je n'ai plus l'ordonnance du médecin, je n'ai plus d'agenda, je n'ai plus de trousse de maquillage, je n'ai plus de monnaie.

22 **1.** Justin n'aime pas le bricolage, il n'achète pas de matériel sophistiqué. – **2.** Marie fait la vaisselle. Elle n'a pas de lave-vaisselle. – **3.** Je ne prends pas les transports en commun. Je fais du vélo. – **4.** Elle n'ont pas d'abonnement. Elles achètent le journal au kiosque. – **5.** Mes amis n'ont pas de réservation. Ils font la queue. – **6.** Sonia connaît la ville. Elle n'a pas de plan.

Observez *page 22*

de ou d'

23 **1.** Elle a beaucoup de patience. – **2.** Ils ont beaucoup de courage. – **3.** Il a beaucoup d'autorité. – **4.** Elle a beaucoup d'ambition. – **5.** Elle fait beaucoup de bruit. – **6.** Il a beaucoup d'enthousiasme.

24 **1.** ... il y avait trop d'invités. – **2.** Il y avait beaucoup de monde. – **3.** Il y avait trop de violence. – **4.** ... il y avait beaucoup d'embouteillages. – **5.** Il y avait trop d'exercices. – **6.** Il y avait beaucoup de poussière.

25 **1.** de la, beaucoup de, peu d' – **2.** de l', beaucoup d', peu de. – **3.** du, beaucoup de, peu d' – **4.** du, beaucoup de, peu de. – **5.** de la, beaucoup de, peu de

Observez *page 23*

Avec *il est, elle est,* il n'y a pas d'article devant le nom de la profession. Avec *c'est,* il y a un article devant le nom de la professsion.

27 **1.** c, e, j, k, m – **2.** i, n – **3.** a, d, h – **4.** f, l – **5.** b, d, g

28 **1.** Ø, un – **2.** Ø, un – **3.** Ø, Ø – **4.** Ø – **5.** un – **6.** Ø – **7.** Ø, un

Observez *page 24*

Vrai

29 **Dans mon sac à main, il y a : 1.** g, un billet de train – **2.** a, des lunettes de soleil – **3.** c, un plan de métro – **4.** b, un tube de rouge à lèvres – **5.** j, des crayons de couleur – **6.** k, une carte de crédit – **7.** i, un carnet d'adresses – **8.** d, un flacon d'eau de toilette – **9.** f, un trousseau de clés – **10.** h, un magazine de mode – **11.** e, un album de photos. **Dans le salon, il y a : 1.** c, un canapé en cuir – **2.** e, un buffet en bois – **3.** h, un pull en laine – **4.** g, une montre en or – **5.** b, des verres en cristal – **6.** i, des rideaux en tissu – **7.** a, une veste en daim – **8.** f, une boîte en carton – **9.** d, une statue en marbre

30 **Dans la salle de bains, il y a : 1.** h, une brosse à dents – **5.** f, un panier à linge sale – **6.** d, un gant de toilette – **10.** g, un tube de dentifrice. **Dans la chambre, il y a : 2.** c, une table de nuit – **9.** i, une lampe de chevet. **Dans la cuisine, il y a : 3.** e, une corbeille à pain – **4.** a, un four à micro-ondes – **7.** b, une boîte à ordures – **8.** k, un torchon à vaisselle – **11.** j, des tasses à café.

31 **1.** le – **2.** une – **3.** la – **4.** un – **5.** le – **6.** une – **7.** Au – **8.** de la – **9.** des – **10.** les – **11.** un – **12.** le – **13.** un – **14.** un

32 **1.** une – **2.** la – **3.** du – **4.** du – **5.** une – **6.** la – **7.** de la – **8.** des – **9.** un – **10.** l' – **11.** des – **12.** de la – **13.** de – **14.** le – **15.** de – **16.** de la – **17.** du – **18.** le – **19.** de l'

33 **1.** le – **2.** des – **3.** Ø – **4.** du – **5.** une – **6.** les – **7.** Ø – **8.** aux – **9.** de – **10.** la – **11.** un – **12.** de – **13.** la – **14.** la – **15.** de

Chapitre 3

Les adjectifs et les pronoms démonstratifs et possessifs

Observez *page 26*

a. Adjectifs possessifs : son, ses, sa, son, vos, leur – **Adjectifs démonstratifs :** cet, ces, ce. – **b.** Ce, cet, cette, ces.– **c.** *Ce* et *cet* sont deux adjectifs masculins singuliers ; *ce* s'utilise devant un nom ou un adj. qui commence par une consonne ; *cet* s'utilise devant un nom ou un adj. qui commence par une voyelle ou un *h* muet. – **d.** Mon, ma, mes, ton, ta, tes, son, sa, ses, notre, nos, votre, vos, leur, leurs. – **e.** Quand le nom ou l'adj. féminin commence par une voyelle ou un *h* muet.

1 **1.** a, e, k – **2.** c, h – **3.** d, g, j, l – **4.** b, f, i

2 **1.** cette – **2.** ce – **3.** Cette – **4.** ces – **5.** Cet – **6.** ces – **7.** Ce – **8.** cet – **9.** Cet – **10.** Ce

3 notre famille – notre dixième anniversaire – mon mari – notre fille – mon arrière-grand-mère – mes beaux-parents – mon frère – mon oncle – ma mère – nos amis – mon amie – nos fêtes – mon enfance

4 **1.** votre – **2.** ton – **3.** votre – **4.** votre – **5.** ton – **6.** votre – **7.** tes – **8.** vos – **9.** ta – **10.** ton

5 **1.** ses, ses, son, son – **2.** leurs, sa – **3.** sa, ses, son

Observez *page 28*

a. celui – celle – ceux – celles

b. Formes à barrer : celles-ci, celui-là, celle-là, ceux-ci, celle-ci. Ces pronoms démonstratifs comportent déjà une précision : *-ci* ou *-là*. Ils ne peuvent pas être suivis d'une autre précision.

7 **1.** celui-ci, celui-là – **2.** Ceux-ci, ceux-là – **3.** Celles-ci, celles-là – **4.** Celui-ci, celui-là – **5.** Ceux-ci, ceux-là

8 **1.** Celle – **2.** celui – **3.** celles – **4.** ceux – **5.** celle – **6.** celui – **7.** celles – **8.** ceux

9 **1.** Ce – **2.** Celui-ci – **3.** celui-là – **4.** ces – **5.** Celle-ci – **6.** celle-là – **7.** celle – **8.** cet – **9.** cette – **10.** Celle – **11.** celle – **12.** ces – **13.** ceux – **14.** ceux – **15.** cette

Observez *page 29*

a. deux mots – **b.** Vrai – **c. Masc. singulier :** le mien, le tien, le sien, le nôtre, le vôtre, le leur. **Fém. singulier :** la mienne, la tienne, la sienne, la nôtre, la vôtre, la leur. **Masc. pluriel :** les miens, les tiens, les siens, les nôtres, les vôtres, les leurs. **Fém. pluriel :** les miennes, les tiennes, les siennes, les nôtres, les vôtres, les leurs.

10 **1.** d, k – **2.** i – **3.** c, j – **4.** z – **5.** b – **6.** l – **7.** o – **8.** r – **9.** e – **10.** t – **11.** u – **12.** x – **13.** s – **14.** n, y – **15.** g, h – **16.** a, q – **17.** v – **18.** w – **19.** p – **20.** f – **21.** m

11 **1.** la tienne – **2.** les leurs – **3.** le sien – **4.** les tiens – **5.** la vôtre – **6.** les siennes – **7.** le leur – **8.** la sienne – **9.** le tien – **10.** les tiennes

12 **1.** votre, la mienne – **2.** sa, la sienne – **3.** mon, le tien – **4.** mon, le tien – **5.** nos, les vôtres – **6.** leur, le leur

13 tes vacances – cet été – mes cousins – ma sœur – Cette région – mon enfance – tes vacances – ma famille – Mes grands-parents – leurs petits-enfants – cet hiver – ses souvenirs

14 **1.** mes – **2.** cet – **3.** cette – **4.** mon – **5.** cet – **6.** mes – **7.** ce / mon – **8.** tes – **9.** ton – **10.** cette / ton

15 **1.** ce, notre, Ce, cette – **2.** celui, celui – **3.** Mon / Ce – **4.** votre, la vôtre – **5.** vos – **6.** Le mien / Celui-ci – **7.** Celle-ci, celle-là – **8.** ceux

Chapitre 4

Les pronoms compléments

Observez *page 32*

a. J'ai deux places. – Je prends les deux places. – Vous avez des billets. – Je n'ai plus de billets. – Je connais Marie. – Il y a beaucoup de clients. – **b.** Vrai – **c.** Faux – **d.** Vrai – Vrai – Vrai

1 **1.** Je l'achète. – **2.** Je ne la regarde pas. – **3.** Je ne l'écoute pas. – **4.** Je ne le prends pas chez moi. – **5.** Je les appelle. – **6.** Je la retrouve dans le métro. – **7.** Je le bois au bureau. – **8.** Je les relis.

2 **1.** b – **2.** c – **3.** g – **4.** e – **5.** f – **6.** a – **7.** d

3 **1.** Vous en connaissez beaucoup. – **2.** J'en ai visité plusieurs. – **3.** Tu n'en veux pas. – **4.** J'en ai rencontré deux. – **5.** Ils en ont pris un. – **6.** Nous en avons acheté. – **7.** On en a sélectionné une. – **8.** Vous en avez trouvé un.

4 **1.** Il le rédige. – **2.** Il en écrit. – **3.** Elle en fait. – **4.** Il les corrige. – **5.** Il en dessine. – **6.** Ils en prennent. – **7.** Il la dirige. – **8.** Il en fabrique une.

5 **1.** J'en – **2.** en – **3.** les – **4.** l' – **5.** j'en ai une – **6.** l' – **7.** j'en – **8.** n'en – **9.** n'en – **10.** l' – **11.** vous

Observez *page 34*

Vrai – Faux

6 **1.** d – **2.** g – **3.** c – **4.** f – **5.** b – **6.** a – **7.** h – **8.** e

7 **1.** prise, faite, fait – **2.** mises, acheté – **3.** écrits, aidés – **4.** eue, reçue, postée – **5.** rencontrée, vue

Observez *page 35*

a. Pronoms compléments : lui, lui, m', nous, leur. **b.** pour donner à Pierre la date de la réunion – je téléphone à Catherine – j'envoie un fax à Jacques et Amélie – **c.** Faux – **d.** Vrai – **e.** Vrai

8 **1.** leur – **2.** lui – **3.** lui – **4.** leur – **5.** lui – **6.** leur – **7.** lui – **8.** lui – **9.** lui – **10.** lui

9 **1.** – **1.** nous – **2.** leur – **3.** m' – **4.** lui – **5.** leur – **6.** lui
2. – **7.** m' – **8.** t' – **9.** t' – **10.** m'

Observez *page 36*

a. le pronom tonique – **b.** (qn = quelqu'un) S'intéresser à qn, faire attention à qn, s'adresser à qn, penser à qn, s'habituer à qn, tenir à qn. – **c.** Vrai

10 **1.** Ils leur expliquent. – **2.** Ils font attention à eux. – **3.** Je tiens à elles. – **4.** Je leur fais signe. – **5.** Tu penses à lui. – **6.** Tu ne lui écris pas. – **7.** Je leur dis bonjour. – **8.** Je m'habitue à eux. – **9.** Elle s'intéresse à eux. – **10.** Elle leur répond gentiment. – **11.** Ils s'adressent à lui. – **12.** Je lui téléphone.

11 **1.** Tu t'y intéresses ? – **2.** Tu t'intéresses à elle ? – **3.** Vous y penserez ? – **4.** Vous penserez à elles ? – **5.** Nous ferons attention à lui. – **6.** Nous y ferons attention. – **7.** J'y tiens. – **8.** Je tiens à eux. – **9.** Il faut s'adresser à elle. – **10.** Il faut s'y adresser. – **11.** Elle ne s'habitue pas à lui. – **12.** Elle ne s'y habitue pas.

Observez *page 37*

a. Vrai – **b.** le pronom tonique

12 **1.** de lui. – **2.** de lui. – **3.** d'elle. – **4.** de lui. – **5.** de lui. – **6.** d'elle. – **7.** d'eux. – **8.** de lui.

13 (qn = quelqu'un, qch = quelque chose) **1.** (parler de qn) Nous parlons des étudiants, des parents... – **2.** (se souvenir de qch) Ils se souviennent de leur examen, d'un accident... – **3.** (se souvenir de qn) Tu te souviens de tes grands-parents, de tes amis de vacances... – **4.** (avoir besoin de qch) On a besoin d'amour, de soleil... – **5.** (s'apercevoir de qch) Je m'aperçois d'une erreur, d'un vol... – **6.** (se moquer de qch) On se moque de la mode, des traditions... – **7.** (se moquer de qn) Tu te moques d'un vieux monsieur, d'un copain... – **8.** (avoir envie de qch) Il a envie d'une nouvelle voiture, de calme... – **9.** (avoir peur de qch) Elle a peur de l'orage, des araignées... – **10.** (se méfier de qn) Vous vous méfiez d'une personne bizarre, d'un inconnu...

Observez *page 38*

a. Vrai – **b.** Vrai

14 **1.** b, c, f, g, k – **2.** a, d, e, h, i, j, l

15 **1.** Ils y vont tous les samedis. – **2.** Ils en sortent à 17 heures. – **3.** Ils y passent le week-end. – **4.** Ils n'y dorment pas souvent. – **5.** Elles y retournent bientôt. – **6.** Ils en arrivent. – **7.** Nous n'y habitons plus. – **8.** J'en viens.

Observez *page 39*

a. Ne la laissez pas là. – Déplacez-la. – Je ne les trouve plus. – Tu les as posées. – Je peux la prendre ?
b. Les pronoms compléments se placent devant un verbe conjugué à un temps simple, devant l'auxiliaire d'un verbe conjugué à un temps composé, derrière un verbe à l'impératif affirmatif, devant un verbe à l'impératif négatif, devant l'infinitif quand il y a deux verbes.

16 **1.** f – **2.** e – **3.** g – **4.** i – **5.** l – **6.** j – **7.** d – **8.** a – **9.** k – **10.** c – **11.** h – **12.** b

17 **1.** Oui, je peux la faire. – **2.** Ah non, fais-le toi-même ! – **3.** Ah non, je ne t'emmène pas. – **4.** Oui, je peux en commander un. – **5.** Oui, je vais y aller. – **6.** Non, je n'en retire pas. – **7.** Bien sûr, je leur ferai confiance. – **8.** Mais oui, on les appellera. – **9.** Ah non, je ne l'inviterai pas. – **10.** Oui, mais ne lui parle pas de ton voyage.

18 **1.** L'année dernière, ma sœur nous a invités au réveillon. – **2.** Mon fils n'a pas pu y aller. – **3.** Mais il lui a téléphoné à minuit. – **4.** Des amis russes lui avaient apporté des bouteilles de vodka. – **5.** On en a bu plusieurs verres. – **6.** Ils nous ont appris des danses russes. – **7.** Ce réveillon nous a vraiment plu. – **8.** Nous nous y sommes beaucoup amusés. – **9.** Après, nous en avons souvent parlé. – **10.** Le prochain, nous allons l'organiser à la maison.

20 **1.** g – **2.** f – **3.** k – **4.** j – **5.** l – **6.** d – **7.** c – **8.** b – **9.** a – **10.** i – **11.** h – **12.** e

22 **1.** en – **2.** y – **3.** y – **4.** y – **5.** y – **6.** y – **7.** en – **8.** en

23 **Les élèves :** on les aide, on leur donne des exemples, on les écoute, on leur explique, on les respecte. **La directrice d'école :** on lui obéit, on l'écoute, on la respecte. – **La cliente :** on lui indique le prix, on la sert, on l'accueille, on lui sourit, on la conseille. **Les vendeurs :** on leur demande conseil, on leur règle les achats, on leur sourit. – **Le visiteur :** on lui indique les horaires, on l'oriente, on le renseigne, on le guide, on lui propose un itinéraire. **Le guide :** on lui pose des questions, on le suit.

24 **1.** me – **2.** vous – **3.** l' – **4.** la – **5.** les – **6.** les – **7.** lui – **8.** les – **9.** m'

25 **1.** la – **2.** lui – **3.** lui – **4.** lui – **5.** la – **6.** lui

26 **1.** y – **2.** y – **3.** en – **4.** eux – **5.** leur – **6.** y – **7.** en – **8.** les

28 en sont partis – l'ont trouvée – sommes allés les voir – nous ont montré – y sommes restés – les avons trouvés – en ont rêvé – ont pu s'y installer

Chapitre 5

Le présent de l'indicatif

Observez *page 44*

Infinitif des verbes en gras : être, avoir, commencer, terminer, changer – demander, chercher – déjeuner, aller, apporter, avoir, habiter, avoir, rester, aller, aller – s'habituer, débuter, être, être, se coucher.

1 **1.** sommes, avons – **2.** sont, sont, ont, sont – **3.** es, as, as – **4.** suis, suis, j'ai – **5.** est, est, n'a – **6.** êtes, avez

2 **1.** a, n'est – **2.** sommes, avons, ont – **3.** J'ai, suis, J'ai – **4.** n'avez, êtes – **5.** ont, sont, est, est, a – **6.** as, as, es, est

3 **1.** enseigne – **2.** travaillent – **3.** gardes – **4.** cherche – **5.** contrôlent – **6.** fabriquez – **7.** renseignons – **8.** loues – **9.** réparez – **10.** soigne

4 se réveille – me retrouve – vous préparez – nous douchons – me rase – me dépêche – s'habillent – ne t'énerves jamais – se passe – se recouche

5 **1.** me repose – **2.** s'intéresse – **3.** s'amusent – **4.** vous décidez – **5.** me coupe – **6.** se marient – **7.** nous dépêchons

6 **1.** ressemble, respirons, imagines – **2.** brille, passe, j'oublie – **3.** marchons, visitent, embrasse – **4.** roulent, fument, apprécions – **5.** bavardent, informent, posent

7 déménage – changeons – commençons – dirigeons – aménageons – partageons – arrangeons – déplaçons – remplaçons – rangeons – plaçons

8 **1.** va, il – **2.** allons, je – **3.** vont, ils – **4.** vas, je – **5.** vais, je – **6.** allez, nous – **7.** allez, On

Observez *page 46*

a. je, tu, il / elle / on, ils / elles
b. je, tu, il / elle / on, ils / elles

9 **1.** d, j, l – **2.** g – **3.** d, g, j, l – **4.** c – **5.** e, i – **6.** b, f, k – **7.** a, h

Observez *page 47*

a. je, tu, il / elle / on, ils / elles
b. je, tu, il / elle / on, ils / elles
c. je, tu, il / elle / on, ils / elles

10 **1.** Tu espères. – **3.** Ils pèsent. – **4.** Tu exagères. – **5.** Je répète. – **6.** Nous complétons. – **7.** Ils répètent. **8.** J'emmène. – **9.** Elle lève. – **11.** On préfère. – **12.** Vous répétez. – **13.** Nous espérons. – **14.** Vous exagérez. – **15.** On achète. – **16.** Ils achètent. – **18.** Elles enlèvent. – **19.** Je complète. – **20.** Elles préfèrent.

11 **1.** préfères, préfère – **2.** espère – **3.** espère – **4.** préférez, préférons, préfèrent – **5.** préférons, préfère – **6.** espérons, espère

12 **1.** On appelle. – **2.** Nous épelons. – **3.** Elle rejette. – **4.** Il renouvelle. – **5.** Vous jetez. – **6.** Ils renouvellent. – **7.** Tu épelles. – **8.** Nous rejetons. – **9.** Je projette. – **10.** Ils appellent. – **11.** Vous rappelez. – **12.** Elles jettent.

Observez *page 48*

Verbes qui se conjuguent comme *finir* : atterrir, obéir, réfléchir, applaudir.

13 **1.** réussit – **2.** réunissons – **3.** ralentissez – **4.** salissez – **5.** réagit – **6.** réfléchissez – **7.** atterrissent – **8.** obéis – **9.** remplissez – **10.** applaudissons

14 **1.** rougit – **2.** blanchissent – **3.** rajeunissez – **4.** grandissent – **5.** maigrit, grossis – **6.** vieillissons, rajeunit

15 **1.** sortons – **2.** se sentent – **3.** sert – **4.** sentez – **5.** courons – **6.** sortent – **7.** pars – **8.** servent – **9.** dors – **10.** court – **11.** dorment – **12.** sers – **13.** mens, mens – **14.** partent

Observez *page 49*

Vrai

16 **1.** viens, viens – **2.** reviennent – **3.** tient – **4.** obtenez, obtenons – **5.** appartient, appartiennent – **6.** deviens, deviens – **7.** soutiennent, soutiens – **8.** prévient

Observez (1) *page 50*

a. accueillir – couvrir – ouvrir – cueillir – découvrir – offrir – souffrir – **b.** Vrai

17 **1.** offrez – **2.** couvre – **3.** accueillons – **4.** souffres – **5.** cueille – **6.** découvre – **7.** souffrez – **8.** accueillent – **9.** couvre – **10.** offrent – **11.** ouvre – **12.** découvrons – **13.** cueille – **14.** ouvrent

Observez (2) *page 50*

a. 1 f – 2 a – 3 g – 4 b – 5 e – 6 c – 7 e – 8 a – 9 g – 10 d – 11 e – 12 h – 13 c – 14 e – 15 a – **b. Lire :** interdire, conduire, traduire, produire, élire, prédire, contredire, construire. **Écrire :** inscrire, décrire, prescrire. **Rire :** sourire. – **c.** Vous dites.

18 **1.** prédit – **2.** sourient – **3.** traduisons – **4.** dites – **5.** conduit – **6.** relisez – **7.** s'inscrivent – **8.** contredis – **9.** prescrivez. – **10.** élisent

19 **1.** fais – **2.** faites – **3.** font – **4.** faisons – **5.** fais – **6.** fait

20 **1.** buvez – **2.** buvons – **3.** boivent – **4.** boit – **5.** boit – **6.** bois

21 Je crois – Tu crois – Il / Elle / On croit – Nous croyons – Vous croyez – Ils / Elles croient

22 **1.** croyons – **2.** crois – **3.** croient – **4.** croyez – **5.** croit – **6.** crois

23 **1.** entendez – **2.** entends – **3.** entend – **4.** descendez – **5.** descendons – **6.** descends – **7.** attendez – **8.** attends – **9.** vendez – **10.** vendons – **11.** dépend – **12.** réponds – **13.** perdons – **14.** défendent – **15.** rendez – **16.** confonds

24 **1.** prenez, reprends – **2.** comprennent, prend, apprennent – **3.** comprends, surprends – **4.** apprenons – **5.** apprenez, comprenez, apprend

Observez *page 54*

a. Vrai – **b. Peindre :** je peins, tu peins, il / elle / on peint, nous peignons, vous peignez, ils / elles peignent. **Craindre :** je crains, tu crains, il / elle / on craint, nous craignons, vous craignez, ils / elles craignent. **Joindre :** je joins, tu joins, il / elle / on joint, nous joignons, vous joignez, ils / elles joignent.

25 1. éteint – 2. rejoignons – 3. peignent – 4. vous plaignez – 5. n'éteignez pas – 6. rejoins – 7. peins – 8. crains – 9. plains – 10. ne craignent pas

26 1. mets – 2. permettez – 3. promets – 4. permet – 5. promettons – 6. mettez – 7. admet – 8. mettent

Observez *page 55*

a. Horizontalement : connaissons, connais, connaissent. **Verticalement :** connaît, connais, connaissez. – **b.** à la 3e personne du singulier

27 1. paraissent – 2. apparaît – 3. disparaît – 4. paraissez – 5. connais – 6. reconnais – 7. disparaissent – 8. paraît – 9. connaît, reconnaît

28 **Vivre :** je vis, tu vis, il / elle / on vit, nous vivons, vous vivez, ils / elles vivent. **Suivre :** je suis, tu suis, il / elle / on suit, nous suivons, vous suivez, ils / elles suivent.

29 1. vivez – 2. vit – 3. vivent – 4. vivons – 5. vit – 6. vis

30 1. suis – 2. suivons – 3. suivez – 4. suivent – 5. suis – 6. suit

Observez *page 56*

a. Faux – **b. Voir / Prévoir :** je prévois, tu prévois, on voit, nous voyons, vous prévoyez, elles voient. **Recevoir / Décevoir / Apercevoir :** je déçois, tu reçois, elle aperçoit, nous recevons, vous apercevez, elles déçoivent.

31 1. aperçois, vois – 2. voyez – 3. déçoit – 4. recevons – 5. prévoient – 6. vous apercevez – 7. prévoyons – 8. reçois – 9. prévoyez

Observez *page 57*

Savoir : je sais, tu sais, il / elle / on sait, nous savons, vous savez, ils / elles savent. **Devoir :** je dois, tu dois, il / elle / on doit, nous devons, vous devez, ils / elles doivent. **Pouvoir :** je peux, tu peux, il / elle / on peut, nous pouvons, vous pouvez, ils / elles peuvent. **Vouloir :** je veux, tu veux, il / elle / on veut, nous voulons, vous voulez, ils / elles veulent. **Falloir :** il faut.

32 1. Vous pouvez emprunter des livres. – 2. Il veut sortir un peu. – 3. Clarisse et Steve savent tout. – 4. Il faut travailler. – 5. Je sais danser le tango. – 6. Elles doivent faire attention. – 7. Je veux changer de travail. – 8. Elles peuvent se reposer.

33 1. sait, peut, veut, peux, voulez, pouvez – 2. devons, faut, savons, pouvons – 3. doivent, faut, faut, voulons, voulez, sais, peuvent, veulent – 4. sais, veux, peux, dois

Observez *page 58*

a. Le verbe *être*. – **b.** Au présent. – **c.** L'action est en cours de déroulement. – **d.** Je suis en train de me préparer.

34 1. Je suis en train de m'installer à mon bureau. – 2. Tu es en train de répondre au téléphone. – 3. On est en train de prendre un café. – 4. Ils sont en train de discuter. – 5. Vous êtes en train d'ouvrir le courrier. – 6. Nous sommes en train de classer les dossiers. – 7. Elle est en train d'accueillir les clients.

35 1. suis en train de faire mon lit, est en train de s'habiller – 2. êtes en train de dîner, sommes en train de faire la vaisselle – 3. es en train de te reposer, suis en train d'écrire – 4. sont en train de réparer – 5. suis en train d'accrocher, est en train d'installer

37 1. viens, peux, suis en train de téléphoner. – 2. faites, sommes en train de jouer. – 3. sont, sont en train de s'inscrire, ont – 4. faites, entendons, sommes en train de changer. – 5. fait, faut, sait, est en train de faire.

38 1. sais – 2. suit – 3. dit – 4. boit – 5. met – 6. accepte – 7. veut – 8. te rends compte – 9. doit

39 voyez – êtes – dormez – bougez – suis – parlez – dites – comprends – vous réveillez – ouvrez – criez – dis – entendez – peux – vous levez – vous arrêtez – entre – sais – vois – veux – se passe – fait – est – disent

40 1. ouvre – 2. peuvent – 3. roule – 4. vend – 5. devez – 6. attend – 7. acceptons – 8. ferment

42 écoute – récapitule – sortez – portez – êtes – doit – restez – regardez – semblez – tournez – apercevez – vous avancez – se tourne – apparaissez – avez – vous dépêchez – vous dirigez –

arrivez – levez – se croisent – entend – vous effondrez – est

Chapitre 6

Les temps du passé

Observez *page 61*

a. Faux – **b.** Vrai – **c.** l'auxiliaire *être* – **d.** Ils ne se sont pas amusés. Nous avons beaucoup mangé.

1 ***-é*** **:** arrivé (arriver), été (être), né (naître), passé (passer), regardé (regarder), tombé (tomber). ***-i*** **:** choisi (choisir), dormi (dormir), réussi (réussir), ri (rire), sorti (sortir). ***-it*** **:** dit, (dire), écrit (écrire), fait (faire). ***-is*** **:** appris (apprendre), compris (comprendre), mis (mettre), permis (permettre), pris (prendre). ***-u (-û)*** **:** attendu (attendre), eu (avoir), couru (courir), cru (croire), dû (devoir), entendu (entendre), fallu (falloir), lu (lire), perdu (perdre), plu (pleuvoir), pu (pouvoir), reçu (recevoir), répondu (répondre), su (savoir), venu (venir), vécu (vivre), vu (voir), voulu (vouloir). ***-ert*** **:** offert (offrir), ouvert (ouvrir). ***-eint*** **:** éteint (éteindre), peint (peindre). **Autre :** mort (mourir).

2 **1.** levé / levée – **2.** réveillés – **3.** préparés / préparées – **4.** pris – **5.** quitté – **6.** rentrées – **7.** dîné – **8.** restée – **9.** attendu – **10.** endormis / endormies

3 ***Être*** **: 1.** monter, sont montés – **3.** aller, n'est jamais allée – **4.** mourir, est mort – **6.** naître, suis né(e) – **8.** partir, sommes parti(e)s – **10.** sortir, n'est pas sorti – **11.** passer, es passé(e) – **12.** entrer, sont entrés – **13.** rentrer, suis rentré(e) – **14.** retourner, n'y sont jamais retournés – **16.** tomber, es tombé(e) – **17.** venir, est venue – **19.** descendre, sont descendus – **20.** rester, sont restées. ***Avoir*** **: 2.** voyager, a voyagé – **5.** visiter, avons visité – **7.** courir, a couru – **9.** marcher, avez beaucoup marché – **15.** rencontrer, avez rencontré – **18.** suivre, as suivi.

4 **1.** Nos amis n'ont pas téléphoné. – **2.** Leur fax n'est pas encore arrivé. – **3.** Nous n'avons pas eu de courriel. – **4.** Ils ne sont pas venus au rendez-vous. – **5.** Ils ne se sont jamais présentés à l'aéroport. – **6.** Le guide ne s'est pas inquiété. – **7.** Il n'a pas voulu attendre. – **8.** Nous ne sommes pas partis.

5 **1.** On a pu venir. – **2.** Elle s'est approchée de lui. – **3.** Je ne me suis pas souvenu(e) de l'adresse. – **4.** Ils ont couru pour arriver à l'heure. – **5.** Elle ne s'est jamais perdue à Paris. – **6.** Nous ne sommes pas venu(e)s au rendez-vous. – **7.** Il a voulu prendre le bus. – **8.** On n'a pas oublié l'heure. – **9.** Je me suis trompé(e) d'endroit. – **10.** Ils se sont dépêchés. – **11.** Vous vous êtes amusé(e)(s) ? – **12.** Elle s'est impatientée. – **13.** Ils ne se sont jamais embrassés. – **14.** Elle a menti.

Observez *page 63*

Vrai

6 **1.** sommes – **2.** sommes – **3.** avez – **4.** es – **5.** êtes – **6.** est – **7.** as – **8.** avons – **9.** sont – **10.** a – **11.** a – **12.** avons – **13.** a – **14.** avez

Observez (1) *page 64*

a. Vrai – **b.** Vrai – **c.** Avec le pronom *en*, le participe passé ne s'accorde pas.

7 **1.** les, achetées – **2.** dépensé, de l'argent – **3.** l', reçue – **4.** les, économisés – **5.** gagné, un séjour – **6.** les, faites – **7.** payé, ses dettes

Observez (2) *page 64*

a. Vrai – **b.** Faux – **c.** *ét-* – **d.** Ils avaient – Nous comprenions – Ils étaient – Je faisais – Elles obéissaient – Je peignais – On reconnaissait – Il s'inscrivait – Vous traduisiez – **e.** Il fallait – Il pleuvait.

8 **1.** Je réfléchissais. – **2.** Il allait. – **3.** Elles étaient. – **4.** Vous faisiez. – **5.** Il fallait. – **6.** Je me promenais. – **7.** Je prenais. – **8.** Ils finissaient. – **9.** Tu voulais. – **10.** Elle lisait. – **11.** Ils pouvaient. – **12.** Tu écrivais. – **13.** Elle achetait. – **14.** Ils comprenaient. – **15.** Il savait. – **16.** Je devais. – **17.** Il dormait. – **18.** Tu connaissais.

Observez *page 65*

Commencer : je commençais, tu commençais, il / elle / on commençait, nous commencions, vous commenciez, ils / elles commençaient. **Envoyer :** j'envoyais, tu envoyais, il / elle / on envoyait, nous envoyions, vous envoyiez, ils / elles envoyaient. **Rire :** je riais, tu riais, il / elle / on riait, nous riions, vous riiez, ils / elles riaient. **Voyager :** je voyageais, tu voyageais, il / elle / on voyageait, nous voyagions, vous voyagiez, ils / elles voyageaient.

9 **1.** riions – **2.** payiez – **3.** étudiions – **4.** voyions – **5.** oubliiez – **6.** croyiez – **7.** publiions – **8.** ennuyiez

10 **1.** voyageais – **2.** plaçaient – **3.** changions – **4.** partageait – **5.** avancions – **6.** bougiez – **7.** lançait – **8.** commençais – **9.** rangeaient

11 **1.** Vous étudiiez. – **2.** Je partageais. – **3.** Vous riiez. – **4.** Nous nous ennuyions. – **5.** Nous placions. – **6.** Ils voyageaient. – **7.** Nous croyions. – **8.** Vous changiez. – **9.** Tu publiais. – **10.** Elle avançait. – **11.** Nous oubliions. – **12.** Vous effaciez.

Observez *page 66*

Verbes au passé composé : 1. me suis levé, ai pris, suis parti – **2.** n'ai pas encore fini – **3.** avons vécu – **4.** ai pris – **5.** a téléphoné – **6.** a déménagé – **7.** a duré – **8.** a terminé – **9.** ai mangé – **10.** n'ai pas travaillé – **11.** est né – **12.** a bu, a payé, est sorti – **13.** suis allé – **14.** n'ai pas terminé
Un fait ponctuel du passé : 4, 8, 11. **Un fait qui a une durée limitée dans le passé :** 3, 7, 10. **Une succession de faits dans le passé :** 1, 12. **Un fait du passé qui explique une situation présente, un résultat :** 2, 6, 9, 14. **Un fait répété dans le passé :** 5, 13.

12 **1.** se sont mariés – **2.** a préparé – **3.** est né – **4.** a rencontré – **5.** se sont disputés – **6.** avons déménagé – **7.** J'ai lu – **8.** a eu – **9.** êtes arrivé(e)(s) – **10.** J'ai été – **11.** ont quitté – **12.** avez vu – **13.** J'ai joué – **14.** nous sommes levé(e)s – **15.** est sortie – **16.** a passé
Un fait ponctuel : 1, 3, 4, 6, 9, 11, 14, 15. **Une action avec une durée limitée :** 2, 5, 8, 10, 13. **Un fait répété :** 7, 12, 16.

13 **1.** a fait, a acheté, a rejoint, sont entrés, se sont assis – **2.** sommes allé(e)s, avons attendu, n'est pas venu, sommes reparti(e)s – **3.** a bu, a feuilleté, a regardé, a payé, s'est levée, est sortie – **4.** suis promené(e), me suis reposé(e), se sont approchés, m'ont demandé, m'ont remercié(e), ont continué – **5.** se sont installées, a commencé, ont discuté, se sont endormies, s'est arrêté, se sont réveillées

15 s'est passé – êtes montés – avons fait – avez vu – avez visité – avons préféré – sommes restés – êtes allés – avons monté – avons descendu – nous sommes installés – vous êtes déplacés – avons compris – avons pris – avez marché – nous sommes promenés – ne vous êtes pas reposés – sommes allés – nous sommes amusés

17 **1.** ai déjà mangé – **2.** n'ai pas encore signé – **3.** ne l'avons jamais vue – **4.** a vieilli – **5.** n'y suis jamais allé(e) – **6.** sont partis – **7.** j'ai lu – **8.** n'avez pas assez dormi

Observez (1) *page 69*

a. Verbes à l'imparfait : étais, ne voulais pas, n'avais pas, ne désirais pas, étions, allions, louaient, prenaient. – **b.** décrivent une situation passée, expriment une habitude du passé

18 j'avais – vivais – J'allais – parlais – venais – passions – étiez – adoraient – manquaient – trouvais – voyais – n'avait – pouvait

19 était – adorait – allions – préparait – cuisinait – préférions – racontait – nous endormions – étions

Observez (2) *page 69*

a. Vrai – **b.** Vrai – **c.** Vrai

20 **1.** Elle se reposait quand je suis arrivé. – **2.** Je regardais un film quand le téléphone a sonné. – **3.** L'orage a éclaté pendant que nous nous promenions. – **4.** On lisait quand il y a eu un grand bruit. – **5.** Les enfants jouaient au football quand il a commencé à pleuvoir. – **6.** Le professeur est entré pendant que vous faisiez vos exercices.

21 **1.** sommes parti(e)s, faisait – **2.** suis sorti(e), pleuvait – **3.** ne parlaient pas, se sont installés – **4.** est arrivée, y avait – **5.** a apporté, n'étais pas – **6.** n'étaient pas, j'ai téléphoné

22 **1.** Vous vous promeniez dans le parc. Soudain, un cheval au galop est passé devant vous. – **2.** La jeune femme montait dans le train quand la porte s'est fermée brutalement. – **3.** Tu sortais la voiture du garage. À ce moment-là, un pneu a éclaté. – **4.** On était presque au troisième étage quand l'ascenseur s'est arrêté. – **5.** Le bateau s'approchait de la côte. À ce moment-là, il y a eu une vague énorme. – **6.** Je circulais dans la rue de Rivoli quand un autobus a heurté l'arrière de ma voiture.

23 **1.** Pendant que le conférencier parlait, des manifestants sont entrés. – **2.** Pendant que je regardais un film, la télévision s'est éteinte. – **3.** Pendant que nous admirions un tableau, il s'est décroché. – **4.** Pendant qu'elle faisait un discours, son micro est tombé en panne. – **5.** Pendant que les invités répondaient aux questions des journalistes, des spectateurs sont sortis. – **6.** Pendant que nous faisions la queue pour entrer dans la salle, les agents de sécurité ont fait sortir tout le monde.

24 **1.** j'ai vu, attendait – **2.** avons observé, faisait – **3.** j'ai eu, j'ai entendu, hurlaient, se battaient – **4.** j'ai assisté, se disputaient, s'embrassaient – **5.** avons fait, ne connaissions pas – **6.** j'ai croisé, rentrait – **7.** a vu, racontait

Observez *page 71*

La première explication est à l'imparfait : elle décrit une situation. La seconde explication est au passé composé : elle exprime un fait ponctuel.

25 **1.** J'ai pris une aspirine parce que j'avais mal à la tête. – **2.** Nous avons posé des questions parce que nous ne comprenions pas. – **3.** Tu n'as pas entendu le téléphone parce que tu regardais la télévision. – **4.** Il est allé à la banque parce qu'il avait besoin d'argent. – **5.** Vous avez déménagé parce que votre appartement était trop petit. – **6.** J'ai fermé la fenêtre parce qu'il faisait froid.

26 **1.** suis entré(e), pleuvait – **2.** est tombé, était – **3.** avons pris, ne marchait pas – **4.** n'est pas allée, était – **5.** ne sont pas parties, n'ont pas eu – **6.** n'ai pas pu, étaient – **7.** s'est absenté, devait

Observez *page 72*

a. Verbes au passé composé : suis allée, ai rencontré, nous sommes assis, avons discuté. **Verbes à l'imparfait :** était, étaient, faisait. – **b.** Les verbes qui racontent les faits sont au passé composé. Ceux qui décrivent le décor ou la situation sont à l'imparfait.

27 est entré – avait – faisaient – était – écoutaient – mangeait – parlait – se maquillaient – jouait – ressemblait – a claqué – s'est assis – a pu

28 j'ai fait – J'étais – faisait – n'éclairait pas – entendait – voulais – pouvais – passaient – voyaient – s'est passé – me suis réveillée

Observez *page 73*

a. un temps composé – **b.** à l'imparfait – **c.** antérieure – **d.** Vrai – **e.** Vrai

29 **Verbes à souligner :** 1, 3, 5, 7, 9, 10, 13, 16.

30 **1.** n'avais pas tout vu – **2.** n'avait pas compris – **3.** avions mal écrit – **4.** n'avaient pas entendu – **5.** avait mal appris – **6.** n'avaient pas bien suivi

31 **1.** avais oubliés – **2.** avait achetées – **3.** avaient préparées – **4.** avait recommandée – **5.** avaient promises – **6.** avait rapportée

Observez *page 74*

a. très proche du présent – **b.** *venir de* + infinitif – **c.** Vrai

32 **Présent :** 1, 3, 7, 9, 10. **Passé récent :** 2, 4, 5, 6, 8, 11, 12.

33 **1.** Je viens d'acheter un appartement. – **2.** Vous venez de déménager ? – **3.** Tu viens de trouver un travail. – **4.** Nous venons de signer un contrat. – **5.** Il vient d'obtenir son bac. – **6.** Ils viennent de divorcer. – **7.** Elle vient d'avoir un bébé.

34 **1.** viens de pleurer – **2.** viens d'apprendre – **3.** viens d'appeler – **4.** viens de boire – **5.** vient de passer – **6.** viens d'avoir

35 **1.** On vient de se préparer. – **2.** Je viens de me doucher. – **3.** Tu viens de t'asseoir. – **4.** Il vient de se lever. – **5.** Nous venons de nous téléphoner. – **6.** Vous venez de vous coucher. – **7.** Elles viennent de s'endormir.

36 **1.** viennent de se rencontrer – **2.** vient de se marier – **3.** venons de nous quitter – **4.** viens de me disputer – **5.** viennent de faire connaissance – **6.** vient de se séparer

38 **1.** j'avais oublié – **2.** roulait – **3.** viens de me réveiller – **4.** ne connaissait pas – **5.** avait – **6.** ont grandi – **7.** avons pris

39 **1.** viens d'acheter, l'as acheté, faisaient – **2.** es déjà allé(e), vient d'ouvrir, ne savais pas – **3.** avez installé, venons de recevoir, J'ai téléphoné, avait

40 **1.** ne savais pas, me suis inscrite, j'ai pris – **2.** ne pouvait pas, était, s'est entraîné, est devenu – **3.** vivait, se débrouillait, est tombée, a été

41 **1.** était – **2.** faisait – **3.** était – **4.** suis montée – **5.** me suis installée – **6.** J'étais – **7.** J'ai mis – **8.** j'ai démarré – **9.** avait – **10.** roulais – **11.** était – **12.** parlait – **13.** allait – **14.** a commencé – **15.** voyais – **16.** j'ai paniqué – **17.** je me suis arrêtée

42 n'as pas assisté – ne t'ai pas vue – ne suis pas venue – m'est arrivé – J'attendais – j'étais – j'ai senti – me suis retournée – j'ai vu – regardait – J'ai été / J'étais – l'ai reconnu – C'était – sommes tombés – avons commencé – regardaient – avons discuté – avons oublié – étions – sommes allés – nous sommes quittés – m'inquiétais – s'est passée

Chapitre 7

Les temps du futur

Observez *page 77*

a. Verbe *aller* au présent + infinitif du verbe. – **b.** Nous n'allons pas beaucoup nous reposer. – **c.** Parler d'une action immédiate : 2, d'un projet : 1.

1 **1.** Les artistes vont partir en tournée. – **2.** La mairie va donner une subvention. – **3.** Nous allons nous répartir le travail. – **4.** Je vais m'occuper des affiches. – **5.** Il va falloir trouver des sponsors. – **6.** Les comédiens vont répéter pendant trois semaines. – **7.** Alain va envoyer des invitations aux amis.

3 **1.** Je ne vais pas me détendre. – **2.** Nous n'allons pas nous retrouver demain. – **3.** Myriam ne va pas se maquiller. – **4.** Mes parents ne vont pas s'installer dans le Sud. – **5.** Tu ne vas pas t'inscrire à un cours d'anglais. – **6.** Vous n'allez pas vous promener. – **7.** On ne va pas s'arrêter de travailler. – **8.** Je ne vais pas m'abonner à un quotidien.

4 **1.** va s'inscrire – **2.** vais rentrer – **3.** n'allons pas arrêter – **4.** va préparer – **5.** vas étudier – **6.** allons nous informer – **7.** allez essayer – **8.** ne vont pas s'ennuyer

6 **1.** allons arriver – **2.** va rater – **3.** va commencer – **4.** vas être – **5.** vas manquer – **6.** allons nous retrouver – **7.** va nous attendre

7 **1.** va s'énerver – **2.** allez salir – **3.** allons nous tromper – **4.** vais me fâcher – **5.** allez avoir – **6.** vas te faire – **7.** allez tomber – **8.** vas prendre

Observez *page 78*

a. Vrai – **b.** Au futur, le -e final de l'infinitif en *-re* disparaît. – **c.** Je ...*-ai* – Tu ...*-as* – Il / Elle / On ...*-a* – Nous ...*-ons* – Vous ...*-ez* – Ils / Elles ...*-ont*

8 **1.** misera – **2.** parierez – **3.** amuserons – **4.** gratteront – **5.** gagnerai – **6.** joueras – **7.** choisiront – **8.** perdrez

9 **1.** e. critiquer – **2.** d. défiler – **3.** b. réclamer – **4.** a. protester – **5.** f. manifester – **6.** c. réagir – **7.** h. réfléchir – **8.** j. analyser – **9.** l. croire – **10.** i. songer – **11.** g. imaginer – **12.** k. méditer

10 **1.** réparer → Nous réparerons. – **2.** se préparer → Je me préparerai. – **3.** décorer → Elle décorera. – **4.** entourer → Nous entourerons. – **5.** comparer → Vous comparerez. – **6.** admirer → Ils admireront. – **7.** montrer → Vous montrerez. – **8.** durer → Ça durera. – **9.** respirer → Tu respireras. – **10.** tirer → Vous tirerez.

Observez (1) *page 80*

a. *-i* – **b.** Vrai – **c.** **Nettoyer :** je nettoierai, tu nettoieras, il / elle / on nettoiera, nous nettoierons, vous nettoierez, ils / elles nettoieront. **Essuyer :** j'essuierai, tu essuieras, il / elle / on essuiera, nous essuierons, vous essuierez, ils / elles essuieront. **Payer :** je paierai / payerai, tu paieras / payeras, il / elle / on paiera / payera, nous paierons / payerons, vous paierez / payerez, ils / elles paieront / payeront.

11 **1.** paiera / payera – **2.** paierez / payerez – **3.** paierai / payerai – **4.** paiera / payera – **5.** paieront / payeront – **6.** paierons / payerons – **7.** paieras / payeras

12 **1.** nettoierez – **2.** essaiera / essayera – **3.** nettoierai – **4.** J'essaierai / essayerait – **5.** essaieront / essayeront – **6.** essuieras – **7.** essaierons / essayerons – **8.** nettoieront

Observez (2) *page 80*

a. appeler, jeter, acheter, geler, peser

b. Pour les verbes en *-eler*, *-eter* ou *-eser*, au futur, soit on double la consonne de la terminaison de l'infinitif *(appeler, jeter)*, soit on ajoute un accent grave sur le *e* qui précède la terminaison de l'infinitif *(acheter, geler, peser)*.

13 **1.** se lèvera – **2.** vous lèverez – **3.** se lèveront – **4.** nous lèverons – **5.** me lèverai – **6.** te lèveras – **7.** se lèveront

14 **1.** emmènerai → emmener – **2.** se lèvera → se lever – **3.** se promènera → se promener – **4.** achèverons → achever – **5.** soulèvera → soulever – **6.** amènerez → amener – **7.** pèseront → peser – **8.** achèterez → acheter – **9.** enlèverai → enlever – **10.** gèlera → geler

15 **1.** Vous amènerez. – **2.** Ils achèteront. – **3.** Nous enlèverons. – **4.** Vous vous rappellerez. – **5.** Ils renouvelleront. – **6.** Elle jettera. – **7.** Vous pèserez. – **8.** Nous projetterons. – **9.** Tu soulèveras. – **10.** Vous vous promènerez.

Observez *page 81*

a. Faux – **b.** Vrai – **c.** aller → *ir-*, avoir → *aur-*, courir → *courr-*, devoir → *devr-*, envoyer →

enverr-, être → *ser-*, faire → *fer-*, falloir → *faudr-*, mourir → *mourr-*, pouvoir → *pourr-*, recevoir → *recevr-*, savoir → *saur-*, tenir → *tiendr-*, venir → *viendr-*, voir → *verr-*, vouloir → *voudr-*

16 **1.** viendrai – **2.** ira – **3.** aurons – **4.** courras – **5.** tiendra – **6.** enverrez – **7.** voudront – **8.** pourrai – **9.** recevra – **10.** pleuvra – **11.** sauras – **12.** mourrons

17 **1.** J'irai au cinéma. – **2.** Marthe recevra ses parents. – **3.** Kevin aura un match de foot. – **4.** Mes amis viendront chez moi. – **5.** Les enfants feront de la poterie. – **6.** Le médecin recevra ses patients. – **7.** Nous serons en retard. – **8.** Vous pourrez m'expliquer. – **9.** Je devrai partir plus tôt. – **10.** Il faudra se dépêcher. – **11.** Tu verras beaucoup mieux. – **12.** J'enverrai un colis.

Observez *page 82*

formuler une prévision : 2 – formuler une promesse : 1 – exprimer un ordre : 4 – indiquer un programme : 3

18 partirez – prendrez – durera – arriverez – attendra – emmènera – résiderez – aura – pourrez – sera – atterrira – se passera
Futur : pour indiquer un programme.

19 **1.** e. Je préparerai de bons plats. – **2.** a. Je ferai du bon pain. – **3.** c. Nous étudierons régulièrement. – **4.** i. Je tiendrai mes promesses électorales. – **5.** j. J'offrirai des fleurs. – **6.** d. Je n'oublierai pas les rendez-vous. – **7.** b. Nous nous entraînerons tous les jours. – **8.** h. Je dirai la vérité à mes lecteurs. – **9.** f. Nous ne tricherons plus. – **10.** g. J'enverrai le courrier.
Futur : pour formuler des promesses.

20 **1.** vivrons – **2.** continuera – **3.** se réchauffera – **4.** montera – **5.** sera – **6.** deviendront – **7.** se développeront – **8.** devrons
Futur : pour formuler des prévisions.

22 surveillerez – préparerez – pourront – devront – serez – écouterez – ne vous disputerez pas – termineras – n'oublieras pas – fera
Futur : pour exprimer des ordres.

Observez *page 84*

a. Au présent. – **b.** s'il

23 **1.** Si elles travaillent régulièrement, elles feront des progrès. – **2.** Si tu ne bois pas de café, tu dormiras mieux. – **3.** Si vous prenez le bus, vous arriverez plus vite. – **4.** Si je vois Thierry, je le préviendrai. – **5.** S'il a le temps, il fera les courses.

24 **1.** divulguent, sera – **2.** trahissez, ferai – **3.** apprend, ferons – **4.** répètes, se mettront – **5.** mentez, se saura – **6.** ne reconnaît pas, ne la croira plus – **7.** ne dis pas, annoncerai – **8.** raconte, paniqueront

25 **1.** tombe, réparerons – **2.** trouvez, rembourserons – **3.** dépasse, offrirons – **4.** ne va pas, procéderons – **5.** voyagez, paierez / payerez – **6.** prenez, bénéficierez – **7.** n'êtes pas, pourrez

27 **1.** n'oublierons pas – **2.** vais oublier – **3.** allons pouvoir – **4.** pourras – **5.** va faire – **6.** fera – **7.** va pleuvoir – **8.** prendrez – **9.** ne direz rien – **10.** vais dire – **11.** ne sortiras pas – **12.** vais sortir

28 **1.** prendrons, nous installerons, ne sera pas – **2.** vas te couper – **3.** vais traverser – **4.** faxerai – **5.** obtiendra, cherchera – **6.** vont dire – **7.** aurez

30 durera – partira – commencerons – irons – louerez – voulez – pourrez – verrez – descendrons – entrera – prendrez – avons – nous arrêterons – serez – souhaitez – achèterez – reviendrons

Chapitre 8

L'impératif

Observez *page 86*

a. Verbes à l'impératif : souriez, faites, achète, va, soyons, mets, ayez, veuillez, sachons. – **b.** *-e* – **c. Acheter :** achète, achetons, achetez. **Aller :** va, allons, allez. **Mettre :** mets, mettons, mettez. **Être :** sois, soyons, soyez. **Avoir :** aie, ayons, ayez. **Savoir :** sache, sachons, sachez. **Vouloir :** veuillez.

1 **À une personne que l'on tutoie :** 2, 4, 5, 7, 9, 10. **À une personne que l'on vouvoie ou à plusieurs personnes :** 1, 3, 6, 8.

2 **1.** Fais – **2.** Aie – **3.** Ne réponds pas – **4.** Apprends – **5.** Présente – **6.** Joue – **7.** N'oublie pas – **8.** N'abîme pas – **9.** Ne dis pas – **10.** Sois – **11.** Range – **12.** Ne parle pas

3 **1.** N'écrivez rien – **2.** Veuillez – **3.** N'oubliez pas – **4.** Mettez – **5.** N'utilisez pas – **6.** Remplissez – **7.** Cochez – **8.** Renvoyez – **9.** Ne joignez pas – **10.** Respectez

4 **1.** Ne cours pas – **2.** Profite – **3.** Faites – **4.** Ne pensez pas – **5.** Soyons – **6.** Écoute – **7.** N'oublions pas – **8.** Riez – **9.** Sors – **10.** Partez

Observez *page 88*

a. se préparer – se servir – **b.** devant le verbe à l'impératif négatif – derrière le verbe à l'impératif affirmatif. – **c.** Prépare-toi ! – Ne t'inquiète pas ! – **d.** Vrai – **e.** Ne vous gênez pas !

6 maquillez-vous – parfumez-vous – brossez-vous – habillez-vous – tenez-vous – déplacez-vous – contrôlez-vous → Clara, maquille-toi – parfume-toi – brosse-toi – habille-toi – tiens-toi – déplace-toi – contrôle-toi

7 **1.** Ne t'installe pas – **2.** Ne nous mettons pas – **3.** Arrête-toi – **4.** Ne te relève pas – **5.** Penchez-vous – **6.** Pressons-nous

9 **1.** Retrouvons-nous – **2.** Ne nous téléphonons pas – **3.** Voyons-nous – **4.** Ne vous fâchez pas – **5.** Expliquez-vous – **6.** Mettez-vous – **7.** Appelons-nous – **8.** Ne vous disputez pas

Observez *page 89*

a. devant le verbe à l'impératif négatif – derrière le verbe à l'impératif affirmatif – **b.** Vrai – **c.** Vrai – **d.** À l'impératif affirmatif, on emploie le pronom *moi.* – À l'impératif négatif, on emploie le pronom *me.*

10 **1.** i – **2.** f – **3.** l – **4.** e – **5.** b – **6.** d – **7.** g – **8.** a – **9.** k – **10.** h – **11.** j – **12.** c

11 **1.** Retires-en ! – **2.** Vérifie-la ! – **3.** Entres-y ! – **4.** Restes-y ! – **5.** Écoute-les ! – **6.** Parle-lui ! – **7.** Demandes-en ! – **8.** Dépose-le !

12 **1.** Regardes-en, n'en regarde pas – **2.** Fais-en, n'en fais pas – **3.** Invites-en, n'en invite pas – **4.** Joues-y, n'y joue pas – **5.** Manges-en, n'en mange pas – **6.** Vas-y, n'y va pas – **7.** Écoutes-en, n'en écoute pas

13 **1.** Accompagnez-moi à la discothèque samedi soir. – **2.** Ne me laissez pas entrer seul. – **3.** Allons-y tous ensemble vers 23 heures. – **4.** Amenez-y aussi vos amis brésiliens. – **5.** Dites-leur que c'est une soirée spéciale. – **6.** Toi, Catherine, présente-moi ton amie. – **7.** Explique-lui que j'adore danser. – **8.** Ne l'invite pas au dernier moment.

14 **1.** Mets-toi – **2.** ferme – **3.** ne triche pas – **4.** compte – **5.** retourne-toi – **6.** cherche-nous

16 **1.** Préparez 200 grammes de pâte sablée. – **2.** Laissez-la une heure au réfrigérateur. – **3.** Étalez-la au rouleau sur 1/2 cm d'épaisseur. – **4.** Placez-la sur une plaque beurrée. – **5.** Mettez-la dans un four chaud. – **6.** Laissez cuire 6 minutes. – **7.** Faites des petits carrés avec le biscuit encore chaud. – **8.** Laissez-les refroidir. – **9.** Servez-les avec une crème.

18 **1.** Ouvrez – **2.** Dépêchez-vous – **3.** Inscrivez – **4.** Glissez-y – **5.** N'envoyez pas – **6.** Adressez-nous – **7.** Surveillez

19 Attendez – ne vous bousculez pas – allez-y – montez – installez-vous – va – Dis-lui – posez-leur – N'hésitez pas – n'ayez pas peur – dites-nous

Chapitre 9

Le présent du subjonctif

Observez *page 92*

a. Je ...*-e* – Tu ...*-es* – Il / Elle / On ...*-e* – Nous ... *-ions* – Vous ...*-iez* – Ils / Elles ...*-ent*

b. Pour *je, tu, il / elle / on* et *ils / elles,* on utilise le radical de la 3e personne du pluriel *(ils)* du présent de l'indicatif. – Pour *nous* et *vous,* on utilise le radical de la 1re personne du pluriel *(nous)* du présent de l'indicatif.

1 **1.** nous partions – **2.** on tienne – **3.** tu mettes – **4.** vous passiez – **5.** je comprenne – **6.** il sorte – **7.** elle lise – **8.** nous vendions – **9.** je réussisse

2 **1.** ils attendent, il attende – **2.** ils finissent, je finisse – **3.** ils offrent, ils offrent – **4.** ils partent, on parte – **5.** ils prennent, tu prennes – **6.** ils promettent, je promette – **7.** ils viennent, elle vienne – **8.** nous décrivons, nous décrivions – **9.** nous recevons, vous receviez – **10.** nous réfléchissons, vous réfléchissiez – **11.** nous répondons, nous répondions – **12.** nous comprenions, vous compreniez – **13.** nous tenions, vous teniez – **14.** nous mettons, nous mettions

3 **1.** aies, avoir – **2.** fassent, faire – **3.** ayons, avoir – **4.** puissiez, pouvoir – **5.** veuillent, vouloir – **6.** sois, être – **7.** sache, savoir – **8.** aillent, aller – **9.** voulions, vouloir – **10.** soit, être – **11.** fasse, faire – **12.** alliez, aller

Observez *page 93*

a. Verbes au présent du subjonctif : dorme, fassiez, ayons, soient. – **b.** Vrai – **c.** une nécessité : 1 – un jugement : 4 – une volonté, un souhait : 2 – un sentiment : 3

4 un sentiment : 1, 4, 8, 10, 12, 19, 20 – une volonté, un souhait : 9, 11, 13, 21, 24, 25, 26 – une nécessité : 6, 7, 17, 18, 22, 23 – un jugement : 2, 3, 5, 14, 15, 16, 27, 28

5 **1.** soyez – **2.** arrivions – **3.** partiez – **4.** prévienne – **5.** fassions – **6.** puissent – **7.** serves – **8.** connaisse – **9.** finisse

6 **1.** Il faut que vous organisiez votre temps. – **2.** Il est important que nous lisions toutes les questions. – **3.** Je souhaite que tu fasses un brouillon. – **4.** Nous sommes surpris qu'elle ne relise pas tous les exercices. – **5.** Ils veulent qu'elles sachent tout par cœur. – **6.** Il serait plus raisonnable qu'elles aillent au lycée à pied. – **7.** Tu es heureux que tes copains soient dans ton groupe. – **8.** Les professeurs voudraient que leurs élèves répondent à toutes les questions.

7 **1.** Il faut qu'ils prennent un passe transport. – **2.** Il faut que je monte en haut de l'Arc de triomphe. – **3.** Il faut que vous vous promeniez sur les berges de la Seine. – **4.** Il faut que tu voies la tour Eiffel la nuit. – **5.** Il faut qu'on aille manger dans une brasserie. – **6.** Il faut que nous visitions le marché aux puces. – **7.** Il faut qu'elle fasse une balade en bateau-mouche.

9 **1.** ait – **2.** vous mettiez – **3.** traduises – **4.** m'interrompe – **5.** ayons – **6.** dise – **7.** n'intervienne pas

10 **1.** qu'il y ait plus de réunions – **2.** que nos vacances durent plus longtemps – **3.** que le directeur parte à la retraite – **4.** que nous prenions nos repas à notre poste de travail – **5.** que les visiteurs puissent fumer dans le bâtiment – **6.** que je me serve de la voiture de l'entreprise – **7.** que tu fasses un compte-rendu de la réunion – **8.** que j'aille te chercher un café

12 **1.** C'est dommage que les produits frais aient de moins en moins de goût. – **2.** Je suis étonné qu'on serve des frites à presque tous les repas. – **3.** C'est surprenant que très peu de gens fassent un régime. – **4.** On a peur que les repas ne soient pas vraiment équilibrés. – **5.** C'est important que tout le monde reçoive une éducation alimentaire. – **6.** Ça m'énerve que tu mettes du sucre dans tous les plats. – **7.** C'est bien que tu boives beaucoup d'eau.

Observez *page 96*

Le verbe principal et le verbe subordonné ont des sujets différents : on utilise le subjonctif. – Les deux verbes ont le même sujet : on utilise l'infinitif.

13 **1.** Ils aimeraient que nous allions avec elle. Ils aimeraient aller avec elle. Nous aimerions aller avec elle. – **2.** Ils souhaitent rentrer maintenant. Vous souhaitez rentrer maintenant. Vous souhaitez qu'ils rentrent maintenant. – **3.** On préfère rester un peu. On préfère que vous restiez un peu. Elles préfèrent rester un peu. Elles préfèrent que vous restiez un peu. – **4.** Je suis étonné de comprendre si facilement. Je suis étonné que tu comprennes si facilement. Tu es étonné de comprendre si facilement. – **5.** Il n'aime pas que vous conduisiez la nuit. Il n'aime pas conduire la nuit. Vous n'aimez pas conduire la nuit. – **6.** Tu refuses de payer si cher. Je refuse que tu paies si cher. Je refuse de payer si cher.

14 **1.** Je souhaiterais déménager bientôt. – **2.** Nous regrettons que notre logement soit trop petit. – **3.** Tu es surpris que le loyer augmente sans cesse. – **4.** Ils ont peur de changer de quartier. – **5.** Je veux qu'on refasse toutes les peintures. – **6.** Ils désirent que le quartier soit bien desservi. – **7.** Vous êtes déçu qu'il n'y ait pas beaucoup de commerces. – **8.** Elle n'aime pas passer trois heures par jour dans les transports.

15 **1.** Thérèse a peur d'être en retard. – **2.** Nous sommes contents qu'ils fassent beaucoup de progrès. – **3.** J'adore faire de longues randonnées en montagne. – **4.** On déteste que les gens ne soient pas aimables. – **5.** C'est triste qu'il n'ait pas beaucoup d'amis. – **6.** Je suis étonné qu'elles sachent parler quatre langues. – **7.** Tes parents n'aiment pas que tu sortes tous les soirs. – **8.** Vous êtes surpris de trouver cet exercice très facile.

16 **1.** I/S – **2.** I/S – **3.** I – **4.** S – **5.** S – **6.** I – **7.** I – **8.** I/S – **9.** S – **10.** S – **11.** I – **12.** S – **13.** S – **14.** I/S – **15.** I/S

17 **1.** soit, remettions, lise, ne puisse pas – **2.** quittes, viennes, aies – **3.** prenne, trouve, ailles, visites, choisisses

Chapitre 10

Le présent du conditionnel

Observez *page 98*

a. Je ...*-ais* – Tu ...*-ais* – Il / Elle / On ...*-ait* – Nous ...*-ions* – Vous ...*-iez* – Ils / Elles ...*-aient* – **b.** Vrai – **c.** Le futur simple. – **d.** Au présent du conditionnel, le *-e* final de l'infinitif en *-re* disparaît.

1 **1.** Je dessinerais, dessiner – Il écrirait, écrire – Elles écouteraient, écouter – Vous liriez, lire – **2.** Nous déciderions, décider – Elle offrirait, offrir – Tu hésiterais, hésiter – Vous choisiriez, choisir – **3.** Tu marcherais, marcher – Nous plongerions, plonger – On jouerait, jouer – Ils tomberaient, tomber – **4.** Ils plieraient, plier – Nous couperions, couper – Je déchirerais, déchirer – Vous colleriez, coller

2 **1.** s'endormirait – **2.** boirais – **3.** sortirait – **4.** dînerais – **5.** passeraient – **6.** nous déshabillerions – **7.** vous coucheriez – **8.** commenceraient

3 **1.** traverserait – **2.** ralentirais – **3.** longerions – **4.** tourneraient – **5.** attendrais – **6.** conduirait – **7.** me tromperais – **8.** s'arrêteraient – **9.** suivriez – **10.** partirait – **11.** arriverions – **12.** freinerait – **13.** éteindrais – **14.** vous gareriez – **15.** accélérerait

Observez (1) *page 99*

a. *-i* – **b.** Vrai

Observez (2) *page 99*

a. acheter, geler, épeler, appeler, jeter, mener, lever – **b.** Au présent du conditionnel de ces verbes, soit on double la consonne de la terminaison de l'infinitif *(appeler, épeler, jeter)*, soit on ajoute un accent grave sur le *e* qui précède la terminaison de l'infinitif *(acheter, geler, mener, lever)*.

4 **1.** Tu achèterais. → acheter – **2.** Il se lèverait. → se lever – **3.** Nous nous promènerions. → se promener – **4.** Vous amèneriez. → amener – **5.** Il gèlerait. → geler – **6.** Elles enlèveraient. → enlever – **7.** J'emmènerais. → emmener – **8.** Ils achèveraient. → achever – **9.** On soulèverait. → soulever – **10.** Nous rachèterions. → racheter – **11.** Tu te pèserais. → se peser – **12.** Elle relèverait. → relever

5 **1.** Nous emmènerions. – **2.** Ils achèteraient. – **3.** Vous projetteriez. – **4.** Tu soulèverais. – **5.** Vous promèneriez. – **6.** Nous essuierions. – **7.** J'appuierais. – **8.** On paierait / payerait. – **9.** Je me rappellerais. – **10.** On renouvellerait. – **11.** Elle rejetterait. – **12.** Nous pèserions. – **13.** Vous enlèveriez. – **14.** Tu tutoierais. – **15.** Elles essaieraient / essayeraient.

Observez (1) *page 100*

a. Faux – **b.** Vrai – **c. c.** aller → *ir-*, envoyer → *enverr-*, mourir → *mourr*, tenir → *tiendr-*, avoir → *aur-*, être → *ser-*, pouvoir → *pourr-*, venir → *viendr-*, courir → *courr-*, faire → *fer-*, recevoir → *recevr-*, voir → *verr-*, devoir → *devr-*, falloir → *faudr-*, savoir → *saur-*, vouloir → *voudr-*

6 **Verbes au présent du conditionnel :** 1, 3, 5, 7, 8, 10, 11, 12, 13, 15, 16.

7 **1.** Tu irais. → aller – **2.** Nous verrions. → voir – **3.** Vous auriez. → avoir – **4.** Tu serais. → être – **5.** Je pourrais. → pouvoir – **6.** Ils voudraient. → vouloir – **7.** Nous ferions. → faire – **8.** Elles sauraient. → savoir – **9.** Vous devriez. → devoir – **10.** Ils tiendraient. → tenir

Observez (2) *page 100*

a. Verbes au présent du conditionnel : pourriez, voudrais, devrais, aurais, faudrait, pourriez, aimerais, pourrait. – demander poliment : 1, 2, 4 – exprimer un souhait : 7 – donner un conseil ou faire une suggestion : 3, 5, 6, 8 – **b.** *devoir* et *pouvoir*

8 **1.** Tu pourrais m'aider ? – **2.** Connaîtriez-vous monsieur Dubeaux ? – **3.** Je voudrais un renseignement. – **4.** Tu aurais l'heure ? – **5.** Sauriez-vous où se trouve la mairie ? – **6.** Vous pourriez faire moins de bruit ? – **7.** On préférerait partir plus tôt. – **8.** Nous voudrions un plan détaillé.

9 **1.** aimerais, aimeriez, préférerais – **2.** voudrais, pourriez – **3.** pourrais, n'auriez pas – **4.** sauriez

10 **1.** Tu devrais te coucher plus tôt. – **2.** Tu devrais faire un peu de sport. – **3.** Vous devriez prendre le métro. – **4.** Vous devriez aller marcher. – **5.** Tu devrais te dépêcher. – **6.** Vous devriez téléphoner aux renseignements. – **7.** Tu devrais en parler autour de toi. – **8.** Tu devrais ranger tes affaires.

11 **1.** Ils pourraient y dîner ce soir. – **2.** Tu pourrais le visiter. – **3.** On pourrait en faire le tour. – **4.** Elle pourrait y aller. – **5.** Vous pourriez y monter. – **6.** Nous pourrions le prendre.

Observez *page 102*

a. Verbes au présent du cond. : resterais, ferais, m'ennuierais, laisserait, changerait. – **b.** je ne peux pas – tu travailles – **c.** À l'imparfait. – **d.** s'il

13 **1.** Si tu habitais en ville, tu mettrais moins de temps. – **2.** Si elles s'organisaient mieux, elles auraient plus de temps libre. – **3.** S'ils avaient plus d'argent, ils feraient ce voyage. – **4.** Si monsieur Leblanc était élu, il changerait le règlement. – **5.** Si nous avions dix-huit ans, nous voterions. – **6.** Si on n'avait pas peur, on ferait grève.

14 **1.** savais, accompagnerais – **2.** connaissait, jouerait – **3.** parlaient, pourraient – **4.** pleuvait, j'irais – **5.** avais, viendrais – **6.** habitions, passerions

15 **1.** Si elle allait à la piscine, elle serait en forme. – **2.** Si j'avais une voiture, je ne prendrais pas le bus. – **3.** Si nos voisins n'étaient pas bruyants, nous dormirions bien. – **4.** Si vous suiviez les conseils du médecin, vous iriez mieux. – **5.** Si je mangeais moins de pain / si je ne mangeais pas autant de pain, je maigrirais. – **6.** S'il n'avait pas mal aux dents, il ne serait pas de mauvaise humeur.

17 **1.** aurions → avoir – **2.** chanterait → chanter – **3.** finirait, finiriez → finir – **4.** recevrais, recevrait → recevoir – **5.** courrions → courir – **6.** amènerait, amènerions → amener – **7.** nettoierions, nettoierait → nettoyer – **8.** jetteriez, jetterais → jeter – **9.** viendrait, viendrais → venir – **10.** pourrions → pouvoir

18 gagnais – j'arrêterais – ferais – j'inviterais – me précipiterais – me payerais / paierais – m'arrivait – quitterais – j'irais – m'achèterais – voyagerais – devriez – pourrais

20 **1.** voudrais, faudrait, j'étais, l'empêcherais – **2.** pourriez, devrais, ne discutais pas, comprendrais – **3.** auriez, devriez, pourriez, aimerait, j'étais, j'irais

Chapitre 11

Le passif

Observez *page 104*

a. auxiliaire *être* + participe passé – **b.** Le sujet du verbe est « le Premier ministre ». « Le médiateur » fait l'action. – **c.** « est reportée » : présent – « seront annulés » : futur simple – « a été attribué » : passé composé – « vient d'être signé » : passé récent – « était informé » : imparfait – « va être donné » : futur proche – **d.** Vrai

1 **Forme passive :** 1, 5, 6, 8, 9. **Forme active :** 2, 3, 4, 7.

2 **1.** a été dessiné, c – **2.** sont revus, g – **3.** seront surveillés, e – **4.** vont être taillés, b – **5.** viennent d'être repeints, a – **6.** a été refaite, f – **7.** est réparé, d

3 **1. Présent :** 1, 4, 9, 14, 18. **Passé composé :** 2, 3, 10, 13, 15, 16. **Imparfait :** 8,17. **Futur simple :** 7, 19. **Futur proche :** 5, 12, 20. **Passé récent :** 6, 11.

4 **1.** Les arbres ont été coupés. – **2.** L'herbe va être tondue. – **3.** Le parking vient d'être agrandi. – **4.** Les trottoirs seront balayés. – **5.** Les feuilles sont ramassées. – **6.** La route vient d'être élargie. – **7.** Les façades ont été rénovées. – **8.** La circulation était déviée.

5 **1.** a été envahie – **2.** a été brûlée – **3.** ont été guillotinés – **4.** a été offerte – **5.** a été construite – **6.** a été inaugurée – **7.** ont été découvertes – **8.** a été abolie – **9.** ont été mis

7 **1.** ont été réunies – **2.** ont été ouvertes – **3.** a été présenté – **4.** ont été consultés – **5.** a été convoquée – **6.** a été proposé – **7.** a été adopté – **8.** a été signé

8 **1.** Le président de la République est élu par l'ensemble des citoyens français. – **2.** Les ministres sont choisis par le président et le Premier ministre. – **3.** Le Parlement est constitué par les députés et les sénateurs. – **4.** La population est représentée par le Parlement. – **5.** L'Assemblée nationale peut être dissoute par le président de la République. – **6.** Les propositions de loi sont discutées par les députés. – **7.** Les textes sont relus par les sénateurs.

10 **1.** Une carte de réduction est demandée. – **2.** Tous les voyageurs sont priés de descendre du train. – **3.** Le train a été arrêté en pleine campagne. – **4.** Les bagages vont être fouillés. – **5.** Une amende forfaitaire de 35 € sera exigée. – **6.** Les titres de transport sont contrôlés. – **7.** Le premier train a été annulé. – **8.** Des consignes strictes ont été données aux voyageurs.

Observez *page 107*

Les travaux ne seront pas finis à temps. – Les frais supplémentaires ne vont pas être payés. – Nous n'avons pas été prévenus par l'entreprise.

11 **1.** Je n'ai pas été accidenté. – **2.** Elle n'a pas été renversée sur un passage piéton. – **3.** Ils n'ont pas été vus par les voisins. – **4.** Vous n'avez pas été hospitalisé. – **5.** Le cycliste n'a pas été heurté par un camion. – **6.** Nous n'avons pas été secourus rapidement. – **7.** La victime n'a pas été identifiée. – **8.** Le chauffard n'a pas été poursuivi.

12 **1.** Les employés ne sont jamais consultés. – **2.** Les salaires ne vont plus être augmentés. – **3.** Certains postes ne seront pas maintenus. – **4.** Le personnel n'est plus formé. – **5.** La prime de fin d'année n'a pas encore été versée. – **6.** Les heures supplémentaires ne vont plus être payées. – **7.** La proposition du syndicat n'a pas été retenue. – **8.** Deux cents licenciements viennent d'être annoncés.

13 **1.** Ce mur n'a pas été repeint. – **2.** Le séjour a été agrandi. – **3.** La maison a été complètement transformée. – **4.** Toutes les autorisations n'ont pas été accordées par la mairie. – **5.** La disposition des pièces a été changée. – **6.** La véranda n'a pas été modifiée. – **7.** Une cheminée a été construite. – **8.** Le grenier n'a pas été aménagé.

15 **1.** Le voyage n'a pas été organisé avec soin. – **2.** La visite du château a été programmée. – **3.** Les horaires sont indiqués. – **4.** Les visiteurs n'ont pas été avertis. – **5.** Le musée était subventionné. – **6.** Le spectacle n'a pas été annoncé. – **7.** Le festival ne va pas être reconduit. – **8.** Les billets ont été réservés très tôt. – **9.** Les représentations ne seront pas données dans la cour d'honneur. – **10.** Les enfants ne sont pas admis à ce spectacle.

16 **1.** On a effacé le document. – **2.** Le dossier a été jeté. – **3.** On a cassé la vitre. – **4.** On a déchiré le papier. – **5.** On n'a pas bien fermé le paquet. – **6.** L'emballage a été arraché. – **7.** On n'a pas abîmé le bois. – **8.** La serrure a été forcée. – **9.** On a rayé le parquet. – **10.** L'appareil a été endommagé.

Chapitre 12

Les constructions verbales

Observez (1) *page 109*

a. un nom seul ou un groupe nominal, un infinitif, un pronom – **b. Verbes trans. :** faire, prendre, réserver, rêver, s'intéresser, vouloir. **Verbe intrans. :** partir, rêver, rouler. – **c.** Vrai – **d.** indirect

Observez (2) *page 109*

a. Verbes avec leur préposition : s'occupent de, parle à, t'es inscrit à, parle de, participe à, as téléphoné à. **Compléments :** leur jardin, sa voisine, ce cours de musique, politique et économie, toutes les réunions, Cécile, tes amis. – **b.** Vrai – **c.** Vrai – **d.** Ils s'occupent bien de leur jardin. – Elle parle toujours de politique et d'économie.

1 **1.** assister à – **2.** se souvenir de – **3.** discuter de – **4.** faire attention à – **5.** répondre à – **6.** se rendre compte de – **7.** se moquer de – **8.** mentir à – **9.** s'intéresser à – **10.** faire attention à – **11.** dépendre de – **12.** s'habituer à – **13.** se souvenir de – **14.** se plaindre de – **15.** s'intéresser à – **16.** se moquer de – **17.** s'adresser à – **18.** dépendre de – **19.** s'habituer à – **20.** se plaindre de – **21.** répondre à – **22.** discuter de

Quelque chose : 1, 3, 6, 7, 9, 10, 11, 12, 13, 14, 20, 21.
Quelqu'un : 2, 4, 5, 8, 15, 16, 17, 18, 19, 22.

2 **1.** à – **2.** Ø – **3.** à / de – **4.** de – **5.** à – **6.** de – **7.** à, à – **8.** Ø – **9.** de, des – **10.** Ø – **11.** à – **12.** à – **13.** de, de – **14.** de – **15.** de – **16.** à – **17.** de – **18.** Ø – **19.** Ø – **20.** de

3 **1.** Il parle gentiment aux enfants. – **2.** Ils s'habituent mal au nouveau règlement. – **3.** Je m'intéresse beaucoup aux artistes contemporains. – **4.** Elle ne se rend pas compte des conséquences de ses actes. – **5.** Ils se moquent toujours des autres. – **6.** Il ne participe jamais aux réunions mondaines. – **7.** Elle parle rarement de ses difficultés financières. – **8.** Je rêve d'un grand appartement.

Observez *page 111*

a. Verbes à souligner : commence à, ont décidé de, a refusé de – **b.** Ils ont décidé de ne pas déménager. – Elle a refusé de répondre et de s'expliquer.

4 (qch = quelque chose) **1.** essayer de faire qch – **2.** accepter de faire qch – **3.** arriver à faire qch – **4.** réussir à faire qch – **5.** prévoir de faire qch – **6.** arrêter de faire qch – **7.** se dépêcher de faire qch – **8.** risquer de faire qch – **9.** excuser de faire qch – **10.** regretter de faire qch – **11.** apprendre à faire qch – **12.** commencer à faire qch

5 **1.** à, à – **2.** de, d' – **3.** à – **4.** de, de – **5.** de – **6.** Ø – **7.** de – **8.** Ø – **9.** Ø – **10.** de – **11.** de –

12. à – 13. de – 14. Ø – 15. de, de – 16. de – 17. d' – 18. Ø – 19. Ø – 20. à

6 1. Il a décidé de ne pas venir. – 2. Elle déteste ne pas comprendre. – 3. Nous prévoyons de ne pas rentrer tôt. – 4. Excuse-moi de ne pas rester avec toi. – 5. Ils ont failli ne pas arriver à l'heure. – 6. Je rêve de ne plus me lever si tôt. – 7. Nous regrettons de ne pas venir avec vous.

Observez *page 112*

a. son secret, à sa sœur – de ce problème, au président – son chemin, à l'agent de police – une très jolie carte, à ma grand-mère – sa petite amie, à ses parents – **b.** une personne

7 1. Ils ont demandé une réduction au vendeur. – 2. Il a offert une voiture à son fils. – 3. Elle a donné son numéro de téléphone à ses amis. – 4. Le pharmacien a proposé un nouveau médicament au client. – 5. Les futurs mariés ont envoyé des faire-part à leurs invités. – 6. Aline a prêté sa voiture à sa meilleure amie. – 7. Le directeur a promis une semaine de vacances aux employés. – 8. J'ai emprunté trois livres à Delphine. – 9. Le passant a indiqué l'itinéraire au touriste. – 10. J'ai adressé ma candidature au directeur.

Observez *page 113*

a. nos amis, dîner – les habitants, dormir – les piétons, traverser – **b.** à, de, à – **c.** leurs amis, partir – ses amis, venir – Valérie, sortir – son fils, faire du ski – **d.** à, de – à, de – à, de – à, à

8 (qn = quelqu'un, qch = quelque chose) 1. Il encourage son fils à poursuivre ses études. → encourager qn à faire qch – 2. Le directeur a empêché les élèves d'entrer. → empêcher qn de faire qch – 3. Le policier n'a pas autorisé les automobilistes à passer. → autoriser qn à faire qch – 4. Il oblige ses enfants à se coucher tôt. → obliger qn à faire qch – 5. Il n'autorise pas les enfants à sortir seuls. → autoriser qn à faire qch – 6. Nous avons convaincu Michel de continuer. → convaincre qn de faire qch – 7. Je vais aider Line à préparer le repas. → aider qn à faire qch – 8. La neige empêche les personnes âgées de sortir. → empêcher qn de faire qch

9 1. Le médecin a conseillé à son patient de faire du sport. → conseiller à qn de faire qch – 2. La municipalité défend aux habitants de passer sous ce pont dangereux. → défendre à qn de faire qch – 3. Nous avons demandé au professeur d'expliquer ce problème. → demander à qn de faire qch – 4. Les vigiles ne permettent pas aux gens d'entrer. → permettre à qn de faire qch – 5. Il a proposé à ses amis de venir avec lui. → proposer à qn de faire qch – 6. J'ai promis à mon voisin d'arroser ses plantes. → promettre à qn de faire qch

10 1. aux gens de – 2. les employés à – 3. aux élèves de – 4. aux résidents de – 5. aux visiteurs de – 6. les spectateurs à – 7. les mineurs de – 8. aux touristes de

12 1. de, Ø – 2. à – 3. Ø – 4. de – 5. Ø – 6. de – 7. Ø – 8. à – 9. Ø – 10. de – 11. Ø – 12. de – 13. Ø – 14. à – 15. Ø – 16. de

13 1. de, à, de – 2. Ø, à, de – 3. à, à – 4. de, à – 5. de, Ø – 6. Ø, Ø, à – 7. de, de – 8. à, à – 9. Ø, de, à – 10. À, Ø

Chapitre 13

Les adverbes

Observez (1) *page 116*

a. Vrai – **b.** un verbe, un adjectif, un adverbe – **c.** derrière le verbe – devant l'adjectif – devant l'adverbe

Observez (2) *page 116*

a. assez : A/V – beaucoup : V – bien : A/V – mal : A/V – très : A – trop : A/V – un peu : A/V – **b.** très – **c.** beaucoup – **d.** Vrai

1 1. trop – 2. trop – 3. très, très – 4. très – 5. trop – 6. trop – 7. très

3 1. Il fait très chaud ici. – 2. Nous avons très peur des orages. – 3. Il faut faire très attention à ce carrefour. – 4. J'ai vraiment très soif. – 5. Partir avec toi, ça me fait très envie ! – 6. Ça vous fait très mal ?

4 1. Nous nous intéressons beaucoup à la géographie. – 2. Il n'a pas beaucoup parlé de la nouvelle exposition. – 3. La mise en scène de cette pièce est très originale. – 4. Il ne veut pas beaucoup parler de son nouveau projet – 5. C'est un acteur très excentrique. – 6. Certaines scènes sont très longues.

5 **1.** Tu es trop jeune pour comprendre. – **2.** Elle n'est pas assez forte pour porter sa valise. – **3.** Ils ne se sont pas assez entraînés pour gagner. – **4.** Nous sommes trop fatigués pour sortir ce soir. – **5.** Vous êtes trop loin pour lire les sous-titres sur l'écran.

6 **1.** très – **2.** assez – **3.** assez, trop – **4.** très – **5.** assez – **6.** trop, très

Observez *page 117*

a. Vrai – **b.** beaucoup, un peu

7 **1.** Je paye beaucoup trop cher. – **2.** Cet appartement est un peu trop grand pour moi tout seul. – **3.** Cette agence propose des logements assez bien situés. – **4.** J'ai visité cette maison beaucoup trop rapidement. – **5.** L'immeuble est beaucoup trop bruyant. – **6.** La cuisine n'est pas assez bien équipée.

Observez *page 118*

a. On ajoute *-ment* au féminin de l'adjectif. – **b.** On ajoute *-ment* au masculin de l'adjectif. – **c.** Pour les adjectifs terminés en *-ant*, l'adverbe se termine pas *-amment*. Pour les adjectifs terminés en *-ent*, l'adverbe se termine en *-emment*. – **d.** Vrai

8 **1.** fière → fièrement – **2.** claire → clairement – **3.** habituelle → habituellement – **4.** correcte → correctement – **5.** juste → justement – **6.** sérieuse → sérieusement – **7.** ancienne → anciennement – **8.** calme → calmement – **9.** active → activement – **10.** longue → longuement – **11.** fraîche → fraîchement – **12.** première → premièrement

9 **1.** aisément – **2.** poliment – **3.** assurément – **4.** infiniment – **5.** absolument – **6.** vraiment – **7.** joliment – **8.** modérément

10 **1.** gaiement – **2.** brièvement – **3.** rarement – **4.** intensément – **5.** amicalement – **6.** négativement – **7.** confortablement – **8.** profondément – **9.** simplement – **10.** énormément – **11.** globalement – **12.** gentiment – **13.** précisément – **14.** contrairement – **15.** brutalement – **Adverbes irréguliers :** gaiement, précisément, gentiment, profondément, brièvement, intensément, énormément.

11 **1.** récemment – **2.** constamment – **3.** violent – **4.** brillamment – **5.** suffisant – **6.** patiemment – **7.** lent – **8.** bruyamment – **9.** fréquent – **10.** intelligemment – **Forme irrégulière :** lent → lentement.

12 **1.** assez simplement – **2.** innocemment – **3.** trop brièvement – **4.** très gentiment – **5.** joyeusement – **6.** très régulièrement – **7.** bruyamment

13 **1.** Elle est vraiment malade. – **2.** Tu es constamment agressif. – **3.** Vous êtes fréquemment énervé. – **4.** Ils sont rarement convaincus. – **5.** Elle est incroyablement drôle. – **6.** Il a été sérieusement blessé. – **7.** Ils sont probablement contents. – **8.** Elles sont régulièrement en retard.

14 **1.** Il nous a salués discrètement. – **2.** Il s'est endormi rapidement. – **3.** Son portable a sonné bruyamment. – **4.** Il a été réveillé brusquement. – **5.** Il a répondu sèchement. – **6.** Il a parlé méchamment. – **7.** Il s'est levé brutalement. – **8.** Il a disparu mystérieusement.

Observez *page 119*

a. Adjectifs utilisés comme adverbes : bon, cher, lourd, bas. – **b.** Vrai

15 **1.** Avec cet instrument, vous ne jouez pas très juste. – **2.** C'est difficile de voir clair avec le brouillard. – **3.** Tu as payé cher pour ces billets ? – **4.** Ces sandales chaussent grand. – **5.** Ce parfum ne sent pas très bon. – **6.** Pouvez-vous parler un peu plus bas ? – **Adjectifs utilisés comme adverbes :** juste, clair, cher, grand, bon, bas.

16 **1.** fines, fin – **2.** jeunes, jeune – **3.** faux, fausses – **4.** forte, fort – **5.** grand, grands

18 **1.** lentement, beaucoup, trop → à un automobiliste – **2.** très, attentivement → à des élèves – **3.** bas, assez, facilement → à un conférencier – **4.** cher, fréquemment → à un commerçant

19 **1.** beaucoup – **2.** exclusivement – **3.** trop – **4.** trop – **5.** très – **6.** immédiatement

Chapitre 14

La phrase interrogative

Observez *page 122*

a. 2 – **b. Question familière (1) :** phrase déclarative (l'intonation monte en fin de phrase). **Question avec *est-ce que* (1) :** *est-ce que* + phrase déclarative. **Question avec inversion (2) :** verbe + trait d'union + pronom sujet + reste de la phrase déclarative. Les trois types de questions sont suivis d'un point d'interrogation. – **c.** Pour faciliter la prononciation entre *va* et *il* (deux voyelles qui se suivent). – **d.** sujet + verbe + *-t-* + pronom sujet + reste de la phrase déclarative

1 **1.** Est-ce que vous aimez le sport ? – **2.** Est-ce qu'il assiste souvent à des concerts ? – **3.** Est-ce qu'elle pratique la natation régulièrement ? – **4.** Est-ce qu'ils vont à la piscine tous les samedis ? – **5.** Est-ce que tu vois beaucoup de films ? – **6.** Est-ce que vous voyagez beaucoup ? – **7.** Est-ce qu'elles ont un abonnement au cinéma ? – **8.** Est-ce que tu sors en boîte tous les week-ends ?

2 **1.** Pouvez-vous – **2.** Habite-t-il – **3.** Vit-elle – **4.** est-elle – **5.** Connaissez-vous – **6.** est-il – **7.** A-t-elle – **8.** Y a-t-il – **9.** Prend-il – **10.** Ira-t-il

3 **1.** Se marie-t-on jeune ? – **2.** Les gens chantent-ils dans les fêtes de mariage ? – **3.** Payez-vous beaucoup d'impôts ? – **4.** Y a-t-il des limitations de vitesse sur les routes ? – **5.** Met-on les poubelles dehors chaque jour ? – **6.** Les gens sont-ils très croyants ? – **7.** Buvez-vous du vin à table ? – **8.** Les transports publics coûtent-ils cher ?

5 **1.** Est-ce que vous avez choisi ? Avez-vous choisi ? – **2.** Est-ce que vous connaissez / Connaissez-vous cette spécialité régionale ? – **3.** Est-ce qu'il y a du vin / Y a-t-il du vin dans la sauce bordelaise ? – **4.** Est-ce que vous préférez / Préférez-vous l'assaisonnement à part ? – **5.** Est-ce que vous voulez / Voulez-vous un dessert ? – **6.** Est-ce que vous avez / Avez-vous de la tarte Tatin ? – **7.** Est-ce que vous pouvez / Pouvez-vous nous apporter l'addition ? – **8.** Est-ce que nous pouvons / Pouvons-nous régler par carte bancaire ?

6 **1.** Vous souvenez-vous de votre premier jour d'école ? – **2.** Cet étudiant se prépare-t-il sérieusement pour son examen ? – **3.** S'intéressent-ils à cette matière ? – **4.** Te présentes-tu au concours ? – **5.** Tes amis s'inscriront-ils à l'université ? – **6.** Gaëlle se spécialisera-t-elle en politique européenne ? – **7.** Vous organisez-vous bien ? – **8.** Vous passionnez-vous pour la philosophie ?

7 **1.** Avez-vous pris un sens interdit ? – **2.** Est-il passé au feu rouge ? – **3.** A-t-il doublé à droite ? – **4.** Avez-vous dépassé les limitations de vitesse ? – **5.** As-tu refusé la priorité à droite ? – **6.** Étiez-vous garé sur un emplacement réservé ? – **7.** A-t-il franchi la ligne blanche ?

8 **1.** Est-ce que vous avez fait / Avez-vous fait des travaux ? – **2.** Est-ce que les ouvriers ont repeint / Les ouvriers ont-ils repeint le plafond de la salle de bains ? – **3.** Est-ce que tu as changé / As-tu changé la moquette de ta chambre ? – **4.** Est-ce qu'elle a posé / A-t-elle posé du papier peint dans l'entrée ? – **5.** Est-ce que vous avez remplacé / Avez-vous remplacé les rideaux du séjour ? – **6.** Est-ce que le locataire a acheté / Le locataire a-t-il acheté de nouveaux meubles ? – **7.** Est-ce que vous avez refait / Avez-vous refait l'installation électrique ?

Observez *page 124*

a. sur les personnes : qui – sur les choses : quoi / que (qu') – **b. Question avec inversion :** Qui avez-vous rencontré ? Qui avez-vous appelé ? Qu'avez-vous fait ? Que pouvez-vous ajouter ?

9 **1.** Que – **2.** Que – **3.** quoi – **4.** qui – **5.** Qui – **6.** quoi – **7.** Que – **8.** quoi – **9.** Que – **10.** Que – **11.** Qui – **12.** quoi – **13.** Que – **14.** Qui – **15.** qui – **16.** Qui

10 **1.** Qui a-t-il rencontré ? – **2.** Vous cherchez quoi ? – **3.** Qu'a-t-il répondu ? – **4.** Que lisez-vous ? – **5.** Qui attends-tu ? – **6.** Qui allez-vous recevoir ? – **7.** Vous avez invité qui ? – **8.** Tu regardes quoi ? – **9.** Qui va-t-il accompagner ? – **10.** Qu'a-t-elle acheté ?

Observez *page 125*

« Qui est-ce qui » et « Qu'est-ce qui » sont sujets du verbe qui suit. – « Qui est-ce que » et « Qu'est-ce que » sont compléments d'objet du verbe qui suit.

11 **1.** a, c, e, g – **2.** d, f, h – **3.** b, i – **4.** k, m, n – **5.** l, o, r – **6.** j, p, q

12 **1.** que – **2.** qui – **3.** qu' – **4.** que – **5.** qu' – **6.** qui – **7.** que – **8.** qui – **9.** que – **10.** qui – **11.** qui – **12.** qui

13 **1.** qui est-ce qui – **2.** Qu'est-ce qu' – **3.** qui est-ce que – **4.** Qui est-ce qui – **5.** qu'est-ce qui – **6.** Qui est-ce qu' – **7.** qu'est-ce que

Observez *page 126*

a. sur le temps, le moment : quand – le lieu : où – la cause : pourquoi – le nombre, la quantité : combien – la manière : comment – **b.** Vrai – **c.** – Où est-ce que vous avez / Où avez-vous mal ? – Comment est-ce que vous vous / Comment vous êtes-vous fait ça ? – Quand est-ce que vous /

Quand êtes-vous tombée ? – Combien de comprimés est-ce que vous avez pris ? / avez-vous pris ? – Pourquoi est-ce que vous avez attendu / Pourquoi avez-vous attendu avant de m'appeler ? – **d.** Dans la question familière, *quand* est à la fin de la phrase, *pourquoi* est au début de la phrase, les autres mots interrogatifs peuvent être au début ou à la fin de la phrase.

14 **1.** d – **2.** c – **3.** a – **4.** b – **5.** f – **6.** e

15 **1.** Quand est-ce que vous êtes revenu ? – **2.** Où est-ce que vous êtes allé ? – **3.** Comment est-ce que vous avez voyagé ? – **4.** Où est-ce que vous avez séjourné ? – **5.** Combien de jours / de temps est-ce que vous êtes parti ? – **6.** Pourquoi est-ce que vous avez choisi cet endroit ? – **7.** Comment est-ce que vous avez trouvé la région ? – **8.** Quand est-ce que vous avez acheté des souvenirs ?

16 **1.** Combien de pièces est-ce qu'il y a / y a-t-il ? – **2.** Quand est-ce que l'appartement est libre ? Quand l'appartement est-il libre ? – **3.** Combien est-ce que le loyer coûte ? Combien le loyer coûte-t-il ? – **4.** Quand est-ce que nous pouvons / Quand pouvons-nous le visiter ? – **5.** Où est-ce que nous avons / Où avons-nous rendez-vous ? – **6.** Où est-ce que se trouve ce quartier ? Où ce quartier se trouve-t-il ? – **7.** Quand est-ce que nous pouvons / Quand pouvons-nous emménager ? – **8.** Pourquoi est-ce qu'il faut attendre / Pourquoi faut-il attendre longtemps ?

Observez *page 128*

Adj. interr. : quel, quelle, quels, quelles. **Pronoms interr.** : lequel, laquelle, lesquels, lesquelles.

17 **1.** Quels – **2.** quel – **3.** Quels – **4.** quelles – **5.** Quel – **6.** quel – **7.** Quelle – **8.** Quelles – **9.** Quelle – **10.** quelle

18 **1.** d – **2.** a – **3.** b – **4.** a – **5.** b – **6.** c – **7.** d – **8.** a – **9.** b – **10.** d – **11.** a – **12.** c

19 **1.** Vous avez goûté lesquels ? – **2.** Tu choisis laquelle ? – **3.** Vous aimez lesquels ? – **4.** Vous avez acheté lequel ? – **5.** Tu aimes laquelle ? – **6.** Vous prenez lesquelles ? – **7.** Tu suggères laquelle ? – **8.** Vous conseillez lesquels ?

20 **1.** Qui – **2.** Quelle – **3.** Où – **4.** Comment – **5.** Quand – **6.** Où – **7.** Qui – **8.** Où – **9.** Comment – **10.** Que

21 **1.** Pourquoi, g – **2.** Quelle, c – **3.** Qu'est-ce qu', h – **4.** Où est-ce qu', f – **5.** À quel, b – **6.** D'où, a – **7.** Quelle, d – **8.** Qu'est-ce qui, e

22 **1.** Qu'est-ce que – **2.** Qui est-ce qui – **3.** Comment – **4.** Combien – **5.** Qu'est-ce qui – **6.** Pourquoi – **7.** Quels

23 **1.** Est-ce que vous avez vu – **2.** Où est-ce qu'il se trouve – **3.** Est-ce qu'il est – **4.** Est-ce que ça vous convient – **5.** est-ce que vous êtes libre – **6.** Où est-ce qu'on peut se retrouver

25 **1.** Est-ce que vous avez déjà vécu / Vous avez déjà vécu à l'étranger ? – D'où est-ce que tu viens ? D'où viens-tu ? – Quand est-ce que tu es arrivé / Quand es-tu arrivé en France ? – Comment est-ce que ton premier contact avec les Français s'est passé ? Comment s'est passé ton premier contact avec les Français ? Ton premier contact avec les Français s'est passé comment ? – **2.** À quel âge est-ce que tu as commencé / À quel âge tu as commencé l'école ? Tu as commencé l'école à quel âge ? – À l'école, tu préférais quoi / que préférais-tu comme matière ? (Quelle matière est-ce que tu préférais / préférais-tu ?) – Où vous avez fait / Où avez-vous fait vos études ? Vous avez fait vos études où ? – Qu'est-ce que vous avez étudié ? Vous avez étudié quoi ? – **3.** Vous écoutez quoi / Qu'écoutez-vous comme musique ? – Est-ce que vous allez / Vous allez souvent au cinéma ? – Vous avez vu quel film dernièrement ? Quel film vous avez vu / avez-vous vu dernièrement ? – **4.** Est-ce que vous aimez / Aimez-vous les animaux ? – Vous avez / Avez-vous un animal de compagnie ? – Comment est-ce qu'il s'appelle ? Comment s'appelle-t-il ?

Chapitre 15

La phrase négative

Observez *page 131*

a. Verbes à la forme négative : (n')est (pas encore) passé – (ne) passe (jamais) – (ne) va (pas) passer – (n')est (pas) – (ne) l'ai (pas) vu – (ne) veut (plus) sortir – (n')a (plus) – (n')ai (jamais) mangé – (ne) suis (pas) – (ne) vous êtes (pas) trompée – (n')habite (plus)
b. *Ne* se place juste derrière le sujet. – Aux temps simples, *pas, plus, pas encore* et *jamais* se placent derrière le verbe. – Aux temps composés, *pas, plus, pas encore* et *jamais* se placent derrière l'auxiliaire.

c. Il ne passe jamais. – Il n'est pas encore passé. – Il ne veut plus sortir.

1 **1.** Je ne pars pas en vacances. Je ne vais pas faire mes valises. – **2.** Ma voisine ne s'occupe pas de mon chat. Elle n'a pas le temps et elle n'aime pas ça. – **3.** La route n'est pas ouverte à la circulation. Vous ne pouvez pas passer par là. – **4.** La salle ne peut pas accueillir tout le monde. Il n'y a pas assez de chaises. Le microphone n'est pas installé. La conférence ne va pas bien se dérouler.

2 **1.** on n'est pas stressé – **2.** il n'y a pas beaucoup d'espaces verts – **3.** on n'a pas les magasins près de chez soi – **4.** on ne se détend pas facilement pendant les week-ends – **5.** il n'y a pas d'embouteillages – **6.** il n'y a pas beaucoup de bruit – **7.** on ne peut pas respirer l'air pur

4 **1.** Je ne prends pas de dessert. Je n'ai plus faim. – **2.** Elle n'est pas encore rentrée. Elle n'a pas pris son téléphone portable. Elle ne peut pas nous prévenir. – **3.** Ils ne se reposent jamais. Ils ne sont jamais fatigués. – **4.** La partie n'est pas encore finie. Mais je n'ai plus envie de jouer. – **5.** Ils n'ont jamais écrit. Ils ne téléphonent plus. Ils ne viennent plus. – **6.** On ne sera jamais prêts à temps. On n'a pas encore trouvé de salle. Les faire-part n'ont pas encore été envoyés.

5 **1.** n'est plus, ne savent plus, ne s'arrêtent plus, n'y a plus – **2.** ne peux plus, n'ai pas encore, ne m'acceptent pas encore, ne peux pas

6 **1.** Je n'ai pas fait l'ascension du Mont-Blanc. Je ne suis jamais allé dans les Alpes. – **2.** Elle ne bronze pas vite. Elle ne reste jamais longtemps au soleil. – **3.** Nous n'allons jamais en discothèque. Nous n'aimons pas ça. – **4.** Il ne prend jamais de photos. Il n'a pas d'appareil performant. – **5.** Vous n'avez pas le temps. Vous ne prenez jamais de vacances. – **6.** Ils n'ont jamais dormi à la belle étoile. Ils n'ont pas le goût de l'aventure.

Observez *page 133*

a. sujets – compléments – **b.** Vrai – **c.** *personne* se place derrière le participe passé – *rien* se place devant le participe passé – **d.** Il ne veut rien faire. – Il ne veut voir personne. – **e.** *de* ou *d'* – au masculin – **f.** sujet – complément – **g.** Faux

7 **1.** Personne ne sait où j'habite. – **2.** Je n'ai vu personne. – **3.** Personne ne m'a parlé. – **4.** Personne ne comprend mon mystère. – **5.** Je ne veux plus recevoir personne. – **6.** Personne ne découvrira mon nom.

8 **1.** Rien ne vous intéresse ? – **2.** Vous n'avez rien choisi ? – **3.** Rien n'a retenu ton attention ? – **4.** Il ne veut rien essayer ? – **5.** On ne prend rien ? – **6.** Rien ne lui a plu ?

9 **1.** Ils n'ont fait aucune bonne affaire. – **2.** Aucune garantie ne vous est offerte. – **3.** Vous n'avez droit à aucune réduction. – **4.** Aucun paiement en ligne n'est sécurisé. – **5.** Aucun acompte n'est exigé. – **6.** On ne vous demande aucun justificatif de domicile.

10 **1.** Je n'ai vu personne de célèbre. – **2.** On n'a rien entendu de nouveau. – **3.** Le repas n'avait rien d'original. – **4.** Le débat n'a rien abordé de particulier. – **5.** Les organisateurs n'avaient invité personne de passionnant. – **6.** Il n'y a eu personne de satisfait.

Observez *page 134*

a. Il ne mange ~~pas de~~ sucre ~~et il ne mange pas de~~ matières grasses. Elle ne veut ~~pas~~ maigrir ~~et elle ne veut pas~~ grossir. – **b.** *Ni... ni...* est utilisé à la place de *pas* quand la négation porte sur deux éléments coordonnés. – **c.** Vrai

12 **1.** Je ne parle ni l'espagnol ni l'italien. – **2.** Il n'y a ni gymnase ni bibliothèque. – **3.** Vous ne devez ni courir ni crier. – **4.** Ils ne savent ni lire ni écrire. – **5.** Elles ne jouent ni à la corde ni à la marelle. – **6.** Nous ne voulons ni faire nos exercices ni apprendre nos leçons. – **7.** Vous n'avez droit ni à la calculatrice ni au dictionnaire. – **8.** Les étudiants n'ont cours ni le mercredi après-midi ni le jeudi matin.

13 **1.** Il n'aime dormir ni le jour ni la nuit. – **2.** Ils n'ont ni accepté ni refusé. – **3.** Je ne lui ai dit ni oui ni non. – **4.** Ce travail n'est ni intéressant ni bien payé. – **5.** Ce n'est ni vrai ni faux. – **6.** Il n'y aura ni perdant ni gagnant. – **7.** Dans cette maison, il n'y a ni escalier ni ascenseur. – **8.** On ne peut ni monter ni descendre.

14 **1.** Il n'y a que deux vols par semaine. – **2.** On ne peut prendre qu'un bagage à main. – **3.** Nous n'avons que des devises danoises. – **4.** Je regrette, nous n'acceptons que les euros. – **5.** Je n'ai que cette grosse valise. – **6.** Elle ne part que pour six semaines. – **7.** Vous n'avez droit qu'à 20 kilos de bagages. – **8.** Nous n'aurons qu'une escale.

15 **1.** ne boit que du café, ne fume que des cigares, ne rêve que d'Amérique latine – **2.** n'a lu que *Le Petit Prince*, n'aime que les histoires pour enfants – **3.** n'ont que deux enfants, ne font que des bêtises, n'ont que des mauvais résultats

16 **1.** d – **2.** f – **3.** c – **4.** g – **5.** b – **6.** a – **7.** e

18 **1.** Vous n'aurez plus de problèmes de vision. – **2.** Aucun détail ne vous échappera. – **3.** Porter des lunettes ne sera jamais ennuyeux. – **4.** Vous ne ferez aucune faute. – **5.** Vous n'aurez que des compliments. – **6.** Vous ne connaîtrez que des succès. – **7.** Vous n'aurez jamais l'air fatigué. – **8.** Aucun accident ne pourra vous arriver. – **9.** Vous n'aurez peur de rien. – **10.** Conduire ne sera plus dangereux.

20 **1.** personne n' – **2.** personne ne – **3.** n'ai pas / n'ai pas encore – **4.** n'y en a pas / n'y en a plus – **5.** ne les avez pas – **6.** n'y en avait pas / plus – **7.** ne nous les a pas encore – **8.** rien ne – **9.** n'est pas / n'est pas encore – **10.** ne marche pas / ne marche plus – **11.** n'a que

Chapitre 16

La phrase relative

Observez *page 138*

a. Mots remplacés par *qui* : l'amie, toi, le crayon, quelque chose. **Par *que (qu')* :** un pays, celle, quelque chose. **Par *où* :** le jour, un pays. – **b.** qui – **c.** que – **d.** *que* – **e.** un complément de lieu : 2 – un complément de temps : 1

1 **1.** qui – **2.** qui – **3.** qu' – **4.** que – **5.** que – **6.** qui – **7.** que – **8.** que

2 **1.** qui était au lycée avec moi – **2.** qui habitent au même étage que moi – **3.** que tu connais bien – **4.** qui ont vécu en Tunisie – **5.** qui me conduit parfois au bureau – **6.** que j'apprécie beaucoup – **7.** qu'on trouve très sympathique – **8.** que personne ne connaît

3 **1.** qui es le premier – **2.** que je déteste – **3.** qui va gagner – **4.** qu'il attend – **5.** qui vais perdre – **6.** que j'attends tous les soirs – **7.** qui as mal joué – **8.** qui suis stupide

4 **1.** b – **2.** b – **3.** a – **4.** a – **5.** b – **6.** a – **7.** b – **8.** a – **a.** le lieu : 3, 4, 6, 8 – **b.** le temps : 1, 2, 5, 7

5 **1.** où – **2.** que – **3.** où – **4.** qui – **5.** que – **6.** où – **7.** qui – **8.** que – **9.** que – **10.** qui

6 **1.** Le printemps est la saison où la nature se réveille. – **2.** Noël est une fête que les enfants aiment énormément. – **3.** Les hivers qui durent trop longtemps sont fatigants. – **4.** Les vacances qu'on prend en été sont les plus longues. – **5.** C'est l'automne qui offre les plus jolies couleurs.– **6.** La nature qui est recouverte de neige semble dormir.– **7.** Les coquelicots qu'on voit en juin annoncent l'été.

Observez *page 140*

a. Mots remplacés par *dont* : madame Lenoir, un travail. – **b.** une chose, une personne – **c.** le complément d'un verbe, d'un adjectif – *de*

7 **1.** Voici le programme dont je suis responsable. – **2.** Il a pris une décision dont nous sommes enchantés. – **3.** C'est une offre dont ils ne sont pas informés. – **4.** C'est une nouvelle dont elle sera contente. – **5.** C'est une information dont nous ne sommes pas sûrs. – **6.** Elle a quelques collègues dont elle se sent très proche. – **7.** Il nous a présenté la jeune fille dont il est amoureux.

8 **1.** dont il est très fier – **2.** dont il est toujours très satisfait – **3.** dont il est amoureux – **4.** dont nous sommes parfois surpris – **5.** dont il est responsable – **6.** dont il est jaloux

9 **1.** les bons amis dont je m'entoure – **2.** les lectures dont je ne peux pas me passer – **3.** les vacances dont j'ai souvent envie – **4.** les voyages lointains dont je rêve – **5.** les plats délicieux dont je ne me prive jamais – **6.** le chocolat dont j'ai besoin chaque jour

10 **1.** Va voir la pièce de théâtre dont on a discuté. – **2.** Choisissez les gâteaux dont vous avez envie. – **3.** Prends les bouteilles dont tu as besoin. – **4.** Rincez les verres dont vous vous êtes servi. – **5.** Redis-lui l'histoire dont elle ne se souvient pas bien. – **6.** Présentez-moi le groupe dont vous faites partie.

11 **1.** qui – **2.** que – **3.** qui – **4.** qui – **5.** que – **6.** qui – **7.** que – **8.** dont – **9.** que – **10.** où

12 **1.** qui – **2.** qui – **3.** que – **4.** où – **5.** qui – **6.** qui – **7.** qui – **8.** où – **9.** dont

13 **1.** qui, qui, qui, qu' – **2.** qui, qui, que – **3.** que, qui, qui, qui – **4.** que, qu', qu' qui – **5.** dont, qu', qui – **6.** qu', qui, qui, dont

15 **1.** qui – **2.** qui – **3.** qui – **4.** qui – **5.** dont – **6.** qui – **7.** que – **8.** qui – **9.** qui – **10.** que – **11.** qui – **12.** qui – **13.** dont – **14.** qui – **15.** qui – **16.** que – **17.** qui – **18.** qu' – **19.** que – **20.** où – **21.** qui – **22.** que – **23.** qui – **24.** où – **25.** dont – **26.** qui – **27.** qui – **28.** qu'

Chapitre 17

Le discours indirect au présent

Observez *page 143*

a. Verbes qui introduisent les paroles rapportées : informer, annoncer, prévoir, déclarer. **Exemples d'autres verbes :** dire, affirmer, écrire, répondre, raconter, prévenir... – **b.** Vrai. Quand on rapporte plusieurs propos, on répète *que*. – **c.** Vrai

1 **1.** Le juge déclare que la séance est ouverte. – **2.** L'avocat affirme que son client est innocent. – **3.** L'accusé avoue qu'il a commis ce vol. – **4.** Les témoins admettent qu'ils n'ont pas tout vu. – **5.** Les jurés annoncent que l'accusé n'est pas coupable. – **6.** Le condamné jure qu'il dit la vérité. – **7.** La victime dit qu'elle est satisfaite du jugement.

2 **1.** (Je suis) qu'il est content d'avoir gagné – **2.** (Nous avons) qu'ils ont très bien joué – **3.** (Je suis, ma) qu'il est déçu de sa défaite – **4.** (Nous avons) qu'ils ont très mal joué – **5.** que le public a été formidable – **6.** (Nous allons) qu'ils vont bien préparer le prochain match – **7.** que l'équipe a été solidaire – **8.** (Nous dédions, notre, nos) qu'ils dédient leur victoire à leurs supporters

3 **1.** que son équipe et lui ont entendu les revendications des concitoyens et qu'ils les comprennent – **2.** que des emplois vont être créés et que trois écoles seront construites – **3.** qu'il est tous les jours à la mairie et que chaque habitant peut prendre rendez-vous pour lui parler de ses préoccupations

4 **1.** Il dit qu'il rentrera à la maison samedi prochain et qu'il a déjà fait la réservation. Il ajoute qu'il prendra le train de 13 h et qu'il arrivera à la gare Saint-Charles à 15 h 30. Il dit aussi qu'il nous appellera s'il y a un contretemps. – **2.** Elle écrit qu'elle est bien arrivée à Barcelone, que le voyage s'est très bien passé et que Lola et elle viennent de s'installer dans leur chambre d'hôtel. Elle dit aussi que le temps est magnifique et qu'elle nous en dira plus demain au téléphone.

Observez *page 145*

a. Faux – **b.** Faux – **c.** Vrai – **d.** Il demande « Est-ce que... ? » = Il demande si... – Il demande « Qu'est-ce que... ? » = Il demande ce que... – **e.** s'il

5 **1.** Le commissaire demande aux témoins ce qu'ils ont vu. – **2.** L'inspecteur demande au suspect où il était à 8 heures. – **3.** La police demande à la victime si elle a vu son agresseur. – **4.** L'enquêteur demande à l'accusé pourquoi il a fait ça. – **5.** Les policiers demandent à la femme du suspect si elle était avec son mari. – **6.** Les policiers demandent aux voisins s'ils ont entendu du bruit.

6 **1.** s'ils, ce qu'ils, s'ils – **2.** ce que, si – **3.** ce que, si – **4.** s'il – **5.** ce que – **6.** si

8 **1.** si – **2.** ce qu'on – **3.** si – **4.** si – **5.** comment – **6.** qui – **7.** si – **8.** combien – **9.** si – **10.** où – **11.** si

10 **1.** si j'ai prévenu les clients, **2.** quel est son emploi du temps de la semaine, **3.** où j'ai rangé les documents, **4.** ce que je pense de sa décision, **5.** si je crois qu'il a eu raison, **6.** qui il doit rencontrer, **7.** s'il a un dîner d'affaires, **8.** quand je pars en vacances, **9.** si je peux assister à la réunion avec lui.

Observez *page 147*

a. Vrai – **b.** Je te dis de te relever et de m'écouter. – **c.** Je vous conseille de ne pas vous éloigner du chemin. – Les deux termes de la négation sont regroupés devant l'infinitif.

11 **1.** Le médecin recommande à son patient de ne pas fumer. – **2.** Le maire conseille aux habitants d'éviter cette route. – **3.** Le contrôleur demande aux passagers de présenter leurs billets. – **4.** Le surveillant demande aux élèves de ne pas tricher à l'examen. – **5.** Le professeur conseille aux étudiants de bien lire les consignes. – **6.** Le gardien du musée demande aux visiteurs de ne pas prendre de photos. – **7.** Le guide recommande aux visiteurs de faire attention aux pickpockets. – **8.** Le chef d'entreprise demande à ses employés d'être ponctuels.

13 **1.** de sourire, **2.** de se lever, **3.** de lever un bras, **4.** de se tenir bien droite, **5.** de se tourner, **6.** de regarder derrière lui, **7.** de ne plus bouger, **8.** d'avoir l'air content.

14 **1.** d'avoir confiance en moi, d'être persévérant, de ne pas me décourager – **2.** de te dépêcher en rentrant de l'école, de ne pas traîner, de te mettre à ton travail tout de suite

15 **1.** d'écrire, d'indiquer, de compléter, de le remettre – **2.** de faire, de te lever, de venir, de m'aider – **3.** de vous asseoir, d'attendre, de ne pas vous inquiéter

16 Il demande aux visiteurs... **1.** s'ils ont des questions. – **2.** ce qu'ils ne comprennent pas. – **3.** de bien regarder. – **4.** ce qu'ils voient au premier plan. – **5.** de s'approcher. – **6.** s'ils ont aimé. – **7.** de ne pas toucher. – **8.** quel tableau ils préfèrent.

17 **1.** si elle peut emprunter notre échelle, qu'elle peut la prendre dans le garage, quand nous voulons qu'elle la rende, que nous n'en avons pas besoin en ce moment – **2.** qu'elle doit vous voir, si c'est urgent, qu'il s'agit de la signature du contrat Péri, qu'il va vous recevoir, si vous pouvez patienter quelques instants – **3.** ce que nous faisons dimanche, que nous n'avons rien de prévu, de venir déjeuner, si on apporte quelque chose

Chapitre 18

L'expression du temps

Observez *page 149*

a. Prépositions de temps : pour, à partir de, avant, après, jusqu'à, avant de, pendant, de... à..., il y a, dans, en, depuis. – **b.** *Avant de* s'utilise devant un verbe à l'infinitif. *Avant* s'utilise devant un nom.

1 **1.** avant de – **2.** avant – **3.** avant – **4.** avant de – **5.** avant de – **6.** avant – **7.** avant de – **8.** avant – **9.** avant de – **10.** avant de

Observez *page 150*

À partir de indique le point de départ d'une action. – *De... à...* indique le début et la fin d'une action. – *Jusqu'à* indique le point d'arrivée d'une action.

2 **1.** du, au – **2.** d', à – **3.** de, à – **4.** de, à – **5.** du, au – **6.** de, à – **7.** d', à – **8.** du, au – **9.** du, au – **10.** du, au

3 **1.** d, e, f, g, h – **2.** b, h – **3.** a, e – **4.** c – **5.** d, e, f, g, h – **6.** b, h – **7.** a, e – **8.** c

4 **1.** jusqu'à 19 heures – **2.** jusqu'au 4 septembre – **3.** à partir du mois prochain – **4.** jusqu'à dimanche soir – **5.** jusqu'à la semaine prochaine – **6.** à partir de 13 heures – **7.** jusqu'en septembre – **8.** à partir du 1er mars – **9.** jusqu'à la fin du festival – **10.** à partir d'octobre

Observez *page 151*

En indique la durée nécessaire et suffisante pour réaliser quelque chose. – *Pendant* indique la durée d'une action.

5 **1.** d – **2.** c – **3.** g – **4.** e – **5.** h – **6.** a – **7.** b – **8.** f

6 Exemples de réponses : **1.** en deux mois – **2.** en six semaines – **3.** en une demi-heure – **4.** en trois jours – **5.** en six mois – **6.** en cinq heures – **7.** en une matinée – **8.** en vingt minutes

7 **1.** pendant – **2.** pendant – **3.** en – **4.** pendant – **5.** en – **6.** en – **7.** pendant – **8.** En – **9.** en – **10.** en

Observez *page 152*

Vrai

8 Exemples de réponses : **1.** pour trois mois – **2.** pour un an et demi – **3.** pour deux mois – **4.** pour le premier semestre – **5.** pour trois semaines – **6.** pour cinq minutes – **7.** pour six mois.

9 **1.** pour – **2.** pendant – **3.** pendant – **4.** pour – **5.** pour – **6.** pour – **7.** pendant – **8.** pendant – **9.** pour

Observez (1) *page 153*

Il y a situe un fait dans le passé. – *Dans* situe un fait dans le futur.

10 **1.** dans – **2.** dans – **3.** dans – **4.** il y a – **5.** il y a – **6.** dans – **7.** dans – **8.** il y a – **9.** il y a – **10.** dans

Observez (2) *page 153*

a. Vrai – **b.** durée chiffrée : 1, 5 – un événement : 4 – une date : 2, 3

11 **1.** Ils discutent depuis trois heures. – **2.** Nous vivons ici depuis octobre dernier. – **3.** Je travaille dans cette entreprise depuis le mois de mars. – **4.** Elles ne suivent plus les cours depuis le mois dernier. – **5.** On connaît la famille Florentin depuis plusieurs années. – **6.** Vous attendez l'autobus depuis longtemps ? – **7.** Tu n'arrêtes pas de parler depuis une heure. – **8.** Il ne pleut plus depuis une demi-heure.

12 **1.** Elle ne fait plus de sport depuis plusieurs années. – **2.** Tu mets ce parfum depuis longtemps ? – **3.** Je ne me maquille plus depuis mon allergie. –

4. On a des cours depuis le 1er octobre. – 5. Ils n'assistent plus aux réunions depuis quelques mois. – 6. Il ne sort plus depuis son accident. – 7. Je vais à la piscine depuis le début de l'année. – 8. Tu fais du yoga depuis de nombreuses années. – 9. Vous ne voyagez plus depuis la naissance de vos enfants.

Observez *page 154*

a. Vrai – b. en début de phrase

14 1. Il y a deux ans que je travaille chez moi. – 2. Il y a cinq ans qu'elle va régulièrement à l'étranger. – 3. Cela fait quatre semaines que nous sommes en formation. – 4. Il y a six mois qu'il partage son bureau avec moi. – 5. Cela fait un mois qu'ils font un stage. – 6. Cela fait longtemps que tu cherches un travail. – 7. Il y a dix ans qu'elle est à la retraite.

Observez *page 155*

a. *quand, pendant que, depuis que* – b. *avant que, jusqu'à ce que*

15 1. quand – 2. depuis que – 3. pendant que – 4. depuis que – 5. depuis qu' – 6. pendant que – 7. quand – 8. quand

16 1. depuis qu' – 2. pendant que – 3. depuis que – 4. depuis qu' – 5. pendant que – 6. pendant que – 7. depuis qu' – 8. depuis qu' – 9. pendant que – 10. depuis que

17 1. Pars avant que la nuit tombe. – 2. Je vais rentrer avant qu'il soit trop tard. – 3. Reste jusqu'à ce qu'il fasse jour. – 4. On restera avec toi jusqu'à ce que le train parte. – 5. Il a plu avant que vous arriviez. – 6. J'ai travaillé jusqu'à ce que tu reviennes. – 7. Dépêchons-nous avant que le magasin ferme. – 8. Tu ne traverseras pas avant que le feu soit rouge.

18 1. jusqu'à ce que – 2. quand – 3. jusqu'à ce qu' – 4. avant qu' – 5. jusqu'à ce qu' – 6. depuis qu' – 7. avant que – 8. pendant que – 9. avant que – 10. avant que

Observez *page 156*

a. Question sur un moment : Quand ? – Question sur la durée : Combien de temps ?
b. Depuis + quand ? – Pendant, en, il y a, depuis, dans, pour + combien de temps ?

19 1. e, g – 2. a – 3. b – 4. f – 5. c – 6. d – 7. e, g

20 1. Le centre commercial ouvrira ses portes quand ? – 2. Ce jour-là, il fermera quand ? – 3. On attend cet événement depuis combien de temps ? – 4. Le projet a été discuté pendant combien de temps ? – 5. Le magasin a été construit en combien de temps ? – 6. Les travaux ont commencé il y a combien de temps ? – 7. La station-service est fermée quand ? – 8. Le parking sera agrandi dans combien de temps ?

21 1. il y a, pendant, à partir de, En, jusqu'à – 2. pendant, jusqu'à ce qu', quand, en, Pendant, pendant

23 1. Depuis – 2. avant d' – 3. il y a – 4. pendant – 5. jusqu'à ce que – 6. avant – 7. pendant – 8. depuis que – 9. Avant – 10. pendant – 11. en – 12. jusqu'à

24 1. depuis, il y a – 2. il y a, depuis – 3. depuis, il y a – 4. il y a, depuis – 5. depuis, il y a – 6. depuis, il y a

25 1. il y a – 2. depuis – 3. il y a – 4. depuis – 5. il y a – 6. Depuis – 7. il y a – 8. depuis

Chapitre 19
Les relations logiques

Observez *page 159*

a. *parce que* – b. *puisque* – c. *comme*

1 1. Brigitte est triste parce que son ami l'a quittée. – 2. Nous sommes fatigués parce que nous n'avons pas beaucoup dormi. – 3. Ils sont heureux parce qu'ils ont fait un voyage magnifique. – 4. Xavier et Anne sont inquiets parce que leurs enfants ne sont pas encore rentrés. – 5. Vous êtes déçu parce que vous n'avez pas reçu de réponse positive. – 6. Tu es furieux parce que tu as perdu ta carte de crédit. – 7. Je suis surpris parce que je n'ai pas encore reçu de réponse.

3 1. Comme nous sommes trois, nous aimerions une chambre plus grande. – 2. Comme il n'y avait plus de métro, ils ont dû prendre un taxi. – 3. Comme vous n'avez pas réservé, vous ne pouvez pas rester plus longtemps. – 4. Comme il fait très chaud en été, l'hôtel est climatisé. – 5. Comme les animaux n'étaient pas acceptés, j'ai changé d'hôtel. – **6.** Comme le quartier est très bruyant, elles ont très mal dormi. – **7.** Comme on était en demi-pension, on n'a jamais déjeuné à l'hôtel.

4 **1.** Elle va être hospitalisée parce qu'elle a une grave infection. – **2.** Tu ne peux pas t'inscrire au club piscine parce que tu n'as pas de certificat médical. – **3.** Comme nous n'avons pas notre attestation d'assurance, nous devons tout payer. – **4.** Je vous conseille d'aller aux urgences parce que votre blessure saigne beaucoup. – **5.** Comme elle ne se nourrit pas assez, elle a souvent des malaises. – **6.** Comme il a la jambe plâtrée, il ne peut pas se déplacer facilement.

5 **1.** parce que, puisque – **2.** parce que, puisque – **3.** puisque, parce que – **4.** puisque – **5.** parce que, puisqu' – **6.** puisque – **7.** parce qu'

Observez *page 160*

a. d'un nom – **b.** *grâce à*

6 **1.** à cause de la – **2.** grâce à l' – **3.** grâce au – **4.** grâce à la – **5.** à cause du – **6.** grâce au – **7.** grâce aux – **8.** à cause de la – **9.** à cause des – **10.** à cause de l'

7 **1.** à cause des – **2.** grâce à – **3.** à cause des – **4.** à cause d', à cause de – **5.** grâce à – **6.** à cause du – **7.** grâce à – **8.** grâce aux

Observez *page 161*

a. la conséquence – **b.** *tellement* – **c.** Devant un verbe et devant un adjectif, on utilise *tellement*. – Devant un nom, on utilise *tellement de*. – **d.** Vrai. – **e.** Entre l'auxiliaire et le participe passé.

9 **1.** Nous avons 500 km à faire donc nous faisons un plein d'essence. – **2.** La nuit est tombée donc j'allume mes phares. – **3.** Tu roulais trop vite donc tu as raté la sortie d'autoroute. – **4.** Ma voiture est tombée en panne donc je suis rentré en auto-stop. – **5.** Elle a oublié ses lunettes donc elle ne peut pas conduire. – **6.** La chaussée était verglacée donc ils ont roulé très lentement. – **7.** Nous nous sommes trompés donc nous avons dû faire demi-tour. – **8.** Beaucoup de personnes partent en week-end donc il y a énormément de bouchons.

10 **1.** tellement – **2.** tellement – **3.** tellement – **4.** tellement – **5.** tellement de – **6.** tellement de – **7.** tellement – **8.** tellement de

11 **1.** Le film était tellement mauvais que les spectateurs ont sifflé. – **2.** Le public a tellement applaudi que l'actrice avait les larmes aux yeux. – **3.** Il y avait tellement de journalistes qu'on ne voyait plus l'acteur. – **4.** Les gens riaient tellement qu'on n'entendait plus les dialogues. – **5.** Certaines scènes sont tellement violentes que le film est interdit aux moins de dix-huit ans. – **6.** Le jeune acteur a tellement de fans qu'il a eu du mal à sortir de l'hôtel.

12 **1.** Elles sont tellement concentrées sur leur travail qu'elles n'entendent pas le téléphone. – **2.** Il a tellement mal qu'il va chez le médecin. – **3.** Ce travail est tellement délicat que je fais très attention. – **4.** Sa réussite est tellement inattendue qu'il a du mal à y croire. – **5.** Ses parents sont tellement fiers qu'ils ont prévenu toute la famille. – **6.** J'ai tellement couru que je ne peux plus respirer. – **7.** Elle avait tellement envie de cette robe qu'elle l'a achetée.

Observez *page 163*

a. *Pour* est suivi de l'infinitif. – *Pour que* est suivi du subjonctif. – **b.** Vrai – **c.** Les deux termes de la négation sont regroupés devant l'infinitif.

13 **1.** Ils voyagent pour découvrir d'autres cultures. – **2.** J'ai laissé mon adresse à un ami pour qu'il m'écrive. – **3.** Tout est organisé pour que nous passions un bon séjour. – **4.** Nous partons en vacances pour nous amuser. – **5.** J'ai fait une liste pour ne rien oublier. – **6.** Elle va à Berlin pour progresser en allemand. – **7.** J'ai acheté un guide pour que nous sachions où aller. – **8.** Nous avons réservé une chambre d'hôtel pour ne pas dormir sous la tente.

14 **1.** pour, pour que, pour que, pour – **2.** pour, pour que, pour que, pour – **3.** pour, pour que, pour que, pour

15 **1.** pour ne pas manquer ton avion – **2.** pour être à l'heure – **3.** pour que tes amis ne t'attendent pas – **4.** pour me faire plaisir – **5.** pour ne pas arriver en retard – **6.** pour être en forme – **7.** pour qu'on puisse courir ensemble – **8.** pour améliorer tes performances – **9.** pour ne pas grossir – **10.** pour qu'on s'inscrive au marathon

16 **1.** pour que les gens puissent consommer plus – **2.** pour informer les électeurs – **3.** pour qu'on fasse des travaux – **4.** pour que de nouveaux élèves soient accueillis – **5.** pour que le parc soit agrandi – **6.** pour que le trafic puisse se développer – **7.** pour ne plus déranger les voisins – **8.** pour que les touristes ne soient pas gênés

Observez *page 164*

a. d'un infinitif – **b.** Il ne travaille pas ; à la place, il regarde la télévision. – **c.** c'est complètement différent – **d.** de l'indicatif

17 **1.** au lieu de dépenser tout ton argent – **2.** au lieu de te précipiter – **3.** au lieu de crier – **4.** au lieu de passer tes week-ends à travailler – **5.** au lieu de rester enfermé – **6.** au lieu de prendre la voiture

18 **1.** g. Les hamburgers sont américains alors que la paella est espagnole. – **2.** a. Il pleut à Marseille alors qu'il fait un temps magnifique à Lille. – **3.** c. J'adore le cinéma alors que mon mari ne s'intéresse qu'au sport. – **4.** f. Béatrice a déjà terminé son travail alors que sa sœur n'a pas encore commencé. – **5.** d. Nous arrivons toujours en avance alors qu'ils sont régulièrement en retard. – **6.** e. Tu vis seul alors que je partage un appartement avec trois étudiants. – **7.** b. On aime faire la grasse matinée alors que vous êtes vraiment matinaux.

Observez *page 165*

a. 1 b – 2 c – **b.** Vrai – **c.** Vrai – **d.** du subjonctif

19 **1.** Elle a vécu vingt ans à Berlin, pourtant elle ne parle pas allemand couramment. – **2.** Ils ont un chalet dans les Alpes, pourtant ils n'aiment pas la neige. – **3.** Je pars faire une croisière, pourtant j'ai facilement le mal de mer. – **4.** Vous serez seul pour votre anniversaire, pourtant vous avez beaucoup d'amis. – **5.** Tu as donné ta démission, pourtant tu as besoin de travailler. – **6.** Il a gagné au loto, pourtant il s'inquiète pour son avenir.

21 **1.** bien que nous ayons normalement le sens de l'humour – **2.** bien qu'elle adore les enfants – **3.** bien que tu sois quelqu'un de calme – **4.** bien que je dise des choses désagréables de temps en temps – **5.** bien qu'il soit très lent – **6.** bien qu'elle n'élève jamais la voix – **7.** bien que vous ayez beaucoup de problèmes

22 **1.** Ils n'ont pas d'endurance bien qu'ils fassent beaucoup de sport. – **2.** Nous attrapons des coups de soleil bien que nous nous mettions de la crème solaire. – **3.** On se déshydrate rapidement bien qu'on boive souvent. – **4.** Elle grossit bien qu'elle mange peu. – **5.** Il se couche tard bien qu'il soit très fatigué. – **6.** Elles continuent à fumer bien qu'elles soient enceintes. – **7.** Je sors avec des amis ce soir bien que je ne me sente pas bien. – **8.** Tu regardes la télévision bien que tu aies très mal aux yeux.

23 **1.** Grâce à, bien qu' – **2.** pour – **3.** alors que – **4.** Comme, puisqu' – **5.** parce que – **6.** tellement – **7.** grâce à – **8.** pour qu'

24 **1.** puisque – **2.** grâce à – **3.** donc – **4.** comme – **5.** pour que – **6.** au lieu de – **7.** À cause des – **8.** tellement de – **9.** alors que – **10.** pour – **11.** pourtant – **12.** alors que – **13.** bien qu'

Chapitre 20

L'expression de la comparaison

Observez *page 168*

a. Avec un adjectif : plus... que – aussi... que – moins... que. **Avec un adverbe :** plus... que – aussi... que – moins... que. **Avec un nom :** plus de... que – autant de... que – moins de... que. **Avec un verbe :** plus... que – autant... que – moins... que – **b.** meilleur : bon – mieux : bien – pire : mauvais – **c.** beaucoup mieux – bien mieux – bien meilleur – bien pire – **d.** Vrai – **e.** *que*

1 **1.** La mer Méditerranée est plus chaude que l'océan Atlantique. – **2.** Le Jura est moins haut que les Alpes. – **3.** La Loire est plus longue que la Seine. – **4.** Le Nord est plus plat que le Sud. – **5.** Au sud de la Seine, les pluies sont moins fréquentes qu'au nord. – **6.** La côte basque est aussi ensoleillée que la Côte d'Azur.

2 **1.** plus travailleur, aussi vif – **2.** moins généreuse, plus économe – **3.** aussi dynamiques, plus fatigués – **4.** moins jolie, moins grande – **5.** meilleure, moins stressés

3 **1.** Les moyens de communication sont plus performants qu'avant. – **2.** Avec Internet, on trouve des informations plus facilement qu'avant. – **3.** Autrefois, la technique était moins développée que maintenant. – **4.** Les gens ne vivaient pas aussi confortablement que de nos jours. – **5.** Les offres culturelles sont plus nombreuses que dans ma jeunesse. – **6.** La qualité de la vie était peut-être meilleure qu'actuellement.

4 1. bien meilleur – 2. bien mieux / beaucoup mieux – 3. bien meilleurs – 4. bien meilleure – 5. bien plus mauvais / beaucoup plus mauvais – 6. bien meilleures – 7. bien mieux / beaucoup mieux

5 1. autant de, que de – 2. plus de, que de – 3. autant de, que de – 4. moins de, que de – 5. plus de, que de – 6. autant de, que de

7 1. autant de neige que l'hiver dernier – 2. moins de nuages qu'hier – 3. plus d'éclaircies qu'aujourd'hui – 4. moins de vent que ce matin – 5. plus de soleil que la semaine dernière – 6. autant d'orages que cet été

8 1. comme, que – 2. comme, qu' – 3. que, comme – 4. que, comme – 5. comme, qu' – 6. comme, que – 7. que, comme – 8. comme, qu'

9 1. Elle prend le même bus que moi. – 2. Nous avons les mêmes professeurs que l'année dernière. – 3. Je suis du même quartier qu'elle. – 4. Nos amies vont au même centre sportif que nous. – 5. Le directeur habite le même immeuble que mon oncle. – 6. Julie va aller au même lycée que moi.

10 1. J'ai moins aimé ses tableaux que ses sculptures. – 2. J'ai autant apprécié ce restaurant que l'autre. – 3. Nous n'avons pas autant marché qu'hier. – 4. Nous avons mieux suivi la conférence que les débats. – 5. Ils sont moins intervenus que d'habitude. – 6. Je me suis mieux organisé aujourd'hui qu'hier.

11 1. mieux que – 2. autant de – 3. plus, qu' – 4. meilleure – 5. le même – 6. moins – 7. aussi – 8. meilleure

12 1. la même – 2. le même – 3. plus de – 4. mieux – 5. moins de – 6. plus – 7. moins – 8. meilleur

13 1. plus, que – 2. moins de, que – 3. mieux – 4. plus de – 5. autant d', que – 6. moins, qu' – 7. moins de – 8. mieux, que

Observez *page 172*

a. *le plus, la plus, les plus, le moins, la moins, les moins* : avec un adjectif – *le plus de, le moins de* : avec un nom – *le plus, le moins* : avec un verbe ou avec un adverbe – **b.** de – **c.** Vrai – **d.** Vrai

15 1. le plus, f. – 2. le moins, d. – 3. le plus, b. – 4. le moins, a. – 5. le plus, g. – 6. le moins, c. – 7. le plus, e.

16 1. Oui, c'est le monument le plus beau de la ville ! – 2. Oui, c'est le jardin le plus grand du quartier ! – 3. Oui, c'est la place la plus petite du village ! – 4. Oui, c'est le sommet le plus haut des environs ! – 5. Oui, ce sont les restaurants les meilleurs de l'arrondissement ! – 6. Oui, c'est le château le plus vieux de la région ! – 7. Oui, c'est l'immeuble le plus beau de la résidence !

17 1. L'accueil le plus chaleureux. – 2. Les vacances les plus réussies. – 3. Le prix le meilleur. – 4. Le soleil le plus éclatant. – 5. Le bronzage le plus séduisant. – 6. Les excursions les mieux organisées. – 7. Les rencontres les plus insolites. – 8. Les souvenirs les plus incroyables.

18 1. le plus original – 2. la plus géniale – 3. le moins violent – 4. les plus amusants – 5. les plus intéressantes – 6. le moins cher

20 le plus beau palais, les étoffes les plus riches, les meilleurs cuirs, la maison la plus pauvre, les moins jolis habits, les plus beaux yeux, la plus heureuse des familles

21 1. les meilleurs – 2. les meilleures – 3. le mieux – 4. la meilleure – 5. le mieux – 6. le meilleur – 7. la meilleure

22 encore plus que dans votre catalogue, les mêmes dimensions, moins large, trois centimètres de moins, un meilleur son, vous voyez mieux, bien meilleure qualité d'image, moins chère, pas mieux, la plus intéressante, ce qui se fait de mieux, un peu plus de temps, plus cher

23 1. moins, la même, la meilleure – 2. meilleur, les plus, moins – 3. le plus, plus de, bien mieux

Achevé d'imprimer en Italie par L.E.G.O. S.p.A.
Dépôt légal : juin 2017 - Collection n° 23 - Édition n° 11
15/5435/1